JN103648

エンジニアの覗いた自然エネルギー社会

上巻

葛原 正
KATSURAHARA Tadashi

文芸社

まえがき

折しも、2020年10月に菅首相が「温室効果ガス排出量を2050年までに実質ゼロとする」目標を宣言して、私達もいよいよ自然エネルギー社会を目指すことになりました。目を世界に転じると、ほとんどの主要国はすでに同様の目標を掲げていて、今回の政府の宣言は国連を始めとする多くの関係者から強く望まれていたものです。特に、欧州諸国では一昨年以降週末に若者たちが政府などに温暖化対策の強化を求めて抗議活動を行っているなど国民的な運動が盛り上がっていますが、我が国では今一つ国民の関心が薄いような気がしますが、いかがでしょうか。

少し前にNHKのEテレで『ヒトの秘密』というシリーズ番組があって、いくつかのテーマについて著名な進化生物学者のジャレド・ダイアモンド博士が学生たちを前に語りかけるという内容でした。その中で、地球温暖化問題についての話題が展開された時に、博士が以下のようなたとえ話をしていました。
「今、世界では地球温暖化問題への対策を早急に進めるべきとの51％の積極推進派と、これに対抗する49％の懐疑派・否定派とが競争を行っています。しかし、やがては（皆さんが社会で活躍する頃には）きっと積極派が勝利していることでしょう（だから将来に希望を持ってください）」

51％や49％の数字は博士独特の言い回しから出てきたものでしょうが、筆者の周りを見渡してみると、10％の積極推進派、

10%の懐疑派・反対派、80%のその他、という具合に色分けされるように思います。正直言って、筆者自身も数年前まではこの「その他」に属していました。

その転機となったのが、9年前（2011年）の東日本大震災と福島原子力発電所の事故です。以前エネルギー事業にも関係する企業に勤めていた者として、東北地方沖合を震源とする大地震の第一報に接すると、直感的に原子力発電所が脳裏をよぎりました。それから数日はテレビ画面を食い入るようにのぞき込みながら、事故の過酷さと何一つ手を差し伸べられない無力感にさいなまれる日々を過ごすことになりました。

これを契機として、現在のエネルギー問題を見つめ直し、それと深く結びついている地球温暖化問題（より広くは気候変動問題）に対峙することとなりました。エネルギー問題は単に特定の技術分野にとどまらず、経済や社会から国際政治に至るまで幅広い領域にまたがる複雑な問題です。いろいろと関係する分野を調べながらあちこちを行ったり来たりして、最初はまるで暗闇を手探りで進むようなところもありましたが、少しずつおぼろげながらも山岳の稜線が浮かび上がってきたような気がしています。

これまでの調査結果を、多くの不備があることも承知の上で、筆者なりの視点でまとめておくのは多少なりとも意味のあることではないかと感じて筆をとっています。できれば多くの方々とこれらの情報を共有することができれば、何よりの喜びと考えています。

今、強く感じているのは、私たちの日常生活を支えるエネルギー利用に関して世界全体が重要な転換点にさしかかっていて、やがて社会の仕組みや生活様式が大きく変わろうとしている（変わらざるを得ない）ということです。そして、このように確実にやってくる新しい未来の環境に対してこれから私たちが選ぶ道筋が、私たちだけではなくて子や孫などの将来世代の生活環境を決定づけることになります。

このような大転換期、あるいはいくつかの選択肢がある混沌とした状況の中で、新しい社会を切り開いてゆくためには旧来の考え方に凝り固まることなく、柔軟で新しいアプローチが必要になることでしょう。そして政治家や一部の専門家の意見を鵜呑みにするのではなくて、私たち一人一人が問題の本質を正しく理解して判断することが求められているように思います。将来を決める選択肢はすべて私たちの手の中にあるのです。

筆者は気候学やエネルギー分野などの専門家ではありませんので、ここで新しい研究成果について述べることはできません。しかし、メーカーなどで一貫して研究開発の実務からマネジメントまでを担当してきた経験から、新しい技術や各種の最新情報を基に、それらを実社会にどのように活かしていくかには強い思い入れがあります。できるだけ地球温暖化問題の全体像をつかんでみたいとの思いから、作業を開始することとしました。

本著は上巻・下巻を通して三部構成になっています。

本書、上巻では、第1部【現象編】としてⅠ、ⅡでIPCC（国連の気候変動に関する政府間パネル）の評価報告書などに基づいて、地球温暖化などの環境変化がどのようにして起こっているのか、そして私たちの日常生活でのエネルギー消費とどのように関係しているかなどについて、理解を深めていただければと思います。

続いて第2部【基礎編】として、Ⅲ、Ⅳ、Ⅴで私たちがエネルギーを効率的に利用して、CO_2排出をできるだけ減らすために知っておいた方がよい基本的な事項と、これから脱炭素化を目指すために電力、とりわけ自然エネルギー源による電力が果たす役割やさらに広く経済・社会システムにもたらすインパクトについて考えます。

下巻では第3部【実践編】として、ⅥとⅦで各種自然エネルギー利用の基本的な仕組みから導入に際して考慮しなければいけない事項、さらに脱炭素化を追求するためにこれから導入が期待される新技術について、私見を交えながら説明します。

最後に、第Ⅷ章で自然エネルギー社会を実現するために、何がポイントとなるかについてまとめます。そして、我が国がこれから自然エネルギー社会へ向かってゆくために、筆者が重要と考えるいくつかの視点を紹介しますので、皆さんがこれからこの問題を考えてゆく一つのきっかけとして頂ければ幸いです。

—上巻　目次—

第１部【現象編】

Ⅰ．エネルギー消費が招く地球温暖化

1．はじめに

最初に、クイズを一つ出しますので、考えてみてください。

【クイズ①】

私たち日本人は1年間に1人当たり平均どのくらいの量のCO_2（炭酸ガス）を出しているでしょうか？　次の中から最も近いものを選んでください。

① 100kg（0.1トン）　②1トン　③10トン　④100トン

国全体の排出量は11.38億トン（2018年度）ですから、正解は③10トンです。

CO_2は常温では気体なので、なかなか重さはイメージしづらいのですが、冷やしてドライアイスに固めると10トンだと大型トラックの荷台一杯に積まれることになります。日本人の年間1人当たり平均的な排出量は10トン弱ですが、米国やオーストラリアなどではこの1.5倍以上で、中国は2/3程度、その他の新興国では1/10以下などのところもあります。概ねその国の平均的な生活水準、つまり1人当たりの国民総生産（GDP）に関係しています。このボリューム感を掴むことが、これから説明する、これによってどのような問題が起こってくるのか、そしてそれを防ぐためにどのような対策が必要かを考える上でとても重要です。

これは**人為起源CO_2排出量**と言われますが、そのほとんどは私たちが日頃いろいろなところで直接的、あるいは間接的にエネルギーを使うことに伴って吐き出されていて、**温室効果ガス（GHG）**の大部分を占めています。そして、このエネルギーはほとんどが石油、石炭、天然ガスなどの化石燃料を燃やすことで取り出されています。

ちなみに、私たちが日常生活をしている“生命活動”も立派なエネルギー消費活動です（**本項末のコラム参照**）。そのエネルギー源である食料（有機物）は、さまざまな過程を経ているにしても、もとをたどると大気中にあったCO_2が植物の光合成によって取り込まれたものなので、温室効果ガスには含めません。これは後にも出てくる、バイオマス発電で木材などを燃やして電気エネルギーを取り出した時に排出されるCO_2をGHGに含めないのも同様の理由によります。もちろん人口が増えすぎると食料難の問題につながり、食料増産のために大規模に原生林を開発して、もともとあるCO_2の吸収源を奪ってしまうと事情は違ってきます。これらについては「**土地利用変化**」として、別途把握してCO_2発生源に加算されることになります。

ところで、皆さんはこの１人当たり10トンという数字をどのように感じられるでしょうか。筆者が最初に想像した時には、排出量はせいぜい数トンの下位のレベルではないかと思っていましたので、「こんなに多いとは」というのが正直な気持ちです。私たちの日常生活でCO_2をまとまって排出するとすれば、自家用車を運転する時、冬にファンヒータをつけている時、ガスで風呂などの湯を沸かすぐらいしか思い浮かびません。

この時の年間のCO_2排出量を見積もってみます。

・自家用車：(40÷1000) kL×12カ月×CO_2排出係数（注）2.32トン・CO_2/kL＝1.1トン・CO_2

・灯油：(18÷1000) kL×5回×CO_2排出係数2.49トン・CO_2/kL＝0.2トン・CO_2

・都市ガス：20㎥×12カ月×CO_2排出係数2.23トン・CO_2/1000㎥＝0.5トン・CO_2

以上計1.8トン・CO_2（4人家族では0.45トン・CO_2/人）

マイカーを持っているかどうか、どの程度使っているかで排出量が大きく変わってくるようです。

（注）CO_2排出係数は単位の燃料やエネルギー当たりに排出されるCO_2の量です。各CO_2排出係数は環境省ホームページによります。

図1.1-1が我が国のCO_2排出量の部門別の割合です。図中には**直接排出**と**間接排出**が示されていますが、前者がCO_2の発生場所、後者がエネルギーなどとして実際に利用する場所に割り振った排出量を表すと考えてください。わかりやすいのがエネルギー転換部門で、これは主に電力会社の発電所に相当しますが、そこでは多量の化石燃料などを使って電力（変換されたエネルギー）を生み出していますが、そのほとんどは家庭などの他部

門で利用されています。それでも、家庭部門の間接排出量は全体の1/6程度で、直接排出量で見ると、エネルギー転換部門、産業部門がほとんど（約2/3）を占めていることがわかります。

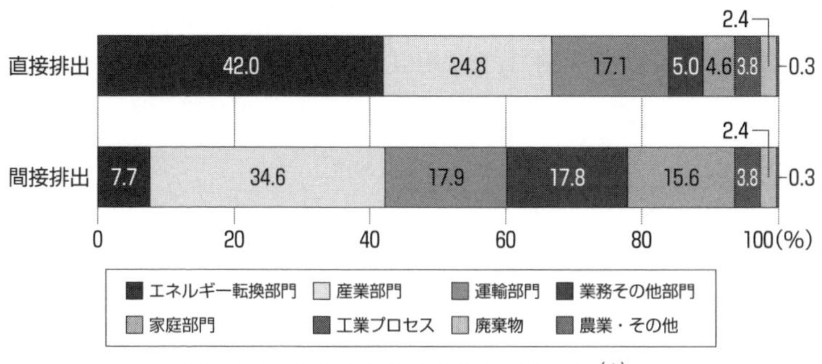

図1.1-1　CO_2排出量の部門別割合(1)

上記で計算したCO_2排出量はこの直接排出に相当し、実際にはその数倍の量を化石燃料から電力へエネルギー変換する時などで排出しています。電力のように、石炭や天然ガスなどの燃料（**一次エネルギー**）から、私たちが使いやすい形態に変換されたエネルギーを**二次エネルギー**と言います。以下のように私たちの日頃の暮らしでは、目の届かないところでCO_2のほとんどを排出しています。

・発電所で電気などの二次エネルギーへの変換時（後に出てくる水素燃料製造などあります）

・工場などでの製品の生産プロセスにおいて

・私たちの移動や商品の配送、その他の各種のサービスが生み出される過程このように私たちの日常の生活から離れたところでほとんどのCO_2が排出されているため、なかなかCO_2を排出しているという実感を伴わないというのが実情ではないでしょうか。CO_2だけでなくて、その他の大気汚染物質が排出される工場などと生活の拠点が離れていることは、生活環境が改善するという点では好ましいことかもしれません。現代の社会はかつての公害問題などの教訓を踏まえて、住居と生産現場が離れる方向に進んできました。しかし、それによってCO_2などの排出に対する意識が薄くなっていることも否めない事実でしょう。

例えば、「石炭火力発電所では、大気汚染物質や多くのCO_2（天然ガス火力の約２倍）が発生するからできるだけ少なくしましょう」との議論がありますが、近隣住民でないとなかなか発電所建設や稼働反対の声をあげようという動きも出てきにくくなります。かつて我が国も経験した大気汚染公害や現在の中国の大都市などのように汚染状況が目で捉えられるとかで、健康被害との因果関係がある程度明確になれば対策に向けて動きやすいのですが、無色透明のCO_2（GHG）排出、さらには地球温暖化問題への影響となると、直感的に意識することが難しくなってきます。

このほかにも以下のように、私たちが地球温暖化対策に今すぐに手を付けようとするのにちゅうちょするいくつかの阻害要因があります。

・脱炭素化や脱化石燃料に着手するには手間とコストがかかって、経済的ではないとの先入観がある。

・ローカルな問題ではなくて、全地球的な問題である。全世界が一致した取り組みで行わないと効果が発揮できない（注）。逆に自分たちが今苦労してやらなくても、誰かがやってくれるだろうとのフリーライダー（ただ乗り）意識が働く。
・事象によってはCO_2排出量増加の結果が地球温暖化（気候変動）に現れるのに時間遅れがある。つまり、今すぐにやらなくても大して困らないが、いずれは将来世代が苦しむことになる。
・気候変動で起こる問題点（いつ、どこで、何が起きるか）が確実に把握できていない。しかし、ひとたび重大な変化が起こり始めるとなかなか元に引き戻せない可能性がある。

（注）ウィリアム・ノードハウスは著書『気候カジノ』（２）で、「限定的な参加は対策費用を大幅に増加させ、温暖化の対策目標を達成不可能にする。したがって、地球規模の取り組みと協調的な政策が不可欠である」ことをシミュレーションで示しています。

いきなり深刻な話になりましたが、これらの点については少し頭の片隅に置いて、以下の議論にお付き合い頂ければと思います。

なお、エネルギー問題を考える際には、まずいくつかの単位系と相互の換算、さらには大きな桁数の数字に直面します。国際標準単位系（SI単位系）を使うのが理想ですが、エネルギーの単位がジュール（J＝W·s）となり、私たちにとって馴染みが薄くなります。本書では電気エネルギーが話題の中心となることもあり、主として、(電気) エネルギーを生み出す (発電) 能力や消費する力 (パワー) の単位としてW (ワット)、エネルギー量 (電力量) の単位としてW·h＝3600W・sを使用します。

また、10^3＝k (キロ)、10^6＝M (メガ)、10^9＝G (ギガ)、10^{12}＝T (テラ) なので、原子力発電所１基分の出力は大体100万kW＝１GWです。最近の大型火力発電所はこの数倍の規模のものもあります。大規模太陽光発電所をメガソーラーと称していますが、１MW＝1000kWですから、原子力発電所の1/1000の規模で意外と小さいものです。さらに、ここで生まれる発電量は設備の稼働率が低いため、原子力発電所の1/5000程度になります。

電気料金を計算する基本単位はkWhで、日本全体では年間１兆kWhの電力を消費していますので、１人当たりにすると平均約8000kWhとなります。上記のように私たちが直接に使っているのは、この数分の１です。

●コラム　人間のエネルギー使用効率

人間の食物などによる化学エネルギー摂取量を運動などの機械的エネルギーに変換する機能を考えてみます。人間の生命活動による（すなわち口から吐き出している）１人当たり１日のCO_2排出量は約1kgです。一方、私たちがヘルスメーターで測った時に表示される、じっとして動かない時にも消費される基礎代謝量（日本人平均、約1500kcal）の1.5～2.0倍程度が１日の消費エネルギー量で、平均すると110W～150Wのパワーに相当します。したがって、人間のエネルギー消費で排出するCO_2の割合（排出係数）は0.28～0.38 kg・CO_2/kWhとなり、天然ガスを使用した火力発電所での値（我が国の場合には0.43kg・CO_2/kWh）よりは少し低くなります。ただし、この比較は、人間が血液を循環させ、体温を一定に保つなどの生命維持活動としての基礎代謝を含めたもので、基礎代謝を除いたもので比較すると、火力発電システムよりはCO_2排出係数はずっと低くなります。

2．化石燃料使用とCO_2排出について

私たちの日常生活においては、生命を維持することから始まって、各種の商品・サービスの生産・消費や余暇・奉仕などの経済社会活動のすべてにおいてエネルギー消費を伴っています。現在はこのエネルギーのほとんどを地中から掘り出した化石燃料により賄っていて、近年の急激な使用量増加が周りの自然環境に少なからぬ影響を及ぼすことになっています。それは現在のエネルギー消費がCO_2排出と切っても切れない関係になっているからです。

下記は、皆さんも一度は目にしたことのある植物の光合成反応を簡略化したものです。

CO_2＋H_2O＋（太陽エネルギー）⇒CH_2O（有機化合物）＋O_2

植物は水分のある環境で大気中のCO_2と太陽エネルギーを使ってブドウ糖（$C_6H_{12}O_6$）などの有機化合物を造り出しています。この逆の過程が呼吸などとして私たちの生命活動でのエネルギー消費に関わっています。植物自身は私たちにとって欠かせない食料生産の役割を果たしてくれていると同時に、一方では自身の呼吸によって蓄えたエネルギーを使って成長や繁殖などの生命活動を営んでいます。

地球上の生命を育んでいる源がほとんどこれらの過程に集約されていて、CO_2を取り込んで生成された有機物は人間を含め

た動物の食料源、すなわちエネルギー源になっています。

幸いなことに水とCO_2、太陽エネルギーは地球誕生後の比較的早い時期から存在していて、地球には生命誕生の条件が備わっていたことになります。中でもCO_2は最近の地球温暖化問題では目の敵にされつつありますが、そもそもCO_2がなければ、私たちのような生命体はこの世の中に存在していなかったことになります。そして、この過程で生まれてきたのが、私たちが現在使っている化石燃料です。

化石燃料は名前の通り、光合成によって造られた大昔の生物の死骸（有機化合物）が永い時間の経過によって、熱や圧力が加えられて熟成されてできたものです。石炭と石油・天然ガスで以下のようにでき方に違いがあります。

・石炭：石炭紀（2.8億年前）以降に陸上植物が枯れて湿原などに埋もれて、変質（石炭化）したもの。泥炭から始まって、時間の経過とともに比較的未熟な褐炭（1.45～0.66億年前の白亜紀が起源）から瀝青炭、無煙炭へと熟成（燃料として高質化）が進み、その過程で酸素と水素が抜け出て、炭素が濃集（上質な無煙炭では炭素の割合が95％程度）される（注）。
・石油・天然ガス：有力な説では海底に降り積もった植物プランクトンなどの死骸が地中深くに封じ込められ熟成されたものとされる。天然ガスではメタン菌のような細菌が有機物の分解に関与しているとも言われる。このうち主に分子中の炭素数が少なく（炭素数５のペンタンまで）分子量の小さいものがガスとなり、天然ガスはほとんどがメタンCH_4で占められる。

（注）古気候学の調査結果によると、石炭紀以降のジュラ紀・白亜紀にはCO_2濃度が現在の５～10倍、平均大気温度も現在よりも８～15℃高かったものと推定されています[3]。

ここで化石燃料の生成と燃焼を、メタンCH_4を例にとって考えてみます。

図1.2-1はメタンとそれを構成する元素単体などのエネルギーのレベルを示しています。エネルギーレベルの最も高い状態がC、H、Oが各々単独で存在する状態で、最も低いのが燃焼（酸化）によってこれらが分子として結合したCO_2とH_2Oになった状態です。燃焼によって熱エネルギーを発生して、物質としてはエネルギーレベルが低くて安定な状態となります。化合物（炭水化物）CH_4は比較的高いエネルギー状態にあり、やはり燃焼することにより熱エネルギーが発生します。この逆が光合成などで炭水化物を生成する過程で、そこでは化合物にエネルギーの貯蔵が行われます。

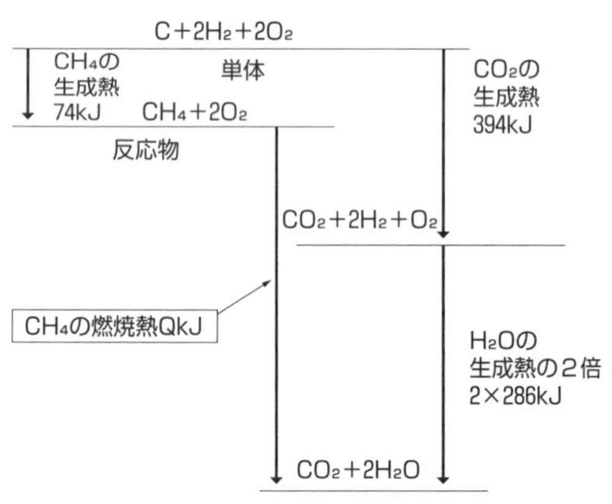

図1.2-1　メタンCH_4の反応・生成熱[4]

ご覧のように、Ｃの燃焼では１モル（12グラム）当たり394ｋＪ、H_2（２グラム）では286ｋＪの熱量が発生します。重量当たりでは水素の方がずっと多くの熱量を発生します。これに対してCH_4の生成熱は１モル当たり74ｋＪで、比較的小さくなっています。つまりCH_4の燃焼によって多くの熱エネルギーを取り出すことができます。

化学反応では各物質の状態が同じであれば、途中のどのような経路を通っても、出入りするエネルギーの総和は一定であるという総熱量不変の法則（ヘスの法則）が働いています。同様のことをその他の炭化水素C_nH_{2n+2}について考えると、炭化水素１モルが燃焼する時に発生する熱エネルギー（ｋＪ）はおおよそ以下のようになります。ここでは炭化水素の生成熱がC、H_2の燃焼熱に比べて小さいものと考えています。

$$394n + 286(n+1) - (\text{炭水化物の生成熱})$$
$$\fallingdotseq 394n + 286(n+1) = 680n + 286$$

以上から、私たちが使っている化石燃料をざっくりとまとめてみると次の表1.2-1のようになります。

表1.2-1　主な化石燃料の比較

	主な成分	左記の分子量A	モル当たり発熱量B（kJ）	取り扱い性	可採埋蔵量
石炭	炭素C	12	394	△（固体）	113年
石油	炭化水素 C_nH_{2n+2} $(n>5)$	14n＋2	～（680n＋286）	◎（液体）	53年
天然ガス	メタン CH_4	16	892	○（気体）	55年

（注）可採埋蔵量は「原子力・エネルギー図面集2015」（電気事業連合会）(5)による。シェールオイル／ガス、メタンハイドレートなどの非在来型資源は含まない。

ここから化石燃料の大まかな特徴を比較してみます。

・重量当たりの発熱量（エネルギー密度）B／Aでは、Hの割合が多い天然ガスが最も高く、石炭の約1.7倍になり、石油は両者の間に入ります。

・発熱量当たりのCO_2発生量では、Cの多い石炭は天然ガスの２倍程度となり、石油は両者の間になります。石炭のCO_2排出量が多いと言われるゆえんです。

・石油は液体のために取り扱いがしやすく、私たちがガソリンや灯油として日常使っています。

・石炭はそのままでは使いにくいため、工業用途では事前に蒸し焼きにしたコークス、さらには粉末やガス化した状態のものが使われることもあります。石油・天然ガスに比べて埋蔵量が多く世界各地にあまねく分布しています。

・天然ガスの主成分であるメタンは優れたエネルギー源ですが、気体のために取り扱い性にやや難があるのと、CO_2の25倍の強さを持った温室効果ガスでもあります。

このように石炭はCO_2発生量が多いためできれば使用を避けたいところですが、コストが比較的安く、国や地域によっては近隣で産出されるため活用したいとの要望も強く、ジレンマに陥ることになります。

以上のように、地球の46億年の歴史の中で、太陽エネルギーなどを基にして数億年かけて少しずつ地中に蓄えられてきたエネルギー源が化石燃料です。言わば地球が人類に授けてくれたエネルギーの玉手箱のようなものです。それを人類が産業革命以降の200年余りの短い期間に激しいスピードで使い尽くそうとしているのが現在の姿です。

3．エネルギーはどこから来るのか？

物理学の基本原理に「エネルギー保存の法則」があります。ここでのテーマに沿うと、「エネルギーは無（ゼロ）からは生まれるのではなくて、必ずどこかに源がある」と言い換えられます。私たちが日頃使っているエネルギーもすべて源を辿ることができます。

それでは私たちが使えそうなエネルギー源としてはどのようなものがあるでしょうか？

以下のようなものが考えられます。
・化石燃料：石炭、石油、天然ガスなど
・自然エネルギー：太陽光・太陽熱、風力、水力、バイオマス、地熱、潮流・潮汐力など
・原子力：核分裂または核融合反応の利用によるもの
・その他：将来は月や地球外の天体の物質利用など

図1.3-1が最近50年の世界の一次エネルギー消費量の推移とその内訳です。ここ半世紀で化石燃料を中心としてエネルギー消費が大幅に拡大（約４倍）し、そのうち化石燃料が全体の85%とほとんどを占め、自然エネルギーは10%程度となっています。

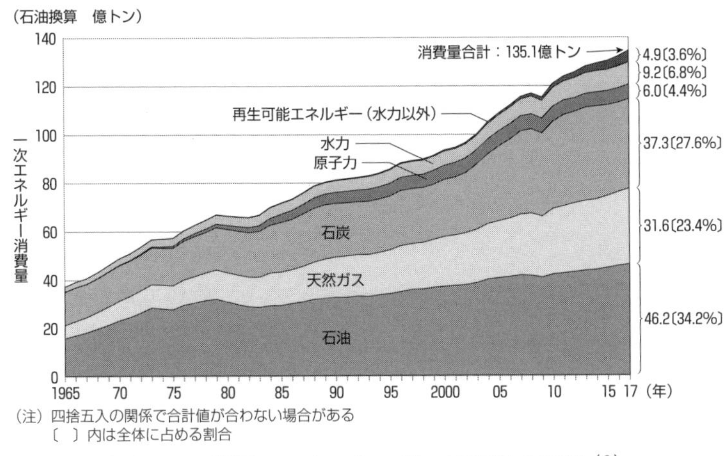

（注）四捨五入の関係で合計値が合わない場合がある
〔　〕内は全体に占める割合

図1.3-1　世界の一次エネルギー消費量の推移 (6)

これらの中で原子力はウラニウムの核分裂反応を使った原子力発電として利用されていて、この中でほとんど唯一人工的にエネルギーの生産が行われているものです。

化石燃料は上でも述べたように、大昔の太陽光エネルギーを言わば缶詰にしたものを使っているわけで、このまま行くとやがて使い尽くされてしまいます。これに対して、自然エネルギーは再生可能エネルギーとも言われます（注）が、現在ある（流れている）エネルギーを有効活用しようというもので、いくら使っても尽きることがありません。太陽光から地熱まで（太陽熱を除く）は最近「再生可能エネルギーの固定価格買取制度(Feed-In Tariff：FIT)」によって国の施策で導入が進められています。これらのエネルギーの源を辿るとほとんどが太陽光エネルギーへ行き着きます。

（注）厳密には、再生可能エネルギーには大規模水力の開発のように自然環境などに対して再生が困難で顕著な影響を及ぼすものは含まれません。その点では、森林を大規模に伐採して造成される太陽光発電所なども問題があります。本文中では再生可能エネルギーと自然エネルギーを厳密に使い分けていません。

風力や潮流によるエネルギーには、一部地球自身の自転運動によるエネルギーが関係しています。また、地熱エネルギーはもともと地球自身が持っていた内部の熱エネルギーが地上に伝わってきたものであり、潮汐力は月などの地球外の天体の引力の作用によるものです。しかし、これらのエネルギー量はいずれも太陽光エネルギー全体に比べると極めて小さくなっています（表1.3-1）。

以上のように、**現在供給されているエネルギーの源はほとんどが、太陽の放射エネルギーに辿ることができます**。そこで、地上に届く太陽光エネルギーの量的な関係を整理しておきます。

・地球に到達する**太陽の放射エネルギー**は大気圏外では、１年間を通して微小な変化はありますが、中央値が**1.366kW/㎡（太陽定数）**とほぼ一定です。実際には、大気中にわずかに存在する物質によって反射・吸収されるために、**地上に届くと1kW/㎡ぐらい**に減少します（**直達日射**）。つまり、最大で１㎡当たり大体電子レンジ１台分の消費電力に相当する太陽エネルギーが地上に降り注いでいます。これが**太陽放射の出力密度**に相当していて、基準量として以降も何度か出てきますので、覚えておくと便利です。

・上記は太陽が私たちの真上（天頂）にある場合の最大値で、１日の昼夜（地球の自転による）および季節（地球の公転による）の移り変わりで大きく変化します。これは地表面と太陽光のなす角度によって図1.3-2のように、到達するエネルギー密度が変化するためです。したがって、北欧やカナダのような高緯度地方ではもともと供給される太陽エネルギーの条件は非常に不利になっています。
・さらに影響を及ぼすのが雲の存在（天候の変化）で、地上に達するエネルギーはかなり減少します（図1.3-3）。アジア大陸の縁に位置する我が国はアジアモンスーン気候の多雨地帯に属していて、梅雨時などでは雲によって遮られるエネルギー量が大きくなります。以上の効果が重なり、**東京では地上での１年間の時間平均的な太陽放射エネルギー（全天日射）は約130W/㎡（大気圏外の約1/10）**まで低下します。

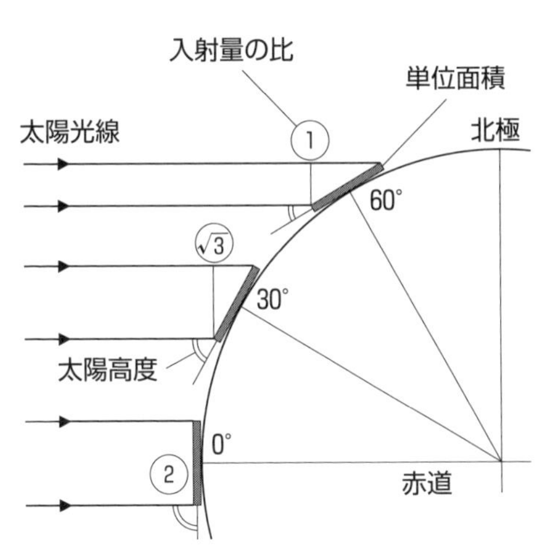

図1.3-2　緯度による太陽エネルギー密度変化 (7)

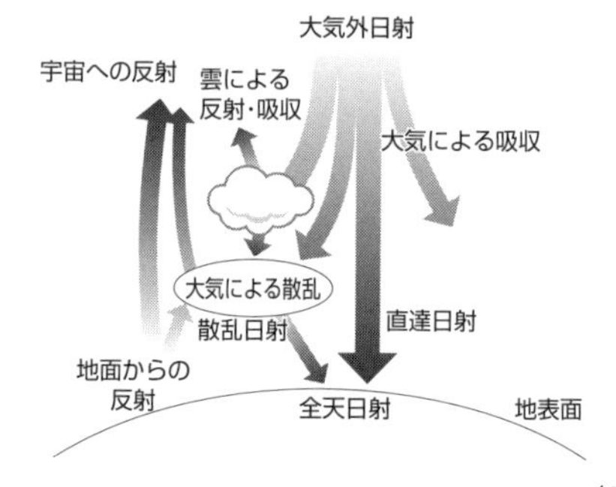

図1.3-3　大気圏に入射した日射諸成分[8]

例えば、**太陽電池パネル**を使って、太陽の放射エネルギーを電気エネルギーに変換すると、エネルギー変換時やエネルギー伝送時の損失などがあり、全体の変換効率が0.15前後となり、**平均して約20W/㎡（東京）**の密度でエネルギーが取り出せます。

これはあくまでも平均値であって、ピーク時の最大出力から最低出力（夜には０）までの**出力変動の幅が大きいのが、太陽光・風力エネルギーの一つの特徴**です。

また、大型の火力や原子力発電所は100万kWの規模ですが、年間を通してこれに相当する発電量を取り出すためには50㎢（東京ドーム3000個分）の土地に太陽電池を敷き詰める必要があります。太陽光などの**自然エネルギーはこのように、面積当たりのエネルギー密度が非常に小さいという特徴（課題）**があります。エネルギー密度の高い化石燃料を使い慣れた私たちにとっては、自然エネルギーを活用するために面積で稼ぐという発想の転換が必要になり、いかにエネルギーを効率的に集めてくるかに知恵を絞らなければなりません。

ここで私たちの身の回りの各種のエネルギーの量を確認しておきます。

図1.3-4は、人間が手を加えない状態での地球表面への主なエネルギーの流入、言わば自然エネルギーのベースフローを示しています。これを整理すると表1.3-1のようになります（括弧内は地表面に達する太陽放射エネルギー全体に対する割合％）。比較のために、日常使っている化石燃料・原子力によるエネルギー消費量を換算して示しています。

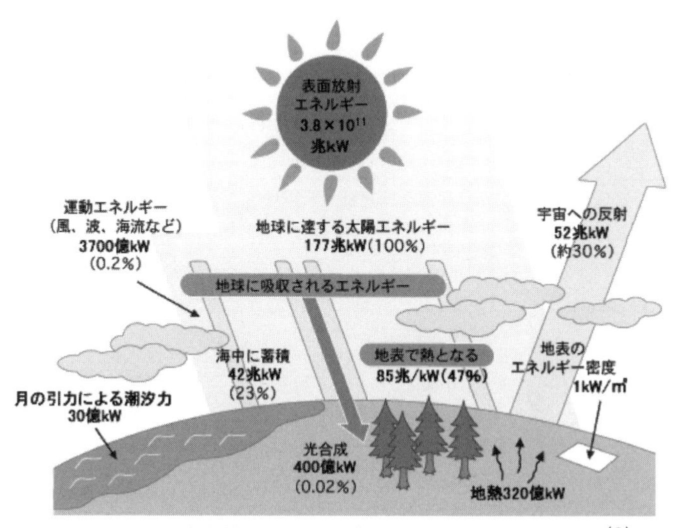

図1.3-4　地球全体が太陽などから受けるエネルギー(9)

（注）本図では太陽放射エネルギーの地表面への入射量を中心に表しているため、地面からの反射、雲による反射・吸収などは省略しています。したがって、エネルギー収支はバランスしていないことに注意してください。

表1.3-1　各種エネルギーの起源

区分	項目	エネルギー強度（注）	説明
地球に到達する太陽放射エネルギー177兆kW（100%）	地表面での吸収	85兆kW（47%）	地表面に入射する太陽放射エネルギーで、ほとんどが熱エネルギーになる（⇒**太陽光・太陽熱**）。このうち光合成（⇒**バイオマスエネルギー**）に使われるのは400億kW（0.02%）
	海中に蓄積	42兆kW（23%）	
	流動エネルギー	3700億kW（0.2%）	**風力**、**波力**、**海流**などの力学的エネルギー。このうち地表への降雨による**水力エネルギー**は121億kW（0.007%）
	宇宙への反射	52兆kW（約30%）	
地球の内部エネルギー	**地熱**	320億kW（0.02%）	
	その他	極微小	地球自転による対流（⇒**風力**）など
地球外部からのエネルギー	月の引力・**潮汐力**	30億kW（0.002%）	
	その他	極微小	宇宙放射線、隕石衝突など
（参考）エネルギー消費	化石燃料	161億kW（0.01%）	2015年の世界全体のエネルギー消費量を1年間平均的に消費したものとして算出
	原子力	8億kW（0.0005%）	
	人間の生命活動	10億kW（0.0006%）	130W/人×75億人

（注）単位時間当たりのエネルギー移動・消費量を示す

改めて、**圧倒的に太陽からの放射エネルギーが大きい**ことがわかります。地球に降り注ぐ太陽エネルギーを全部集めて１時間余り使うことができれば、世界の１年間分のエネルギー消費量が賄えると言われるゆえんです。地熱や潮汐力のように、太陽の放射エネルギー以外に起源を持つものもありますが、相対的にはごくわずかです。

太陽光エネルギーは大気圏外では均等に分布しているのですが、実際に地表面に到達すると緯度の違い（図1.3-2)、地表と上空でのエネルギー吸収の割合（暖められ方）の違いなどにより、受け取るエネルギー量に不均衡が生じます。主としてこのアンバランスを解消するために、各種のエネルギー流動が生まれて、自然エネルギー源ともなっています。

参考までに、現在の地球上の全人類が最低限生きてゆくために必要なエネルギー（注）は約10億kWで、世界の原子力発電所の全体規模に相当します。また、植物の光合成に使われている全エネルギーは400億kWで、私たちが依存している食料生産に費やされるエネルギーはこの一部になります。もちろんここで得られたエネルギーは人類だけではなくて、地球上のすべての生物がこれを分け合う必要があります。

（注）ここでのエネルギーはエネルギー強度（単位時間当たりのエネルギー量）を表しています。

植物の光合成の速度、すなわち太陽光エネルギーを炭水化物のような化学エネルギーとして蓄える割合は、最適条件下での測定では葉面積（㎡）当たりにすると、サトウキビやトウモロコシのように収穫効率の良いもので24W程度です。これは変換効率15％の太陽電池では150W/㎡（最大日射条件下）であるのと比べると、1/10のオーダーに過ぎません。その他の多くの植物では上記の半分以下、木本になると1/5～1/10程度になります[10]。永年にわたる進化を遂げてきた生物としては意外に低いと感じられるかもしれませんが、植物の光合成は発生、細胞の増殖（成長）などの幅広い生命活動を担う代謝の一つの側面であることを表しています。

地球温暖化対策の国際会議などでは欧米の専門家から、時折「日本は自然エネルギーに恵まれているのに、どうしてもっと活用しないのか？」という発言が出てきます。一方では、国内のエネルギー関係者によると、「我が国は自然エネルギー利用の適地が少なくて……」という声も聞かれます。そこで我が国の自然エネルギー資源の概況を整理しておきます。

太陽光によってもたらされるエネルギーは図1.3-2のように、第一義的には地球上の緯度と面積で決まってきます。日本の緯度帯30°～40°では赤道上などと比べると条件が悪くなりますが、それでも緯度の点からは２割前後の低下に過ぎません。人口の割に平地面積が少ない点はありますが、我が国は太陽エネルギー資源の中位国の位置づけで、欧州諸国などと比べて遜色があるわけではありません[11]。

詳細は下巻・第Ⅵ章に譲りますが、我が国の自然エネルギー資源の特徴をまとめると以下の通りです。

・**太陽光**：高緯度の欧州諸国と比べて日照条件は優位（平均的にドイツの２～３割増）で、しかも全国にまんべんなく分布しています。問題は太陽高度が最も高くなる（太陽エネルギー入射量が大きくなるはずの）６月を中心として北海道を除いて梅雨の季節に入り、日照条件が悪くなることと利用に適した平地面積が限られることです。

・**水力**：上記の欠点を補っているのが、梅雨期に降る多量の雨で、稲作などの農耕だけでなく、各地のダムに水力エネルギーという恵みをもたらしてくれます。国土面積は比較的狭く総雨量としては際だって多くはないのですが、急峻な山岳地形の多い国土は世界有数の包蔵水力量（水力エネルギーのポテンシャル）を保有しています。

・**風力**：陸上では強い偏西風帯の重なる西欧諸国などと比べると、風力エネルギーの豊富な地域は北海道、東北などに限られます。周辺海域まで含めるとかなりの資源量となりますが、沿岸の水深が比較的大きいため設備開発や維持管理コストが課題となります。

・**地熱**：火山列島とも言われる国土の成り立ちから、地熱資源には非常に恵まれていて、米国、インドネシアに次ぎ世界第３位の資源量を保有しています。大部分が国立公園などに位置しているため、自然環境などとの調和の取れた開発が課題です。

・**バイオマス**：国土の約７割が森林で、先進国では有数の森林面積を保有しています。資源の経済的な産出と流通ルートの確保が課題です。

以上のように、国土面積に制約はありますが、例えば欧州諸国と比べて、太陽光・地熱では恵まれた環境にあると言えます。また、**水力やバイオマス・エネルギーのような貯蔵可能な自然エネルギー源が豊か**なことは、以降にも出てくる電力の需給調整の面からは自然エネルギーのポテンシャルが高いと言えます。私たちの知恵と工夫次第で、"自然エネルギーのベストミックス"（注）の実現が期待されます。

（注）元来は、火力発電や原子力発電などの旧来型の電源と再生可能エネルギー電源を最適に組み合わせることを"電源のベストミックス"と称しています。

４．エネルギー消費と炭素循環

人間にとって酸素は呼吸などに欠かせない大事なものであるのに対して、炭素は有毒な一酸化炭素COガス、排気ガスや温室効果ガス（GHG）の主成分となるCO_2というあまり良くないレッテルを貼られることが多いように思います。酸素が必須であることには疑いがないのですが、前記２項で述べたように、炭素こそが私たちの生命活動を支えている主役であると考えを切り替える必要が出てきます。

そこで、次はこの炭素（あるいはCO_2）の地球全体での流れ「炭素循環」に焦点を当てます。この炭素循環を調べるには、各々の場所にどれだけの炭素量が貯まっているか（ストック）と同時に、一定の期間、例えば１年間にそれらの間でどのように移動したか（フロー）の両面を考える必要があります。陸地、大気や海洋の間での時々刻々のフローの蓄積が、各場所での炭素量やCO_2濃度の変化に影響することになります。

次の図1.4-1はIPCC第４次報告書（2007年）[12]に基づいて整理されたもので、四角形枠内に大気中等にある炭素貯蔵量を、また矢印によりそれらの間での１年間の移動量を示しています。各々の数値は、人間活動が大気中CO_2濃度にほとんど影響を及ぼしていないと推定され、実際に大気中CO_2濃度も概ね一定であった産業革命以前の状態を基準として、そこからの変化量（下線付きの数字）がどのようになっているかを表しています。

少し複雑ですが、以下でCO_2移動の基本的なプロセスを確認します。

移動量の中で注目すべきものとして、下線を施した数字が人間の活動により引き起こされたものに相当し、この部分を中心に表示したものが図1.4-2になります。本図は図1.4-1より最近のデータを示しているため、両者の数値は少し違っています。なお、図1.4-1、図1.4-2ともに炭素量を表していますが、CO_2量で表示すると各々44/12＝約3.7倍になります。

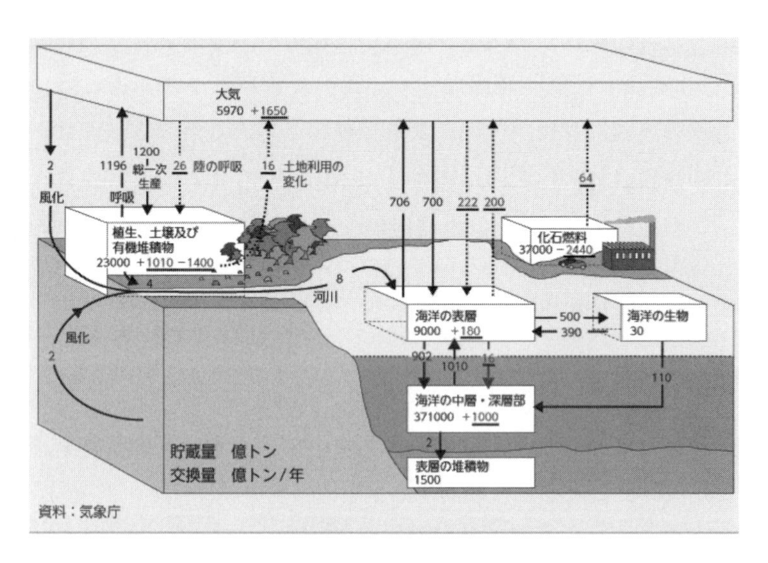

図1.4-1 地球規模の炭素循環（億トン）[13]

（注）地球規模炭素循環の模式図（1990年代に対応）。矢印は交換量（億トン/年）。実線の矢印と下線の付いていない数字は産業革命以前の収支を、破線の矢印と下線付きの数字は人間活動による擾乱を示す。

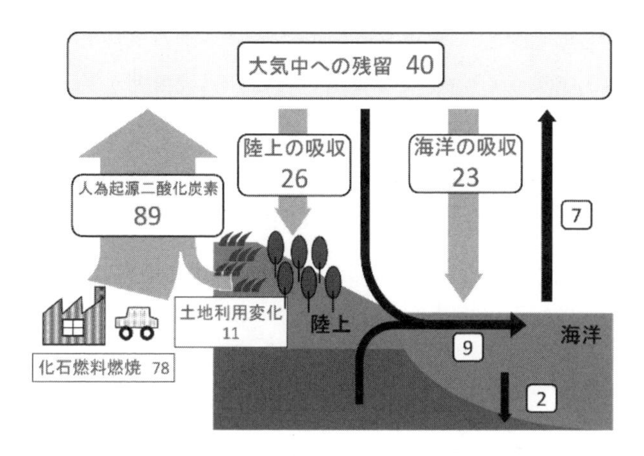

図1.4-2　産業革命以降の人間活動による炭素循環の１年当たり増加量（億トン）(14)

（注）薄い色の矢印が人間活動による年間の交換量増加分で、2000年～2009年の平均値。

これらの図から読み取れるのは下記の点です。

・図1.4-1より、**大気中にCO_2として存在する炭素量に対して、植生や土壌に約３倍、化石燃料として５倍近く、海中は主に中深層（注１）に約50倍が貯蔵されている**ことがわかります。炭素循環の主な構成要素のうちでも大気中の割合が非常に少ないことが注目されます。大気組成はそれだけ環境変化の影響を受けやすい状態にあると言えます。

・産業革命以前の炭素循環（図1.4-2の濃い黒矢印）には、岩石中の炭酸塩や珪酸塩が空気中のCO_2を吸収することにより風化し、河川などを通じて海洋にまで運ばれる無機炭素循環と、海洋中などの生物が光合成によりCO_2を固定化する有機炭素循環があります。これらは海中で炭酸カルシウム$CaCO_3$などに変化して海底に堆積する量、熱分解による火成・変成作用により海洋から大気中に放出されるCO_2量などと釣り合っていました（「遅い循環プロセス」）。

なお、図1.4-2では生物の光合成や呼吸などのように定常的に循環している「速い循環プロセス」に関する移動量（図1.4-1の実線の矢印）は除いてあります。

・これに対して、近年図1.4-2の「人為起源二酸化炭素（**人間活動によるCO_2排出量）の増加が、上記の遅いプロセスの規模のおおよそ10倍に達していて**、特に第二次世界大戦後に急激に化石燃料の使用が増えたことが、CO_2排出量の増加を招いています（図1.4-3）。その内訳は、化石燃料の使用増加により１年当たり78億トン、森林伐採などの土地利用変化によるものが11億トンの合計89億トンです。この桁違いに大きい人為的CO_2排出量が**海や陸のCO_2吸収能力では賄いきれずに、大気中にどんどんとたまっている**様子がうかがえます。

・この毎年のCO_2排出量の増加は、陸上吸収量の増加26億トン（増加量全体の29％）、海洋吸収量の増加23億トン（同26％）をもたらし、残りの約半分**40億トンのCO_2（同45％）が大気中に蓄積されています。**

特に**大気中と海洋表層の炭素量（ストック）は図1.4-1のようにもともとそれほど多くない**ため、近年の人為起源排出量の増加により**CO_2濃度の上昇が顕著**になり、前者では地球温暖化（気候変動）、後者では海洋の温暖化と酸性化（注２）を招きつつあります。

（注１）生物相の観点より、水深200mより深い部分を一般的に中深層と区分しています。
（注２）CO_2が海洋に溶融することにより、海水のPH値が産業革命前に比べて約0.10減少（酸性化）しています。これは海洋生物の殻や骨格の形成を妨げ、珊瑚礁の白化にもつながると言われています（第Ⅱ章５項参照）。

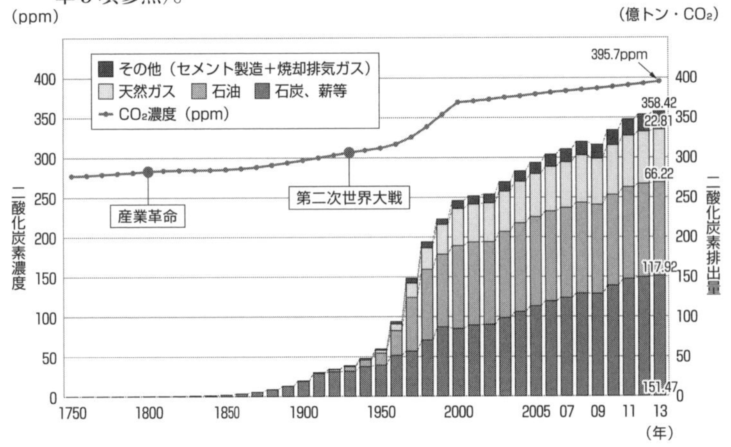

図1.4-3　世界のCO_2排出量推移とその要因 [15]

改めて、私たちの日常生活が地球全体の炭素循環を大きく変えている姿が浮かび上がってきました。そして、これが私たちの生活圏である気候システムに影響を与えることが懸念されています。

私たちが地球全体の炭素循環や気候システムを変えつつあるとはいかにも大げさな言い方のように聞こえますが、上記のように紛れもない現実です。この辺りの“認識ギャップ”は一体どこから生まれるものでしょうか？

5．炭素循環と気候システム

【クイズ②】

クイズ①では常温で気体のCO_2を固体（ドライアイス）にすると……という話をしましたが、同じように仮想的な状態として、もし空気分子を低温・高圧でぎゅうぎゅう詰めの液体状態にして地上に敷くと、平均的にはどのくらいの高さになるでしょうか？以下のうちで最も近いものはどれでしょうか？

①10m　②50m　③100m　④500m

なかなか目に見えない空気を物質量として捉えることは難しいでしょうが、それを考えてみようというのがこの設問です。次に、その答えを考えてみます。

大気はご存じのように、そのほとんどが窒素と酸素からできており、図1.5-1の密度曲線のように上空に行くにつれ、急激に密度が下がります。高度100kmがいわゆる宇宙との境界（便宜上このように言われますが、何らかの境目があるわけではありません）で、ここでは地上の空気密度の約1/100万の薄さになります（密度の横軸が対数目盛である点に注意してください）。大気の実質的な総量は地表の気圧に換算すると約8kmの高さに過ぎません[(16)]。

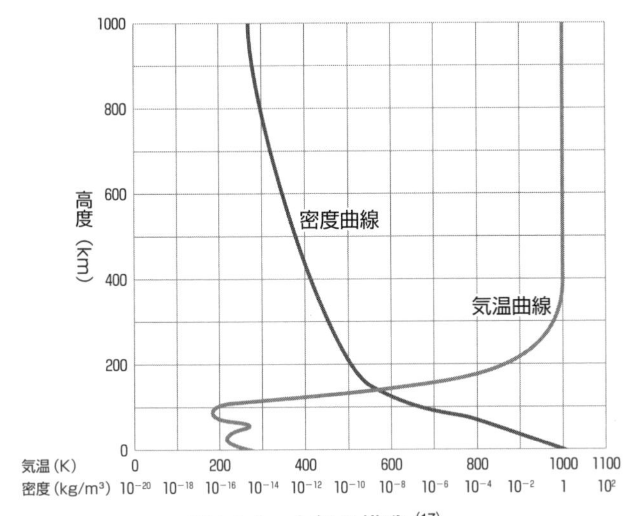

図1.5-1　大気の構造 (17)

空気は軽いように見えても少し重さがあり、密度は地表付近で約1.3g/㎥です。しかし、液体や固体状態に比べるとはるかに希薄で、液体の密度に比べると1/1000のオーダーです（注）。地球を構成する物質の量を比較するという意味では、もし**地球上の空気**が、非常に低い温度の環境下にあって、**液体の状態になったと仮定すると**、地球の半径6400kmに対して**わずかに①の10m程度の高さ**にしかならないことになります。

薄い表皮のたとえに、「もなかの薄皮」という表現がありますが、地球上の大気はまるで「あんこを包む非常に薄いオブラート（最近の若い人は知らない？）」のようです。

（注）液体窒素の密度は0.807kg/㎥（沸点－196℃）、液体酸素の密度は1.140kg/㎥（沸点－183℃）です。

それでは、現在の大気中CO_2濃度は平均約400ppmと言われていますが、これはどの程度の量でしょうか？

ppmは体積比で1/100万ですから、400ppmは0.04％に相当して、上記の10mに対して、せいぜい4mmに過ぎません（注）。直感的にわかりやすく言えば、地球の全表面がたかだか厚さ4mmのドライアイスで覆われた状態ということになります。

（注）CO_2はN_2、O_2に比べて重いため、上空に行くほどCO_2濃度が低くなることが予想され、地上で計測された400ppmに相当する4mmは過大評価と思われます。

以上で、温室効果ガスの主成分であるCO_2について、大まかな量的なイメージを掴んでいただけたかと思います。もうお気づきのことと思いますが、地球環境、その中でも地球を取り巻く大気が物質量としては相対的に稀少であって、地球全体で見ると、各種の外的および内的な変化に対して影響を受けやすいということを示唆しています。

最近は南極などの氷床コアや化石の化学成分、炭素同位体比の分析などの最新技術を駆使して古気候調査が進められています。それらによって、地球の長い歴史において、大気中のCO_2濃度の増減とともに、温暖化と寒冷化を繰り返してきたことが明らかになりつつあります[18][19]。そして現在、その変化が私たち人類の活動によって、かつてない急激なスピードで進んでいるのです。

余談ですが、英語の慣用表現に“the sky is the limit”というのがあります。これで、「限界はない⇒可能性は無限」と表現されています。確かに上空を見上げると、空はどこまでも続いているように見えます。しかし、地球環境問題に関する限りは、むしろ、「上空に広がっている空が限界だ」と考えるべきなのでしょう。

私たち人類は他の動植物に比べて、環境変化に対する適応力が高く、また限られた空間では環境を制御して生き延びることもできます。CO_2濃度が数十％増えても、急に息苦しくなったりしませんし、このようにゆっくりと進む環境変化には難なく対応できそうです。むしろ、問題はこのような環境変化を肌で敏感に感じなくなって、いつの間にか慣れてしまうことです。

最近は夏期に長引く「猛暑」という言葉にも迫力がなく、気温が40℃を越えてもあまりニュース性がなくなってきました。100年や何十年に一度の自然災害も頻発するようになりました。そして、このような違和感も世代を超えるとさらに希薄になってくることが懸念されます（注）。

（注）最近の社会心理学や災害心理学で議論されている“正常性バイアス”に通じるところがあります。

ところで、エンジニアリングの世界では部品などの要素から構成される複雑な機械を一つのシステム（系）と称し、要素相互に影響する効果を数学的にモデル化して、全体の機能・性能を評価することが行われています。

この考え方を適用して、私たちの生活の基盤である地球表層で繰り広げられているエネルギー、水、炭素、その他の物質のやりとり全体を「気候システム」として解析し、評価が実施されています。気候の変化を引き起こしている主な構成要素（サブシステム）は大気、海洋、地表面（雪氷・水を含む）と人類を含めた生態系です。そして、それらの間には図1.5-2に示すような複雑な相互作用が働いています。

この考え方は、天気の長期予報や次章以降での各種数値シミュレーションを使った温室効果ガスが増えた場合の温暖化予測などで広く使われています。

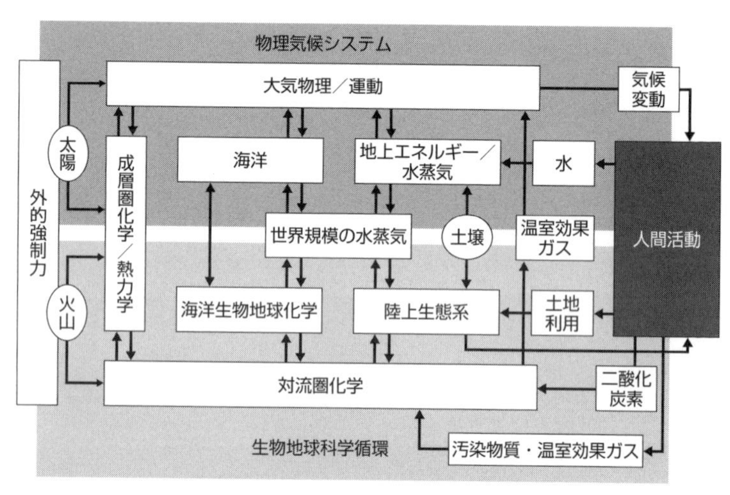

図1.5-2　気候システム／生物圏と人間活動のスタンダード・モデル[19]

この気候システムにはもともと内部に変動する要因が備わっているとともに、外部からの変動させる力（**外部強制力**）が働いています。前者の代表例が最近気象予報でも聞かれるエルニーニョやラニーニャ現象です。また、後者は火山噴火や太陽活動の変動（図1.5-2の左端）などの自然的要因と温室効果ガス（GHG）濃度の変化や土地利用変化を引き起こす人為的要因（同右端）、つまり人間活動に大別されます。

以上が気候を動かしている主な配役ですが、上で調べたことを受けて図1.5-2をさらに眺めていると以下の点に気がつきます。

・気候システムと生物圏の間では、水蒸気とCO_2などのGHGが各種の物質・エネルギー変換を通じてつながり、循環していて、気候システムにおいて重要な役割を果たしている。実際の気候現象は地球全体のうちでも、上空の成層圏での事象を除けば、主に対流圏～海底の間のせいぜい海水面を挟んで10km余りの狭い範囲の生物圏で起こっている。
・水蒸気（水）の循環はほとんどすべてが左側の太陽エネルギーによる外部強制力により駆動されていて、人間活動による影響は少ない。実際、地球表層が受け取るエネルギーのほとんど全ては太陽光によってもたらされている（表1.3-1）。
・炭素循環でのエネルギー移動は水蒸気循環に比べて桁違いに小さいが、生物圏で繰り広げられる各種の生命活動の源となっている。CO_2などのGHGももともとは気候システム・生物圏で平衡状態にあったが、特に産業革命以降は右側の**人間活動によるGHG排出増加によって、気候システムに大きな影響（撹乱）**が及ぶようになってきた。

人間活動が気候システムの構成要素として、地球環境にますます重要な影響を及ぼすようになりつつあり（**右記のコラム参照**）、限られた生物環境を維持してゆく責務が課せられているように感じられます。他の構成要素とのダイナミックなバランスを維持しながら、私たちの社会をデザインしてゆくことが求められています[20]。

●コラム　人新世：人類が変える地質学の歴史

人間活動によるオゾン層破壊の仕組みを解き明かした功績でノーベル賞を受賞した大気化学者のパウル・クルッツェン（1933年〜）は、現代を生物種としての人類が地質学的に影響を及ぼすようになった時代として、完新世（1万1700年前〜現在）に代わって、産業革命以降を“人新世（アントロポセン）”と呼ぶことを提唱していて、現在専門学会で検討が続けられています。

この地質年代の重要な変更に際しては、地層に明確な痕跡が残っているような顕著な環境変化が地球全体に生じていることが裏付けられなければなりません。つまり、数千万年後の遙か先において（人類が存続しているとして）、地質学者が地層を掘り返した時にはっきりと識別できる証拠が必要となります。例えば、それ以前には見られなかったような大量の金属化合物やコンクリート、プラスチックなどの人造物質が層状をなしている様子が想像されます。これらは何れも化石燃料を燃やして得られた大量のエネルギーを基にして造られたもので、海底などからCO_2濃度の上昇が合わせて確認されるでしょう。

この他にも、核爆弾などによる放射性物質もそれ以前はほとんど見られなかったものですし、地中から発掘される動物化石のDNA調査などからは、生物種の数が急激に減少していることが確認されることになるでしょう。

６．気候システムは生態系サービスの根幹

上記のように太陽エネルギーを起点として各種の生物からなる生態系が、人類の生命活動に欠かせない物質循環とエネルギーの流れを生み出しています。多様な生物の活動とそれを取り巻く環境（気候システムを含む）が、お互いに影響を及ぼし合って生態系が出来上がっています。地球の気候を安定した状態に保ち多くの生命を育んでいるのは、地球環境と生態系の間の複雑な相互作用によるものです。[21] [22] そして誕生から46億年の歴史を経て、極めて精巧に生物と人類が生きてゆくのに最適な環境が創り出されてきたのが現在の地球です（次のコラム参照）。

私たちはこの環境に日頃どっぷりと浸かっていると、なかなかその恩恵を意識することも少なくなっているのではないでしょうか。これらの多様な生物を含めた「自然」環境が与えてくれる有形無形の恵みは**「生態系サービス」**と言われますが、最近は何とかしてその経済的価値を評価しようという試みも行われています。

生態系サービスには非常に幅広い内容が含まれていますが、大まかな分類としては以下のようなもので、代表的な事例と合わせて示します。

・供給サービス：食料、水、繊維・木材などの各種材料（化石燃料は含まない）の提供

・調整サービス：大気質・水質浄化、気候調整、花粉媒介など

　の生物的調整
・文化的サービス：自然環境保全、レクリエーション活用などへの貢献
・**基盤サービス：生息・生育環境の提供**、栄養循環、遺伝的多様性の維持など

もちろん、この中では人間が棲むのに必要な環境を提供してくれる基盤サービスが本質的に重要です。そのうちの一つが温室効果ガスの働きによって、地球が生命の源である“液体”の水を保有することができ、生命にとって最適な温度環境が保たれていることです。もし、この機能がなかったならば、人類は生存を続けることができないでしょうし、誕生していなかったことでしょう。

●コラム　現在の地球環境は生物の営みが創りだした

下記は地球と惑星軌道上でその両隣に位置する金星、火星の大気組成（%）を示します[(18)(23)]。金星と火星が比較的似かよっているのに対して、地球が大きく異なっているのがわかります。その主な違いは、地球のCO_2濃度が低いことと、窒素・酸素濃度が高いことです。何れも桁違いの差があります。

	金星	地球	火星
窒素（N_2）	3.5	78.1	2.7
酸素（O_2）	69ppm	20.9	0.13
アルゴン（Ar）	0.007	0.93	1.6
二酸化炭素（CO_2）	96.5	0.035	95.3
圧力（参考）	92MPa	0.1MPa	700Pa

現在は地球だけが他と離れた組成になっている訳ですが、近年発達した放射年代測定法を使って、地球が生まれて比較的早い時期の大気組成が調べられるようになりました。それによると、当時は金星や火星と同じようにCO_2が大半を占めていて、酸素はほとんど存在していなかったことがわかってきました。その後の各種調査によって、地球大気の組成が図1.6-1のように移り変わってきたことが推定されています。

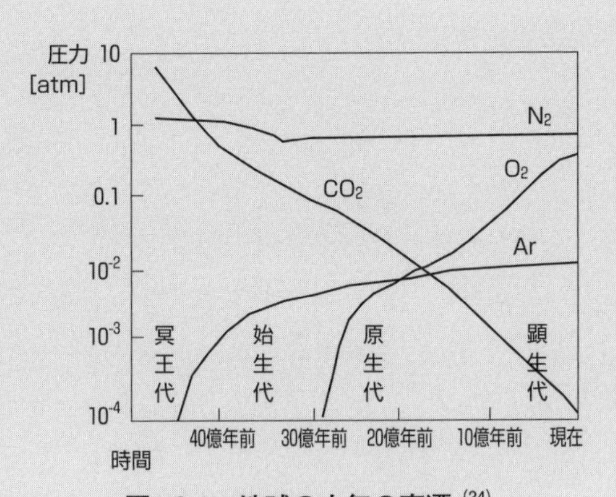

図1.6-1　地球の大気の変遷 (24)
（参考：国立循環研究所環境展望台など）

地球史的な時間のスケールで、金星や火星と違って地球がこのようにドラスティックな変化を遂げた大きな要因が、地球が太陽から程よい位置にあって、液体での水H_2Oを持っていたからだと言われています。液体としての水は次のように、CO_2を減らし、O_2を増やすための大事な環境を与えてくれました。

・大気中のCO_2が溶け込んだ雨水によって風化された岩石がカルシウムイオン、炭酸水素イオンなどとなって水と共に海に運ばれる。やがて海水中での濃度が高くなると、炭酸カルシウム（石灰岩）などとして海底に蓄積する（無機炭素の循環）。

・初期の生命体（葉緑体を持つ藻類シアノバクテリア）が有害な太陽の紫外線などから守られた環境の海に誕生する。

やがて増殖した藻類の光合成によって次第に海中に溶けたCO_2がO_2に置き換わる。

最近特に注目されているのは後者の有機炭素の循環です。地球に誕生した生命（生態系）が周りの環境や気候に働きかけて、両者が一体となって大気中のCO_2を固定化し、太陽からの熱を適度にコントロールすることによって、それを調節してきたことの一端を表しています。このように地球の生態系が、私達人類が出現するずっと以前に生活しやすいような環境をお膳立てしてくれていたようです。

それでは人類が受け継いだ環境をこれから守ってゆけるのか、あるいはどのように改変していこうとしているのでしょうか？

Ⅱ．地球温暖化問題とは何か？

1．温室効果ガス（Green House Gas：GHG）の働きについて

人為的に排出されたGHG排出量の増加が**地球の温暖化**を招き、さらに**気候変動**につながると言われています。例えば、気温上昇により大気中の水蒸気量は増加します（注）ので、平均的にはそれだけ降水量が増えることが予想されます。特に我が国では、近年の記録的な集中豪雨の頻発などの**異常気象**をもたらしています。つまり、地球温暖化によって、単に地表面付近の平均気温が上昇するだけではなく、気候システム全体と局所的な気象現象に何らかの変化がもたらされています。

ここではまずGHGが地球温暖化をもたらす仕組みについて考えてみます。

（注）温度が1度上がるごとに空気中の水蒸気量は7％上昇します。

地球表面の温度は、太陽から受け取る放射エネルギーと地球から宇宙空間に放射されるエネルギーがバランスするところで決まります。この熱放射のエネルギー量はその物体の持つ温度（絶対温度、K）の4乗に比例することが知られています（シュテファン=ボルツマンの法則）。太陽の放射エネルギーは太陽定数で与えられ、地球全体の反射率が0.3と観測されているため、温室効果のない地球の温度は理論的には255K（－18℃）となります。古気候の調査により、長い地球の歴史の中で全表

面が凍結するという“スノーボール・アース”の状態が何度か現れたことが確かめられています。

しかし、現在の地球表面付近では大気が持っている温室効果により、気温が鉛直（高度）方向に変化して、地表面では平均15℃ぐらいに暖められています。図2.1-1が高度方向の温度分布（前章の図1.5-1を拡大したもの）ですが、地表から高度10kmぐらいまでの対流圏での温度上昇に注目してください。

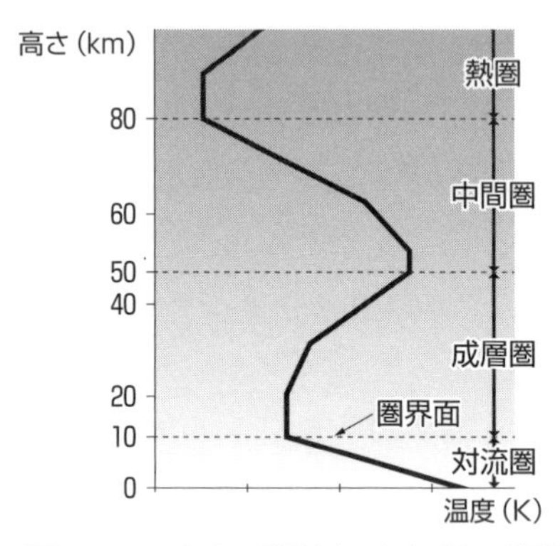

図2.1-1　高度（標高）と気温の関係 [1]

温室効果は文字通り、ビニールハウスの中の状態になずらえていますが、私たちの家庭でも冬の日中にお陽様が照っていれば外は寒くても、南向きの部屋の中は暖かいという体験があるでしょう。これは部屋の中と外気の間にあるガラス窓が、ちょうど温室効果ガスと同じ働きをしていることから生じるものです（ただし、ガラス窓は外気を遮断する効果もありますので、実際の地球温暖化とは少しメカニズムが異なります）。

放射エネルギーは主として放射体の温度で決まる固有の波長の分布を持った電磁波によって伝えられます。図2.1-2（a）が太陽放射と地球放射の波長の分布です。ガラス窓は高温の太陽が発する比較的短い波長（可視光領域が中心）の電磁波は透過させるのですが、それより温度の低い部屋の中から外に抜ける目に見えない赤外線を中心とした電磁波は通さない（吸収する）性質があります。大気の下層部でも、このガラスに似た性質の温室効果ガスの働き（吸収率を図2.1-2（b）（c）に示す）で、高度10km以下の対流圏の地表面近くが平均温度15℃程度に温められています（注）。

（注）実際には部屋の中などとは違って、対流圏では上層・下層の温度差を埋め合わせるように対流運動により大気循環が生じています。

大気中の温室効果を持つ気体で一番量が多いのが水蒸気H_2O、次がCO_2、さらにN_2Oなどとなります。このうち水蒸気はほとんどすべてがもともとの気候システムが持っていたものであり、第Ⅰ章５項のように人間活動による影響は非常に小さいためGHGには含まれません。もちろん温暖化が進んで水蒸気量の増加が顕著になってくると、二次的な効果として別途考慮が必要になってきます。GHGの中では量的にはCO_2の占める割合が圧倒的に大きくなります。

このようにして、GHGがあることによって、私たちの生活に快適な温度が実現されています。温室効果そのものは欠かすことのできない生態系サービスであることがわかります。

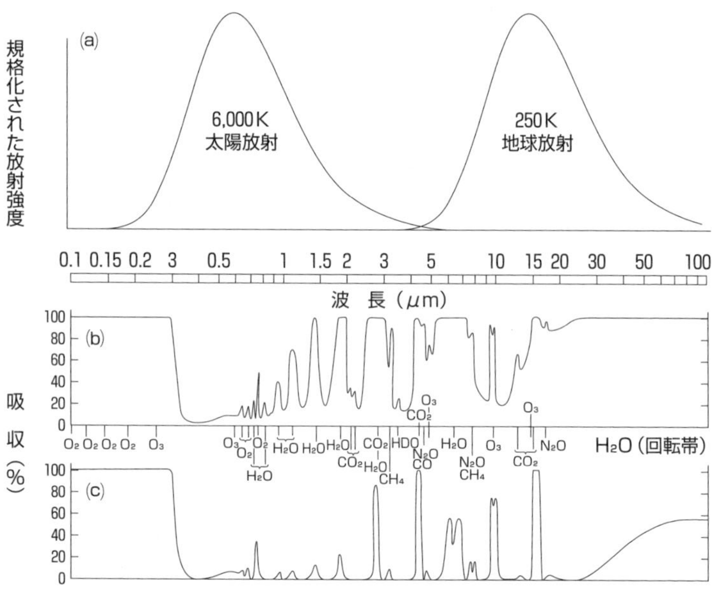

太陽放射と地球放射に相当する黒体放射エネルギーのスペクトル分布(a)および地上(b)と高度11km(c)での吸収スペクトル（Goody and Yung (1989) を改変）

図2.1-2　太陽放射・地球放射の黒体近似スペクトル（a）および地上と高度11kmでの吸収スペクトル（b）（c）[2]

ここでの問題は私たち**人類がGHGを過剰に排出して、温室効果により大気下層の生物圏に必要以上の熱エネルギーを集めつつある**ことです。GHGのように地球表面付近での放射によりエネルギーバランスを変化させる要因となる力を**放射強制力（radiative forcing）**と呼んでいます。この放射強制力は、主として各GHGが太陽光を受けた環境での放射能力（＝気候システムに与えるエネルギー）と大気中の濃度で決まります。また、

CO_2などの主要なGHGは大気中で物質的に安定であることも、影響が大きくなる要因となっています（長寿命GHGと呼ばれる）。

放射強制力は、人間活動の影響が及んでいない産業革命開始前後の1750年を基準点０として、太陽放射エネルギーと同じ単位W/㎡で表示されます。現在までの各種観測データでは、この**放射強制力はほとんど人為起源**であることが確認されています（注）。

（注）近年の観測データでは、太陽放射はわずかに増加していますが、GHG排出増加による放射強制力より１桁以上小さくなっています。また、火山噴火による放射強制力はマイナス（吸熱）側ですが、持続期間は短く、影響が残るのはせいぜい２～３年程度です。

図2.1-3は各種の大気観測データを基に、気候モデルを使った解析により放射強制力の主な要因を切り分けた結果（IPCC第５次報告書による）です。結果には多少の推定誤差を伴いますが、ここには以下のような重要な情報が含まれています。少し詳細な内容になりますが図に従って説明します。

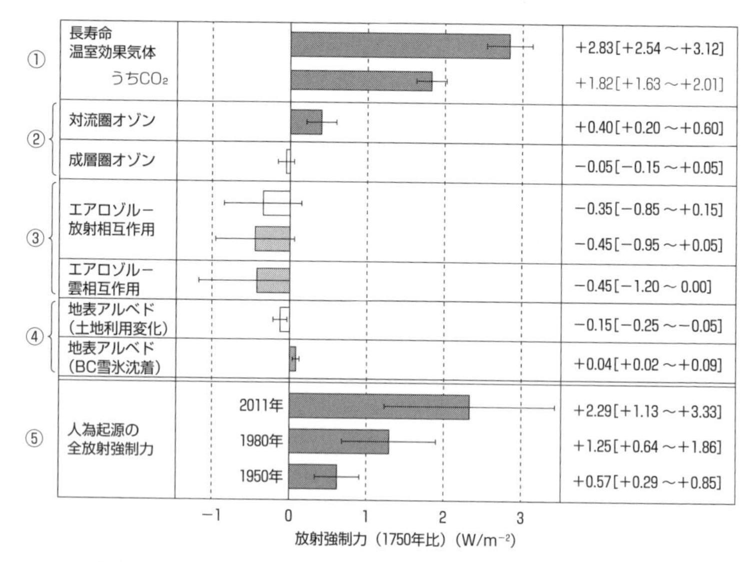

図2.1-3　人為起源の地球全体・放射強制力の内訳[(3)]

（注）棒グラフ中の線および括弧内の数値は見積もりの不確実性の幅を示す。データ出典はIPCC第５次報告書による。

①長寿命GHGの影響のうちCO_2によるものが約2/3を占めています。**我が国のように工業化が進んだ国**ではさらにこの割合が高くなり（2015年には93%）、**地球温暖化対策としてCO_2排出削減に当面の目標が絞られます**。しかし、世界全体で見ると、**メタン、一酸化二窒素**、ハロカーボン（フロン、代替フロン）など残り約1/3のGHG増加についても頭の隅に置いておく必要があります。このうち前二者は**ほとんどが農業・畜産業からの排出**であり、国や地域によって対策の立て方も変わってきます。

②オゾンはプラスの放射強制力を有し（図2.1-2（b）参照）、人間活動の影響により成層圏では減少、対流圏では増加の傾向に

あります。オゾンの寿命は比較的短いのですが、対流圏での増加は化石燃料の使用増加などにより、オゾン発生の引き金になっている一酸化炭素、メタン等の排出が増加していることによりもたらされています。
③エアロゾルは大気中に浮かんでいる微粒子の総称で、発生量が多くなると視界が悪くなって私たちの目でも確認できるようになります。鉱物や海塩、黄砂などの自然由来のものと、PM2.5や硫酸塩などの化石燃料使用などによるものがあります。後者は代表的な大気汚染物質でもあります。

放射強制力についてはメカニズムが複雑で推定誤差が大きいのですが、エアロゾル全体では大気を冷却する効果（マイナスの放射強制力）があります。例えば、大規模な火山噴火では一度に大量の硫酸エアロゾルなどが噴出し、その日傘効果により一時的に気温の低下が見られることがあります（注１）。
④太陽放射エネルギーの地上での反射率をアルベドといいます。私たちは冬には黒っぽい服を着て、夏には見た目にも涼しい白系統の服装というように、本能的に太陽光などの反射を考えて行動しています。自然界では森林の濃い緑や深い海の青色はアルベドが低く、新雪面や海上の氷雪は高くなります（注２）。

また、燃料の燃えかすなどのブラックカーボン（BC）が氷雪や雲の氷滴に付着して汚れるとアルベドが下がります。今後温暖化が進行して、**陸上や海上の雪や氷が解けてさらにアルベドが下がる**とプラスの放射強制力が増えてゆく可能性があり（**温暖化の正のフィードバック**）、これも懸念材料の一つとなっています。
⑤以上の効果が足し合わされて、人為起源の全放射強制力は

2.29W/㎡（2011年）と推定されています。放射強制力は全地球表面に入射する平均的な太陽放射エネルギー340W/㎡の１％以下ですが、年を追うごとに強くなっていて、近年の顕著な気温上昇がもたらされています。

（注１）1991年のフィリピン・ピナツボ火山の噴火では、一時的に2W/㎡を超えるマイナスの放射強制力が発生して、地上の平均気温が約0.5℃低下したと見積もられています。これに倣って人工的に上空からエアロゾルを散布するなどして、人為的かつ大規模に気候システムを改変しようというジオエンジニアリング（気候工学）という動きも一部にはあります。

（注２）代表的なアルベドとしては、森林および海面0.03～0.10、陸地面0.07～0.20、新雪地域0.80～0.90です。なお、森林伐採などの土地利用変化でアルベドは下がりますが、一般的にはこれよりも森林の太陽エネルギー利用による光合成（CO_2吸収）の効果の方が卓越します。

物理で習ったニュートン力学の「慣性の法則」を覚えているでしょうか？
「運動している物体に外部から力が加わらない限り、その物体は**同じ速度**で運動を続ける」です。

これを今回の例に当てはめると、地球大気にわずかずつではあっても、外部から絶えず（放射強制）力が働き続けているため、大気はどんどんと温められ続けています。私たちがとても誤解しやすい点ですが、たとえ今すぐに**GHG排出を抑えて放射強制力の増加を止めても、依然として放射強制力は働き続けているため、大気の加熱は新しい温度のバランス（平衡）状態**

に到達するまで続きます。つまり、大気中のGHGが減少しない限り、温暖化は止まったり元に戻ったりすることはありません。この場合でも、気候システムの応答遅れのために、気温上昇が完全に止まるまでに相当の時間遅れがあります。

以上の内容を解析シミュレーションにより示した一例が、図2.1-4の将来の気温上昇の予測結果です。解析の前提条件として、本格的な産業化が始まる以前よりGHGが緩やかに増加して70年後（ほぼ2050年に対応）にその濃度が2倍となる「シナリオ」に基づいて、複数の解析モデルを使って（横軸の気温変化の幅がそのバラツキを表す）、気温の上昇量を計算しています。細い曲線は70年後の過渡的な状態を表し、ピークに当たる最良の推定値では1.8℃の気温上昇となります。

これに対して、太い曲線はGHG濃度が70年後以降一定のままで、さらに長期にわたって計算を継続して温度上昇がなくなる平衡状態に至った時の計算結果を表しています。この場合には、最終的な気温上昇は100年以上の時間遅れをもって現れ、最良推定値は上記の倍近くの3℃を超える上昇となります。

この結果が意味するところは、70年後（2050年頃）に温室効果ガスを抑えること（排出量ゼロ）に成功したとしても、その水準のまま（大気中からCO_2の除去が行われない）だと、気温上昇はさらに続くということです。つまり、私たちが気温上昇を肌で感じるようになってから本格的な温暖化対策を取ったのでは、時すでに遅いということになる恐れがあります。

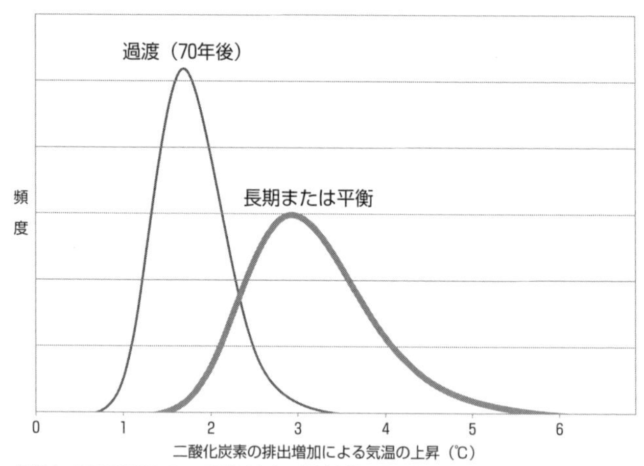

図2.1-4　現実的なGHG排出シナリオによる気温上昇量の推定(4)

（注）データ出典はIPCC第４次評価報告書による

以上により、人為起源CO_2の排出増加が地球温暖化の主たる原因であり（注１）、その対策として化石燃料の消費を抑えることが重要であることがわかります。また、図2.1-3において、エアロゾルが負の放射強制力を有する（注２）ことから、全体の放射強制力がCO_2単独の放射強制力に近いという量的な関係になっています。

（注１）IPCC第５次評価報告書は「人間の影響が20世紀半ば以降に観測された温暖化の支配的な要因であった可能性が極めて高い（extremely likely：95％以上の確率）」と結論づけています。

（注２）PM2.5のような大気汚染物質を削減することにより、全体の放射強制力が増加するというパラドックス的な関係にあります。

２．温室効果ガス（GHG）排出量の算定

上記では代表的なGHGとその働きについて見てきました。

各々のGHGがどの程度の温室効果をもたらしているのかについては、以下の点を考慮する必要があります。

・GHGの空気中の濃度：例えば、CO_2は現在約400ppm（0.04％）、次に多いメタンでは1.2ppmです。
・GHGの温室効果の強さ：単位質量のGHGが大気中に放出された時に、一定時間内に地球に与える放射エネルギーの積算値をCO_2に対する比率として表したものです。CO_2以外の主なGHGは排出量が少なくても影響力が強くなっています。
・GHGの空気中での寿命（存在期間）：CO_2などのGHGは大気中では化学的に非常に安定で、長い期間にわたって大気中に残留し、**長寿命GHG**とも呼ばれます。CO_2は時間スケールの異なるさまざまなプロセスで海洋や陸域にも取り込まれるため、寿命を一義的に決めることはできず、炭素循環と気候モデルを組み合わせて計算で求めています。ほかにはメタン：12年、一酸化二窒素：114年などです。

大気中での寿命を考慮した各GHGの温暖化への寄与度は**地球温暖化係数**と呼ばれ、CO_2に対する比率で表示されます。評価する期間の取り方で地球温暖化係数に差異が生じますが、100年間が使われることが多いようです。代表的なものではメタン：25、一酸化二窒素：310、フロン類：数千～１万などです。

実際にGHGの総排出量を算定する場合には、GHG種類ごとの空気中の濃度と地球温暖化係数を使って、CO_2排出量（トン）に換算して表示されます。国連の気候変動枠組条約（UNFCCC）では、各国に毎年細かく決められた手順と様式で温室効果ガスの排出量の目録（インベントリ）を報告するように義務づけています。ここでは手続きの詳細などについては触れませんが、概略では以下のGHG総排出量が評価のポイントとなります。最近「GHG排出量が**実質**ゼロ、または**全体としてゼロ**」と紹介されていますが、いずれもGHG総排出量に相当します。

GHG総排出量＝(①各種GHG排出量の合計)＋(②土地利用変化によるCO_2排出量)－(③森林などによるCO_2吸収量)

また、今後新技術の開発、適用によって、有効なGHG排出量の削減が得られれば、総排出量から差し引かれます。

ここで「②土地利用変化によるCO_2排出量」について注目します。

最近の世界のCO_2収支では、森林伐採などによるCO_2排出量が全体の約９％と把握されています。この「土地利用の変化」による部分は現時点だけを切り出してみると、それほど割合は大きくないように見えます。

ところが、**産業革命以降、2011年に至るまでの累積の人為的CO_2排出量としては、図2.2-1のようにCO_2総排出量の約１／**

３（面積ではより多くなります）がこの「土地利用の変化」によるもの（濃い部分の面積）となっています(5)。これは産業革命以降の産業化・都市化や農地の拡大等に伴う原野・原生林の開発、**熱帯雨林などの破壊の影響**が蓄積されてきた結果です。

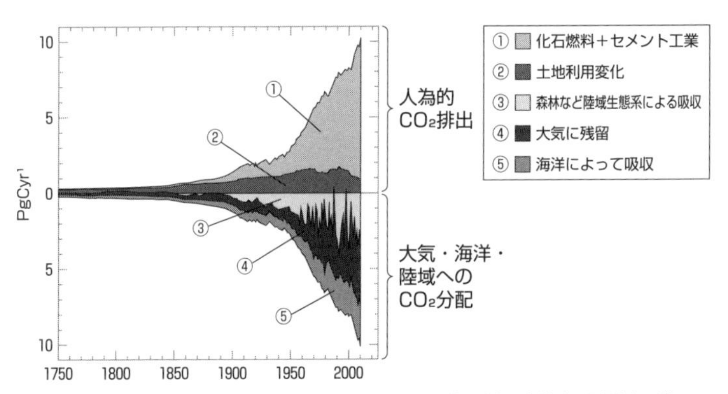

人類が排出したCO_2排出のうち、約３割は海洋で、残り３割は陸上の生態系で吸収され、残りの４割が大気に残留してきたことがわかる。土地利用の変化による現在のCO_2排出量は、人為的CO_2排出のうち１割程度を占めている。

図2.2-1　世界のCO_2排出と移動の内訳(5)

さらにこの内訳を示したのが図2.2-2ですが、特に戦後に世界各地の熱帯雨林の開発が進んだことが大きく影響しています。詳しくは下巻・第Ⅵ章４項で取り上げますが、この相当の部分は我が国にも関係があり、よそごとと看過できない事情があります。最近も東京オリンピック施設の建設にアジアの熱帯雨林で違法に伐採された木材が使われているのではないかとの疑義が持ち上がったことがあります。経済がグローバル化する中で、輸入木材の合法性や持続可能な環境を確保するために、信頼性の高い国際的な認証システムを確立する必要に迫られています。

なお、本図によると、1985年以降に熱帯以外の地域でのCO_2放出がマイナス（吸収）となっています。これは、主として欧米諸国での森林管理によって、前ページのGHG総排出量の算定において森林などの吸収能力③が高まったものと推定されています。これも、見逃せない視点です。

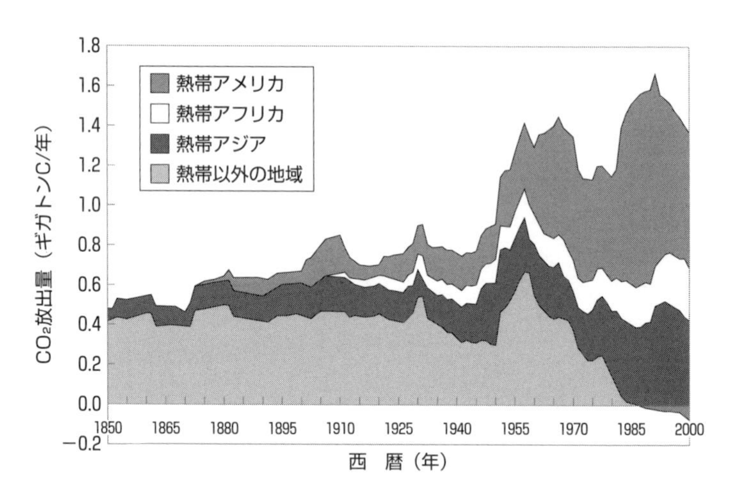

図2.2-2　領域別の土地利用変化によるCO_2排出量(2)

我が国の場合には、②は近年ほとんど無視できる量です。また、③はGHG排出量全体の５％程度ですが、最近は戦後に植林された人工林の高齢化が進み、CO_2吸収能力が2003年以降低下傾向にあるのは気掛かりです。

地球温暖化対策として、まずCO_2排出をできるだけ抑えなければいけないのですが、これと同時に森林などでのCO_2吸収能力を保持して大気中のCO_2を固定化すること、そして最終的には地中などに固定化できるようになるまで考える必要があります。このように、できるだけ**早期に人為的なCO_2排出と森林などでの吸収をバランスさせる**ことがとても重要です。

3．我が国のGHG排出の現状

次に、我が国のGHG排出の状況に焦点を当ててみます。

図2.3-1は環境省のGHG排出インベントリ報告書[6]のデータを整理したものです。我が国全体の排出量は約13億トン・CO_2となっていて、GHG排出の基本的な特徴が現われています。この報告書には細部にわたる排出量に関するデータと分析結果が納められていますが、ここではGHG排出削減の対策を考えるために、以下の観点で考えてみます。

①GHGの種類：CO_2かそれ以外か？
②CO_2排出の目的：エネルギーとしての利用か否か？
③CO_2排出時のエネルギー利用の形態：電力かそれ以外か？

①は上でも触れたように、GHGの種類によってそれらが排出される原因、あるいは出所が全く異なり、排出源と削減対策を考える糸口になります。②、③はCO_2排出削減のために、これから私たちのエネルギーの使い方をどのように改善してゆくかを検討するために重要なデータです。

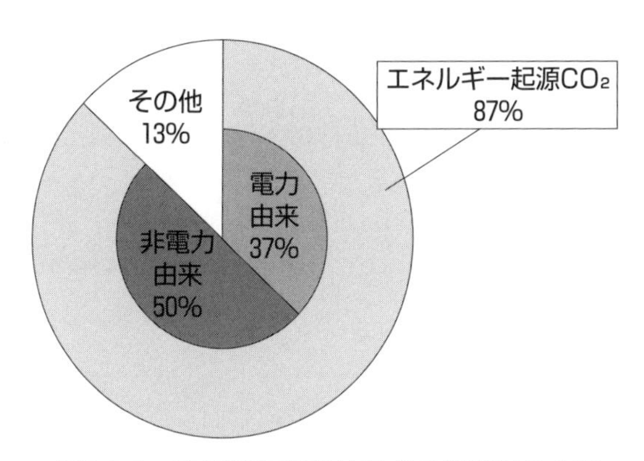

図2.3-1　我が国の温室効果ガス排出量の内訳
(2015年度、100万トンCO_2換算)

温室効果ガスの種別	寿命(年)	排出量	構成比%
二酸化炭素 CO_2	—(注1)	1228	92.7
エネルギー起源	—	1150	86.8
非エネルギー起源	—	78.3	5.9
メタン CH_4	12	31.1	2.3
一酸化二窒素 N_2O	114	20.6	1.6
代替フロン等4ガス		45.2	3.4
ハイドロフルオロカーボン類 HFCS	〜(注2)	39.2	3
パーフルオロカーボン類 PFCS	〜(注2)	3.3	0.2
六ふっ化硫黄 SF6	3200	2.2	0.2
三ふっ化窒素 NF3	500	0.6	0
合計		1325	

(注) 1. 変化のプロセスが複数あり、一義的に決まらない
2. 物質により大きな開きあり
3. 環境省発表データによる

これらのデータをさらに要約したのが図2.3-2になります。私たちが各種のニュース報道で目にするGHG排出量にはいくつかの表現法があって紛らわしいのですが、本図では人為起源のGHG排出量を100％として各定義での割合％を示しています。

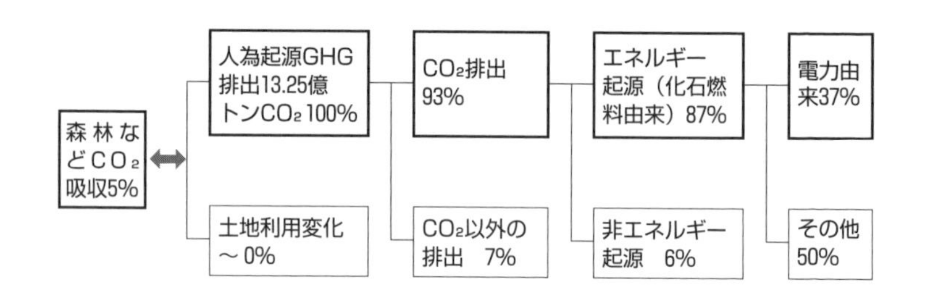

図2.3-2 我が国の温室効果ガス収支（2015年度）

以上から、我が国のGHG排出の大まかな姿が見て取れます。

- GHGの排出量に対して、森林などでの吸収量はわずかに5％程度で、大幅な出超です。これは我が国独自の問題というよりは、脱炭素化が進展する以前のほとんどの欧米先進国にも共通する特徴と思われます（注）。
- GHG排出のほとんどすべて（93％）がCO_2排出によるもので、それらは主に光熱や動力・輸送などのエネルギーとして利用されています。そのうち電力エネルギー利用により約４割のCO_2が排出されています。したがって、**我が国の場合にはGHG排出の問題をほとんどエネルギー使用によるCO_2排出問題**と置き換えることができます。

・非エネルギー起源のCO_2排出は、**主にセメント・鉄鋼製造の工業プロセス**で生じます。いずれも主な原料の石灰岩$CaCO_3$、鉄鉱石Fe_2O_3などを1000℃を超える高温で分解・処理するときに発生するものです。この過程の化学反応で発生する非エネルギー起源CO_2排出量だけでなくて、同時に多量の熱エネルギーを必要とするため、例えば製鉄業では製造業全体の半分近くのCO_2を発生しています。したがって、これら**素材の製造プロセスの改善・変更などの対策が産業分野における脱炭素化の最重要課題**です（詳細は第Ⅲ章9項参照）。

・CO_2以外のGHG排出削減については、代替フロンに対する排出規制が現在検討されています。また、CH_4、N_2Oについては農業・畜産業から出るものが大部分ですが、排出量としてはあまり大きくありません。しかし、将来カーボンニュートラルな社会に近づいてくると、この分野でもエネルギー使用方法を含めて何らかの対策が求められるようになるでしょう。

（注）例えば、温暖化対策で世界をリードする欧州諸国（EU）は、最近2030年のGHG排出を少なくとも55％削減する（1990年比）という目標を発表しています。図2.3-2からも、この目標がとても高いことがわかります。その実現のためには省エネや自然エネルギー電力の大量導入だけでなく、エネルギーの利用法や関係する社会経済システムを大胆に切り換えることにまで踏み込んでゆく必要があります。その典型的な例が、ガソリン車などの内燃機関車の生産を取り止めて（英国：2035年、フランス：2040年など）、電気自動車や燃料電池車へと移行する流れとなっています（第Ⅳ章5項参照）。

現在は再生可能エネルギー（再エネ）の固定価格買取制度（FIT）のように、電力の脱炭素化に議論が集中しています（それはそれで重要です）が、それと同時にエネルギー消費と化石燃料の使用をできるだけ削減する活動を忘れるわけにはいきません。1970年代の２度にわたる石油危機の際には、国民一人一人に省エネ活動が呼びかけられ、“省エネ”がクールな言葉として日常の会話でよく聞かれました。それに比べると、現在はそのような活動の盛り上がりもあまり見られないように感じられます。

さらにその先を見据えた時に、各種エネルギーの効率的な使い方としてエネルギーの電化が組み合わされることになります。**つまり、エネルギー利用の効率化と脱化石燃料化によるCO_2排出削減、それらの対策の一環として電力エネルギーの有効活用が我が国の温暖化対策の柱**となります。この点については以下の章でさらに考えてみます。

世界と我が国のCO_2排出と吸収をバランスシートの形で表示したのが図2.3-3です。

産業革命以前はCO_2排出と森林などによる陸地での吸収が釣り合っていたはずですが、現在はご覧のようにかなりひずんだ形になっています。世界全体では我が国に比べて、陸地での森林吸収等の割合が大きいのですが、それでも30%以下です。陸地で吸収しきれないCO_2排出量が、毎日のように地球大気と海洋のCO_2ストック（負債に相当）として積み上がっています。

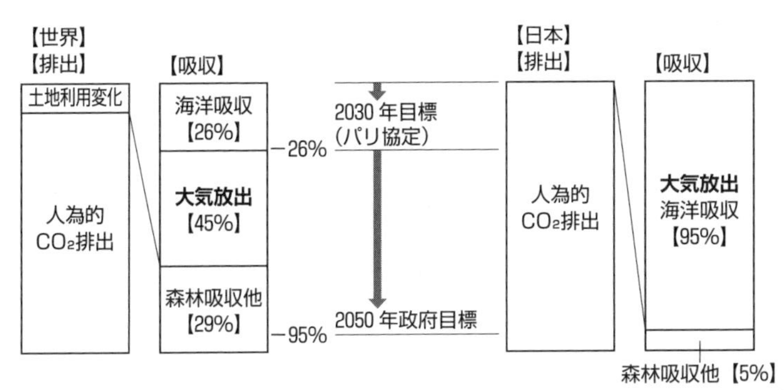

図2.3-3　世界・日本のCO_2排出収支（2015年）と日本のGHG排出削減目標

また、図中に我が国の中長期のCO_2排出削減目標を示しています。

我が国はパリ協定を受けて、2030年にGHG排出（概ねCO_2排出に等しい）26%削減の中期目標を宣言しています。この目標値は各種の省エネ活動、再エネの導入と原子力発電所の再稼働などを積み上げた現状技術の延長線上にある数値です。

これに対して、2050年のGHG排出実質ゼロ（≒CO_2排出95%削減）の長期目標となると、私たちもなかなか想定しづらいのではないでしょうか。しかし、図2.3-3からはCO_2排出の95%削減というのは、決して非合理的なものではなくて、実現に向けて取り組まなければならない目標であることがわかります。この目標達成には、省エネ活動の成果を得た上で、エネルギー源をほとんど脱化石燃料（再エネ、原子力など）にするか、化石燃料使用時に発生するほとんどのCO_2を回収・固定化するなどの手立てを考えなければなりません。

問題はこのように2030年と2050年目標のギャップが極めて大きいことで（注）、2050年目標の達成にはさらに新しい考え方やアプローチが必要となります。それは同時に私たちの生活様式から始まって、社会の構造や経済の仕組みも変わっていかなければならないことを示唆します。

（注）国連環境計画（UNEP）は「現状の2025年／2030年の各国のGHG排出削減目標を足し合わせただけでは、2040年以前に産業革命前からの温度上昇が1.5℃に到達する。そのため削減目標を３倍（最終的に２℃上昇目標達成）または５倍（同1.5℃上昇目標達成）に引き上げる必要がある」と試算しています。

さらに目を外に向けて、問題を複雑にしているのは先進国と新興国の立場の違いが顕在化していることです。

GHG排出量はその国の経済規模、中長期的には経済成長と密接な関係があります。先進国は、これから経済が発展し、人口が大きく伸びる新興国がGHG排出の主たる増加をもたらすので、これを抑えなければと考えます。一方、新興国はこれまでに長い間GHGを大量に排出して発展を遂げた先進国こそ大幅に抑えるべきだと主張します。上記のバランスシートもしかりですが、後述のように大気へのGHGの累積排出量（ストック）には上限があって、それをどのように分け合うかという問題（“共有地の悲劇”、注）と考えると、新興国の主張にも一理があります。

（注）誰もが自由に利用できる共有資源は乱獲されて資源が枯渇してしまうという一種の経済モデルです。

そして、現在の議論には参加できない将来世代のために、この問題をどのように引き継ぐかも考えておかなければなりません。このような立場の違いを乗り越えて、すべての国や地域が問題点を共有しながら、解決に向かって行動を起こすというのがパリ協定の大事な基本精神になっていたはずです。

ここで、もう一度原点に立ち返って、地球温暖化の現状とそれがもたらす影響について考えてみます。

4．地球温暖化の現実

一口に地球温暖化と言っても、今年は最近になく寒い冬だったとか、真夏の最高気温が過去最高記録を更新したなどというように、各年や季節ごとの変動、さらには地域的な相違があります。このように気温の変化を直近の気象状況などから判断することが多いのですが、科学的にはさらに長期かつ全地球レベルにスパンを広く取って調べてみる必要があります。私たちの肌の感覚も、温暖化に慣れてしまえばあまり当てにならないのかもしれません。

図2.4-1、図2.4-2は世界の年間平均気温のトレンドです。2014～2018年がいずれも歴代５傑に入っています。100年当たりで見ると、世界・日本の陸上と海面の温暖化は平均的には下記のようなペースで進行しています(7)。

・世界（1891年～）：0.69℃（陸上のみでは0.92℃）
・日本（1898年～）：1.14℃（日本近海の平均は1.08℃）

日本は世界平均よりも少し上昇量が大きいことと、陸地の方が海よりも増加量がやや大きそうだということがわかります。陸地では雪氷が融解することでさらに温暖化が加速すること（アルベドの正のフィードバック）などがその要因と言われています。

2000～2010年には一時気温上昇がストップしたような傾向が見られ、一部専門家の間でもハイエイタス（気温上昇停止）ではないかとの議論もありましたが、最近の傾向はこれを吹き飛ばしています。この停滞の原因は詳しくはわかっていませんが、気候システムには固有の内部変動があって、全地球規模では最も短いものは10年程度の周期で揺らぎが発生していると言われています。しかし、この期間中にも１項で見たように温暖化をもたらす放射強制力は絶えず働いているはずです。また、次項のように熱膨張が主な要因となっている地球平均海面水位には同様の停滞傾向は見られずに連続的に上昇していますので、温暖化がストップしたわけではなさそうです（注）。

（注）海洋の熱容量は大気の約1000倍で、気候の安定化に大きな役割を果たしています。

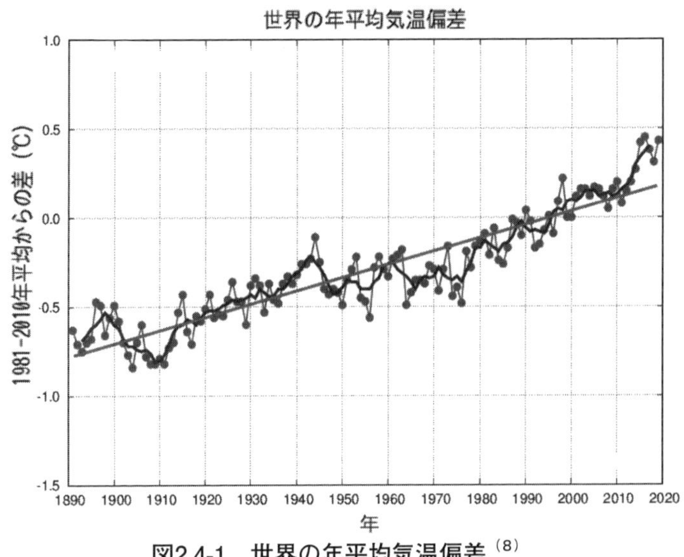

図2.4-1　世界の年平均気温偏差[8]

（注）縦軸の値は1981～2010年平均値からの偏差、黒点は各年の全地球平均値、折れ線は５年移動平均、直線は長期トレンドを表す直線近似。

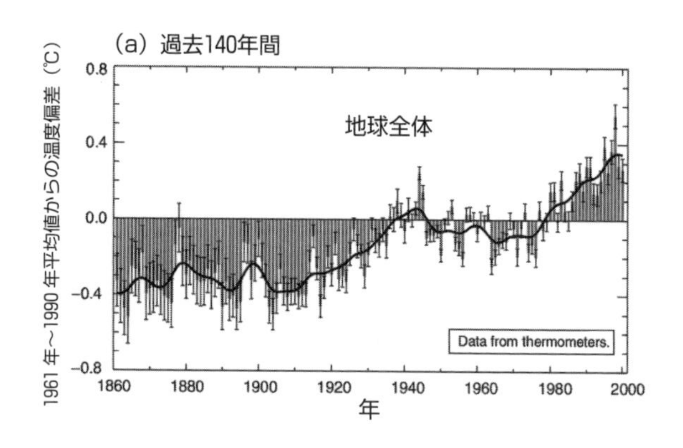

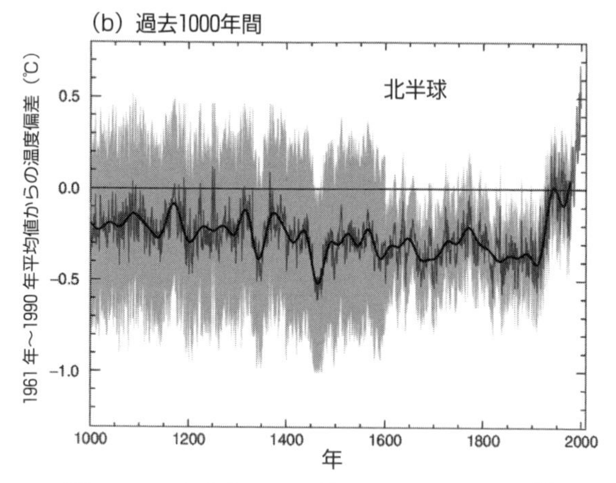

図2.4-2　地球表面の平均温度の長期変化(9)

（注）近年は温度計による直接計測、それ以前は陸地氷床のボーリング調査で採取した氷の資料（氷床コア）や木材の年輪、サンゴ礁の炭素同位体等を調査して推定する方法等によっている。

また、地球上の緯度によっても気温上昇率に差が見られ、図2.4-3のように一般的には陸地面積の割合が大きい北半球で高くなります（注）。しかも高緯度ほどその傾向が強くなり、北極圏では地球平均の２倍以上の上昇率となっています。そう遠くない将来に夏期～秋期には北極圏の氷が完全に消滅することが予想されています。

なお、中緯度に位置する日本では、上述のように上昇率は世界平均よりも少し高くなっています。

（注）海上では加えられた熱エネルギーの一部が蒸発による潜熱に換わり温度上昇が抑えられますが、乾燥化した陸上などではその効果は小さくなります。

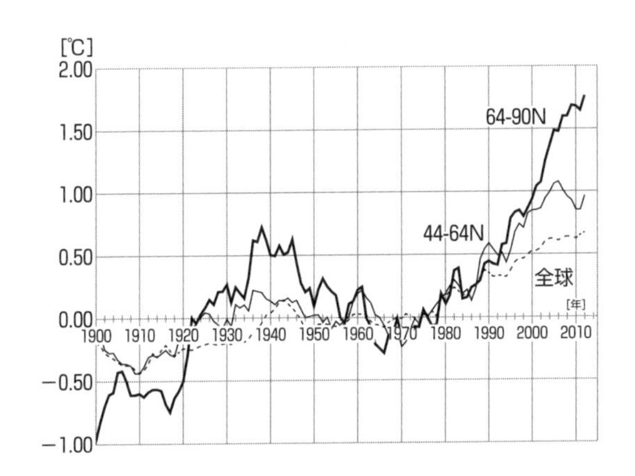

図2.4-3　緯度帯ごとの５年平均気温の1951～1980年平均値に対する偏差 (10)

（注）太線、細線はそれぞれ北緯64～90°、北緯44～64°の緯度帯における平均値を、破線は全球の平均値を示す。

一方、CO_2の大気中濃度については、図2.4-4（上）のように毎年コンスタントに（最近20年間で約10％）上昇しており、特に近年の上昇率が高くなっています。1957年以前は南極などの

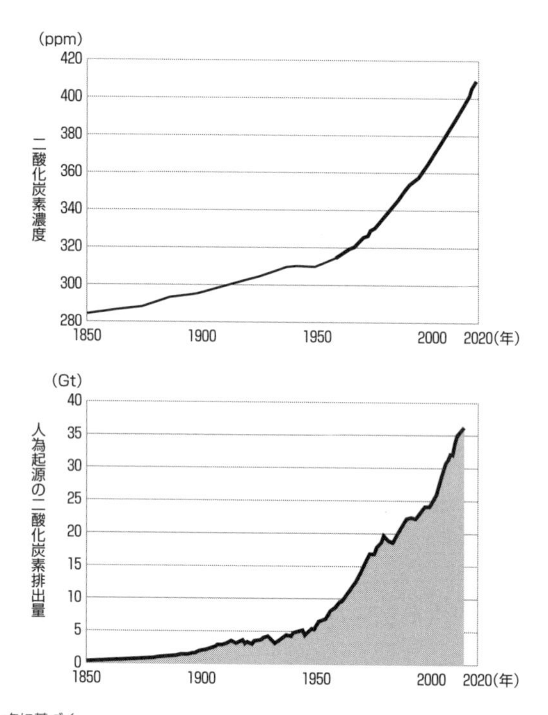

＊以下のデータに基づく
上グラフ＝Etheridge et al.(1998), Pieter Tans (NOAA/ESRL) and Ralph Keeling (Scripps Institution of Oceanography) 1957年以前は南極氷床のコアデータ、58年以降は米ハワイのマウナロアでの観測値
下グラフ＝Boden, Mariand, and Andres (2017), Carbon Dioxide Information Analysis Center, Oak Ridge National Laboratory, U.S. Department of Energy.

図2.4-4　大気中CO_2濃度と人為起源CO_2排出量の変化 [11]

氷床コアから採取したデータに基づいていますが、最近は直接観測で高精度なデータが得られています。

また、これに関係する人為起源のCO_2の排出量を推計したものが図2.4-4の下の図で、CO_2排出曲線の下のアミを掛けた部分の面積が累積のCO_2排出量（ストック）に相当し、CO_2濃度に関係します。物質的に安定なCO_2では、このストック量が地球温暖化をもたらすと言われます。

気象庁が我が国周辺海上のCO_2濃度の変化を詳しく計測した結果が図2.4-5です。この図から読み取れる主要な結果は以下の通りです。

・大気中CO_2濃度は観測点によらず、毎年ほぼ一定の割合で増加して、2015年に年平均で400ppmを超過した（400ppmに特別に技術的な意味はありません）。なお、大気中CO_2濃度は季節的な変化（注）を除けば、人間活動が盛んな大陸から充分に離れているハワイや南極などでも同様の観測結果が得られている。
・表面海水中のCO_2濃度は大気中よりも低く、大気中とほぼ同じような上昇率で増加している。
・海水中は大気中と異なり、水温などの局所的な条件が影響するため、CO_2濃度にも場所による差異や変動が見られる。

（注）地上大気中のCO_2濃度は森林などの光合成活動により夏期には濃度が低くなるため、１年間で周期的な変化を生じます。

海洋がありがたいことに、大気中のCO_2濃度の上昇を抑える“緩衝地帯”としての役割を果たしてくれています。しかし将来、逆に大気中のCO_2濃度を下げる段階になると、なかなか元に戻りにくくなるという大きな“慣性力”を持つことになり、また次項のようにCO_2吸収による海洋酸性化という犠牲を払っていることにも注意する必要があります。

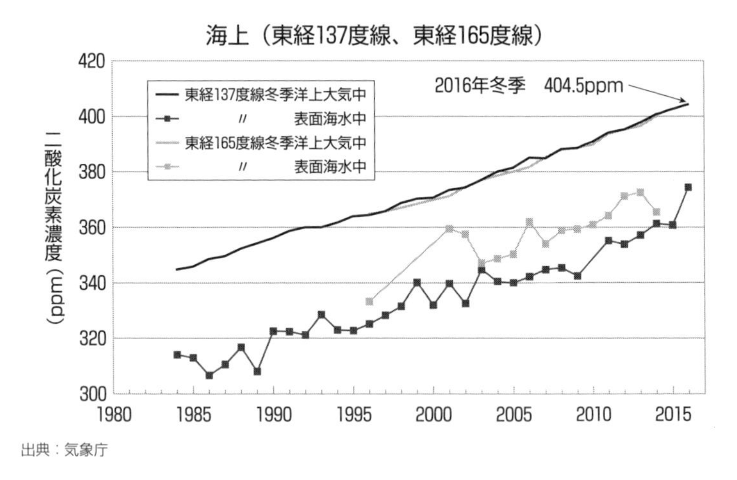

図2.4-5　海上のCO_2濃度変化のトレンド(8)

地球温暖化がもたらす諸々の気象災害としては、干ばつとそれに伴う森林火災の頻発、台風の強大化（スーパー台風）、集中豪雨の激甚化、健康への影響などがあります。その中でも最近我が国に最も大きな被害をもたらしているのが豪雨災害です。

図2.4-6は、アメダスで観測された近年の１時間降水量で50㎜および80㎜以上の短時間強雨が発生した頻度です。共に顕著な増加傾向を示しています。これには近年の温暖化傾向と結びついた大気中の水蒸気量の増加（図2.4-6）が関係していることは想像に難くないのですが、一方では全国的に無降水日（雨量が1mm未満）の年間日数が有意に増加しているというデータもあります。

この点に関しては、気象シミュレーション結果を分析して、以下の要因の推定がされています。コンピュータ・シミュレーションでは自然現象を支配する重要な物理法則などによって気候システムをモデル化したものを使っていて、すべての事象を完全に再現することは難しいのですが、なぜそのような結果になったかを辿ることができる点では非常に有用なツールです。

その結果によると、一つの推定理由として以下の説明がなされています[(12)]。
「大気中の水蒸気量は増えているが、一方では温暖化によって飽和水蒸気量も増加する。端的には、大気中の水蒸気量が一度雨が降って空っぽになってから、また満水になるまでの間隔が長くなるためである」
土砂降りの雨の状態を“バケツをひっくり返したような”と言うことがあります。最近の状態はさしずめ、バケツの深さが深くなって水がたまるまで時間がかかるが、一度ひっくり返ると大雨になるということを表しているようです。

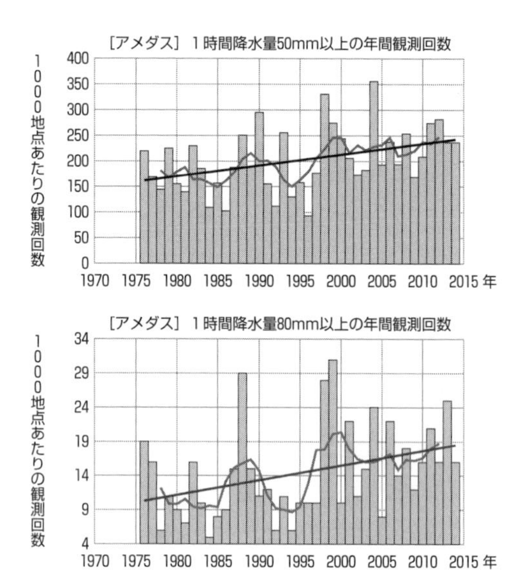

アメダス地点で1時間降水量が50mm、80mm以上となった年間の回数（1000地点あたりの回数に換算）折れ線は5年移動平均、直線は期間にわたる変化傾向を示す。

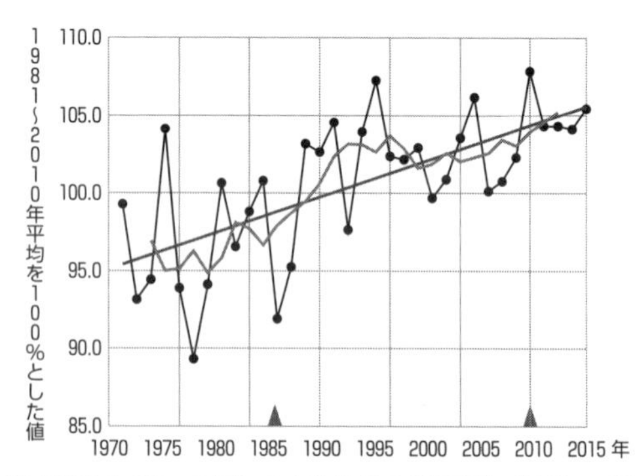

日本の上空における夏季（6～8月）の水蒸気量の経年変化（1981 ～ 2014年）
日本域における夏季（6～8月）の平均した850hPa気圧面（上空1500m付近）の比湿（空気1kg当たりに含まれる水蒸気量、1981～2010年平均を100%とした値）の経年変化。ここでは、国内13高層気象観測地点（稚内、札幌、秋田、輪島、館野、八丈島、潮岬、福岡、鹿児島、名瀬、石垣島、南大東島、父島）の算術平均を用いた。折れ線━●━は国内13高層観測地点の平均値を、折れ線——は5年移動平均値を、直線は期間にわたる変化傾向（信頼度水準95%で有意）を示す。三角は測器の変更のあった年を示す。

図2.4-6　我が国の最近の集中豪雨頻度と水蒸気量の変化[13]

以上のように地球温暖化問題を単なる気温上昇と捉えるだけでは不十分で、むしろ気候システム全体に広範かつ重要な影響が及ぶものと考える必要があります。したがって、個人的には「地球温暖化」問題というよりは、「気候変動」問題と言った方がしっくりくるような気がしています。

さらに、気候システムの変動は当然境界を接する海洋とも相互に影響を及ぼし合って生じています。

5．海の温暖化

海洋全体としては大気の約1000倍の熱容量があります。海洋と大気は体重で言えば、象（数トン）と子犬（数kg）の差があり、動き出しの加速度は大気に比べてゆっくりとしています。しかし、本格的に動き始めるとなかなか止めることができない点には注意が必要です。

熱エネルギーは大気、陸地、海洋によらずごく自然に高温から低温部へと伝わってゆきます。特に海洋は熱容量が大きいため、これまでに**人為起源のGHG排出によって生じた熱エネルギーの90～95％が海洋に吸収**されていると言われています。また、1970～2010年に世界の海洋に蓄えられた熱量は100T（テラ）W（100万kWの原子力発電所10万基分）で連続的に加熱されている状態に相当すると見積もられています(10)(14)。海洋は気候システムの中でのキープレイヤーであり、地球温暖化や気候変動問題を考える際に、海洋の状態観測が欠かせなくなります。

以前は海水温についての系統的な計測データは少なかったのですが、近年海面から水深700mまでの観測網が整備されて、それによって、地球温暖化に伴う過剰な熱が上層から下層へと流動現象などによって運ばれる様子などが明らかになりつつあります。それによると、1971～2010年の世界の海全体で平均した水温変化は次の通りです(10)。

・海面～水深75m：10年当たり0.11℃上昇

・水深700m　　　：10年当たり0.015℃上昇（海洋表層での温度勾配が強くなる傾向）

この**海水温上昇が気候システムにもたらすインパクト**についての代表的な例を紹介します。

図2.5-1に1970年～2010年の海面表層の平均温度上昇のエリア分布を示します。ほぼ海面全域で上昇していますが、特に北大西洋と日本の南海上での増加が目につきます。

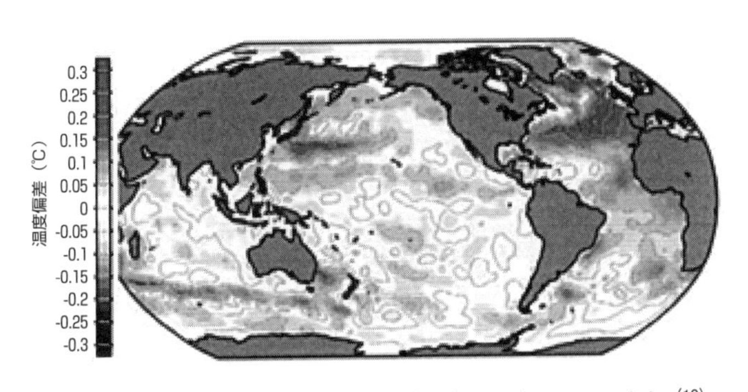

図2.5-1　海洋表層の温度上昇分布（1970年～2010年）[10]

前者について専門家が注目しているのが、温暖化などの気候変動に与える影響とともに、北大西洋の海面付近の水温が上昇することによって、大西洋子午面循環と呼ばれる海面表層と深層をつなぐ熱塩循環（図2.5-2）にどのような変化を及ぼすかです。この大洋の大循環は海水温（熱）と塩分濃度（塩）の違いが海水流動の駆動力となるため、「熱塩循環」と呼ばれます。

海水の密度は（真水とは違って）温度が低いほど、また塩分濃度が高いほど密度も高くなります。鉛直方向には下方に行くほど温度が低くなり、密度差によって安定的な温度成層が生まれて、これだけでは鉛直方向のエネルギー伝達はほとんど生じません。一方では、地球の赤道付近と南北極では海洋が太陽から受け取る熱量に開きがあり、そのために生じた海水温すなわちエネルギー密度の差を埋めるために海面表層で流動が生まれます（注）。

（注）海面の流動現象としては、ほかに偏西風や貿易風がもたらす「風成循環」などがあります。

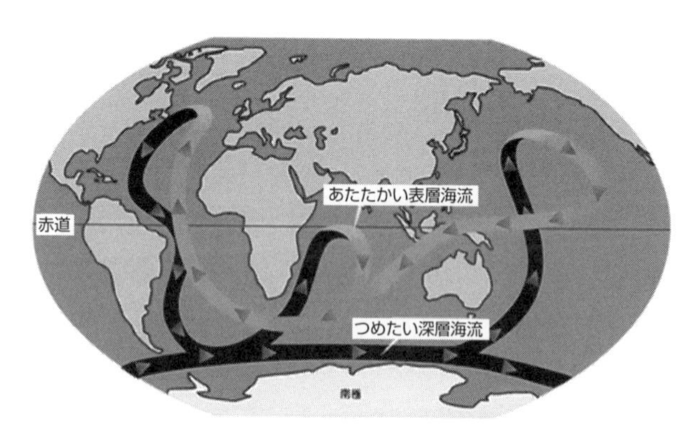

図2.5-2　海の熱塩循環の模式図（7）

実際には、海水温（海水密度）の差とそれによる海水の蒸発量の違い、降水による塩分濃度（海水密度）の違いなどが加わって、北大西洋の表層ではカリブ海・メキシコ湾方面から暖かい海流が北へ運ばれます。この海流が北上とともに、高塩分の海水が次第に冷やされてさらに密度が高くなり、グリーンランド沖で深層への沈み込みが発生します。これが一種のポンプの役目を果たして（注）、深層では概ね逆方向に流れる海洋大循環を形成していると想定されています。

（注）提唱者にちなんで、「ブロッカーの大洋のコンベアベルト」と呼ばれています。

もし、海水温上昇（密度低下）によって北大西洋での沈み込みが弱くなり、この大循環が停止に至る（注）とすれば、高緯度にもかかわらず比較的温暖な欧州の気候に大きな影響を及ぼす可能性があり、組織的な調査が続けられています。

（注）古気候の調査により、最終氷期前後（１万年〜11万年前）の気候が温暖化した時期に、北米大陸の氷河が融解して、大量に流れ出した陸水がグリーンランド沖の塩分濃度を低下させて、（熱塩循環が弱まった結果）寒冷化に逆戻りしたことが確かめられています。

大洋を股にかけて動く熱塩循環はその長大さゆえに、一回りするのに1000年以上の時間を要します。表層に伝わった熱エネルギーが海洋深層にまで行き渡るには、それだけのスケールの時間がかかります。海洋は大気温を調整してくれる大事な役割を果たしてくれますが、海洋全体の温暖化は巨象のように非常にゆっくりとですが、確実に進んでいきます。

以上は将来起こるかもしれない気候変動に対する先行的な調査ですが、次は既に発生しつつある、私たちにとってより身近な異常気象です。最近日本に襲来する台風の勢力がなかなか弱まらない状態で、東北・北海道地方を直撃するという、これまであまり見られなかったような事象が続いています。また、毎年のように繰り返される記録的な集中豪雨は列島各地に甚大な被害をもたらしています。この原因の一つとして、日本の南海上の海面温度上昇により大量の熱エネルギーと水蒸気が台風に供給されていることがあると言われています。

このように海洋の温暖化は単純な温度上昇に留まらずに、各地域や季節によって非常に複雑で広範な気象変化をもたらすことになります。

コンピュータ・シミュレーションを使って将来の年間平均の海面水温の変化を予測した結果が図2.5-3です。今世紀後半に至るまでGHG排出のすべてのシナリオで継続的に温度上昇が見られています。使用する気候モデルによりかなりのバラツキがありますが、実線で示した平均値では2060年には0.7℃（GHG最大削減シナリオ：RCP2.6）～1.5℃（GHG削減対策なしシナリオ：RCP8.5）近くの温度上昇が推定されています。

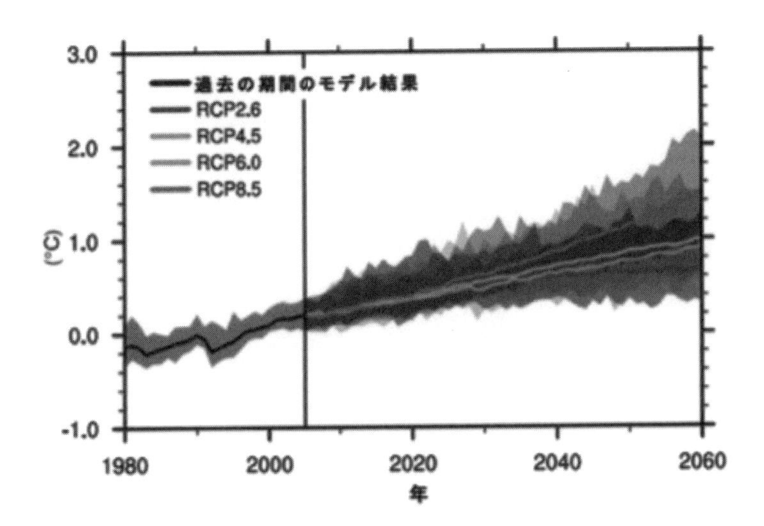

図2.5-3　将来の年間平均の海面水温上昇量の推定[10]
（注）データ出典はIPCC第５次報告書による。

次に、**海の温暖化がもたらす海面上昇**についてです。

ここで以下の問題を少し考えてみてください。

【クイズ③】

コップに図2.5-4のようになみなみと注がれた氷水があります。水面はコップの縁ぎりぎりで今にもこぼれそうです。時間が経って、この氷が溶けるとコップの水はどうなるでしょうか？ここでは氷の塊がコップの底面から離れているものとします。

図2.5-4　コップの中の氷水はどうなるか？ (15)

直感的には「あふれる」と答えたくなりますが、正解は「あふれずにそのまま」です。皆さんはひょっとして科学の実験で試したことがあるかもしれません。この答えの鍵は氷に働く浮力（アルキメデスの原理）です。

つまり、「氷に働く浮力（＝氷の重量）」＝「氷が押しのけた水の重量」ですから、氷が溶けても水の量は変わらないわけです。

私たちは地球温暖化の環境下での海面上昇が話題になると、ついついテレビに出てくる海面を漂う氷の上のホッキョクグマや流氷を連想して、氷が融けると大変なことになると考えてしまいます。しかし、たとえ北極の（海上の）氷が全部融けても海面水位には直接の影響はありません（注）。

（注）北極圏では氷雪面アルベド低下（現状60％⇒10％程度）や永久凍土の融解によるメタン放出などの温暖化を加速するフィードバック効果が懸念されています。

図2.5-5が実際の海面水位上昇の観測データとその上昇の要因を推定した結果です。最近は人工衛星を使った全球での観測が行われていて、精度の高いデータが得られています。また、その要因についても細部にわたって推定されていることがわかります。

この図より以下の点が読み取れます。

・近年（1993～2010年）の海面上昇は年間3.2mmで、1990年以前と比べて約２倍である。

・海面上昇の主な要因は、海洋の熱膨張（注）と温暖化に伴う陸上氷河や氷床からの（氷雪が融けたことによる）質量流入によるものである。近年は後者の割合が増えていて、全体の約半分になっている。

・陸水（人間による地下水の汲み上げ）の影響は小さいが、近年増加傾向にある。

（注）20℃の海水が１℃上昇すると体積が約0.025％膨張します。

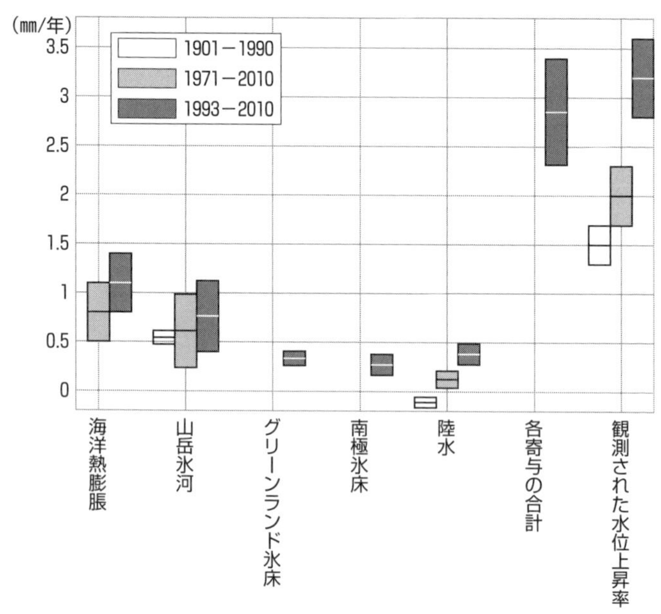

図2.5-5　地球平均海面水位上昇率の内訳 (10)

（注）データ出典はIPCC第５次評価報告書による。バーの長さは推定誤差を表す。

実は図2.5-5には表立って記載されていない重要な海面上昇要因があります。それは南極やグリーンランドでの氷床や氷河の大規模崩壊です。例えば、西南極の大規模氷河（スウェイツ氷河）が大きく後退すると、世界の海面が3.4m上昇するとの調査結果もあります(16)。このような氷床・氷河の大規模崩壊は、地球温暖化が進行した時に見られる非連続的で急激に起こるプロセスであるため、専門家でもなかなか予測が難しいようです**（本項末のコラム参照）**。

陸域の山岳氷河、グリーンランドや南極氷床などの氷がすべて融けると平均海面水位が約70m上昇し、その約90％が南極大陸にあると言われています。温暖化が顕著に進行する北極と比べて、南極大陸での進行ペースが比較的緩やかであることは、せめてもの幸いと言えます。

南極は地球温暖化に対する“最後の砦”として、これからも注意深く見守ってゆく必要がありそうです。極点観測の重要性がさらに増しています。

最後に、**温暖化がもたらす海洋の酸性化**についても触れておかなければなりません。

図2.3-3から予想されるように、これまで空気中に排出されたかなりの量のCO_2が海洋に溶け込んでいます。CO_2が海洋に吸収される時には、主に以下の化学反応によって、その時の環境条件に応じて各物質がバランスした平衡状態になっています。

$$CO_2 + H_2O \Leftrightarrow H^+ + HCO_3^- \quad (1)$$
$$HCO_3^- \Leftrightarrow H^+ + CO_3^{2-} \quad (2)$$

ここで、新たにCO_2が海水に溶け込むと、まず（１）の平衡状態が崩れて、全体が右側にシフトした新しい平衡状態に移行して、水素イオンH^+の濃度が上昇します。水素イオン指数(pH) $= -\log [H^+]$ により、pHが減って、より酸性の状態に近づきます（注）。

（注）海水は一般的に弱アルカリ性で、そのpHは表面で約8.1から深くなるにつれて下がる傾向です。

海面のpHは、既に産業革命前に比べて0.1程度低下していると推定されています。0.1の変化はわずかに思われますが、pHは対数表示のため、水素イオン濃度としては約26％の増加となります（数字のマジックです）。

海洋が酸性化することによって生じる最初の問題点は、次から次へとCO_2が溶け込むと、（１）においてH^+の増加が追い付かなくなって、やがてバランスが崩れることです。つまり、酸性化した海水中ではCO_2が溶け込みにくくなって、次第に空気中に戻ってくる割合が大きくなります。こうなると海水のCO_2吸収が減り、ますます空気中に残るCO_2の割合が多くなって、温暖化が加速することになります。

このように化学平衡にずれが生じることによる効果は海水温の上昇によるCO_2溶解度の減少とともに、大気中のCO_2濃度の増加を通じて、温暖化のプラスのフィードバック効果をもたらすことになります。

次の問題点は海洋の生態系に与える影響です。貝類、甲殻類、サンゴなどでは海水中にたくさんあるカルシウムイオンCa^{2+}と炭酸イオンCO_3^{2-}から次の（３）の反応で水に溶けにくい炭酸カルシウム$CaCO_3$を作って、殻や骨格を形成しています。もともと（３）の平衡状態は海水中にCa^{2+}、CO_3^{2-}が豊富にあるために右向きが優勢で、このような環境下でこれらの生物種が進化を遂げてきたと言えます。

$$Ca^{2+} + CO_3^{2-} \Leftrightarrow CaCO_3 \quad (3)$$

ところが、海洋の酸性化が進んで、（２）の平衡状態が左側にシフトすると、炭酸イオンCO_3^{2-}の割合が減少して、殻や骨格を形成することが難しくなり、さらには（３）の反応が左側に進んで、溶け出す可能性もあります。これは特定種だけの問題ではなくて、微小なプランクトンから始まる海の食物連鎖全体と生態系に影響が及ぶことが懸念されています。

●コラム　地球温暖化はティッピング・ポイント（臨界点）に近づいている？

図2.5-6は気温の上昇に伴うグリーンランド氷床の融解の様子を解析モデルを使ってシミュレーションした予測です。最初は比較的緩やかに体積が減少していきますが、5℃の気温上昇を超えたところで、急激にゼロに向かっています。自然界では、このように連続的な変化が、あるところで急激に状態が変わることが見られ、気象の世界ではティッピング・ポイントと称しています。例えば、地震発生時のプレート境界での内部応力と歪みの関係などもそうです。

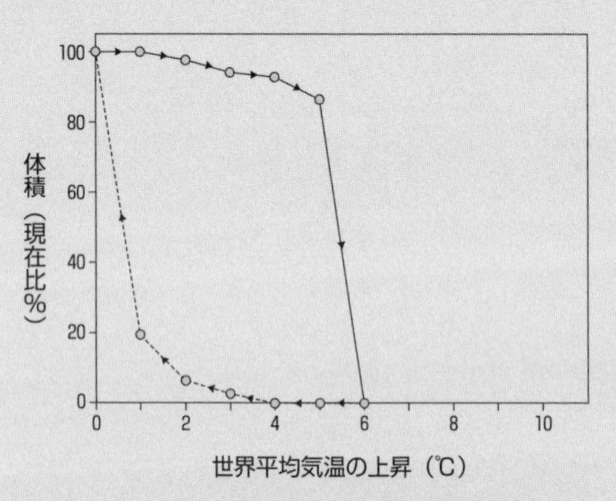

図2.5-6　グリーンランド氷床の気温上昇に対する応答[5]

もう一つの例として、紹介するのが図2.5-7の航空機の翼の周りの空気の流れに対する、角度（迎え角）と翼を持ち上げる力（揚力）との関係です。航空機と気象は別世界のもののようですが、航空機に働く空気の力と気候システムを解析する対象の中心となるのは同じ流体力学の方程式です。

図2.5-7は縮尺模型を使った実験のデータです。迎え角が増えるにつれて、概ね直線的に揚力が増えて行きますが、最大値（＝臨界点）に達した後に、急激に揚力が低下している様子がわかります。臨界点の後の点線は、流れが大きく乱れて、振動的な力が働くという不安定な状態を表しています。この状態が、航空機の失速と呼ばれる、非常に危険な飛行状態に相当しますが、私たちが利用する民間機は通常はそのような状態に陥らないように工夫されています。この臨界点の前後での翼の周りの流れの様子を模式的に示していますが、両者は全く異なった様相となっています。

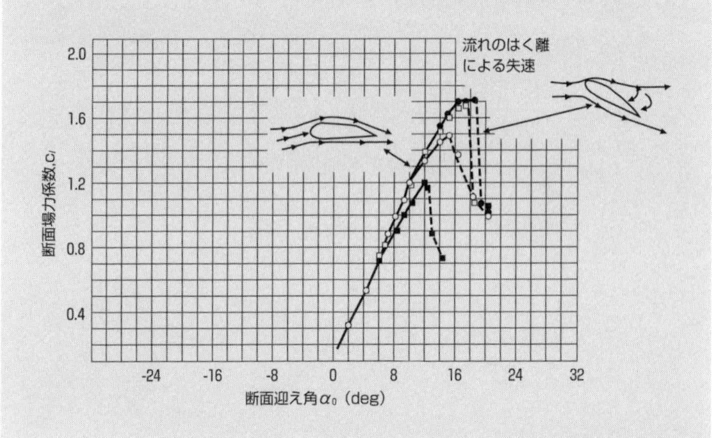

図2.5-7. 航空機の翼に働く揚力の迎え角に対する変化の一例：「空気力学の基礎」（J.D.アンダーソンJr）をもとに筆者が改変

これらから**ティッピング・ポイント（臨界点）**に関して、以下のような基本的な性質が予想されます。
・臨界点を境にして急激な状態変化が起こる。その発生（いつ、どのような状態で）を解析などで正確に予測することは難しい（**現象の不確実性**）。
・一度ティッピング・ポイントを超えてしまうと、元に戻るのに全く別のルートで変化が進む（ヒステリシス・ループの形成）という**現象の不可逆性**が生じる（8）。そして通常は元の状態に戻すのにより多くの労力を要する。

自然界ではいろいろな緩衝作用が働き、臨界点で生じるような急激な変化を和らげる効果をもたらしてくれるかもしれません。しかし、地球温暖化は単純な平均気温の0.*度上昇では言い表せない変化を含んでいます。気象学の専門家などがティッピング・ポイントに言及する時には、このような警鐘の意味も含まれています。

６．化石燃料使用の限界

【クイズ④】

人類は化石燃料の使用により、大気中のCO_2濃度を産業革命前（約280ppm）から1.4倍以上に増加させて、今なお年間に2ppmの割合で増やしています。CO_2を主体とする温室効果ガス排出量の増加により、地球温暖化とそれがもたらす各種の気象災害が懸念されています。今世紀末を目処に、この温暖化を完全に止めて元の状態に戻すために温室効果ガスに対して、私たちが取るべき行動のうち正しいものは次のどれでしょうか？

①できるだけ早期に（遅くとも2050年までに）排出量の増加を抑え、その後このレベルの排出量を維持する。
②今世紀中頃（2050年）に排出量の大幅削減（80％減）を達成し、その後このレベルの排出量を維持する。
③今世紀中頃（2050年）までに排出量を大幅削減（80％減）し、その後世紀末までに実質的に排出量ゼロ（CO_2排出と吸収が均衡した状態）を目指す。
④できるだけ早期に実質的な排出量ゼロを達成し、その後世紀末に向けてマイナスの排出量（排出量＜吸収量）を実現してゆく。

ある書物[(17)]では、マサチューセッツ工科大学（MIT）の大学院生に似たような質問をした話が紹介されています。質問の仕方は違いますので直接比較はできませんが、ほとんどの学生が①～③に近い答えをしたようです。そして正しい答えをしたのは全体の２割以下であったとのことです。大気中のCO_2濃度というストックと排出量というフローを取り違えて、最後に定常的な状態に落ち着くことが大事だと判断したのではないかというのが著者のコメントです。

実現可能性などの問題はありますが、温暖化を完全に止めるためには④が正解となります。

2050年のGHG排出量実質ゼロというのは、我が国の長期目標ですが、これには具体的な根拠が示されていないため、実現見通しが定かでないとの専門家の見解があります[18]。実際この実質ゼロをどのように実現するかを考えるだけでも大変ですが、④のマイナスというのはとても想像できないと思われるかもしれません。

やっかいなのは既にかなりの量のCO_2が空気中、および海中に蓄積されていることで、これを元の状態に戻して、やっと最終ゴールに辿り着けます。最近のIPCC評価報告書[4]でも、今世紀中頃にはCO_2排出と吸収の均衡点（すなわち大気中CO_2濃度のピーク値）に到達して、今世紀末までには現在のCO_2濃度のレベルから下げられるようにと提案しています。

この根拠を示したのが、IPCC評価報告書[4]から取った図2.6-1です。

本図は世界の専門家たちが気候モデルを使って、過去から将来にわたる気温上昇量をコンピュータ・シミュレーションによって推定した結果です。将来については、CO_2の排出量の推移を仮定する必要がありますが、代表的濃度経路（RCP）と呼ばれるいくつかのシナリオ（注）に従って計算が行われています。

（注）RCPの数値は2100年時点の放射強制力W/㎡を表します。例えばRCP2.6はこれらの中では最も厳しくCO_2排出を抑制して気温上昇を２℃以内に抑えるケースで、2050年以降の実質的なCO_2排出はほとんどありません。これに対して、RCP8.5が抑制をしないCO_2最大増加のケースに相当します。

結果は計算モデルの違いにより、図の影付きの部分のように中央値の周りに多少の幅がありますが、いずれのケースでも同じ傾向を導き出しています。特に注目されるのは、シナリオは違っても、いずれも**人為起源CO_2の累積総排出量とそれに対する世界平均地上気温の上昇はほとんど比例関係にある**点です。また、温度上昇が２℃に到達する年は違いますが、各ケースともにそこまでのルートはグラフ上ではほとんど重なって、ほぼ同じ経路を辿っています。つまり、**温暖化による世界の平均地上気温の上昇量は概ねCO_2の累積排出量で決まってくる**と言えます。

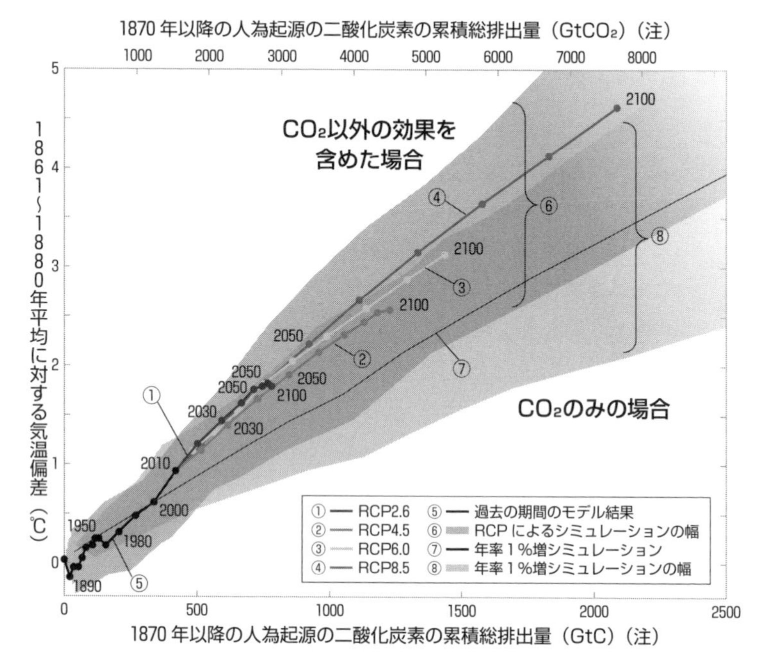

図2.6-1　世界全体のCO_2累積排出量と世界平均地上気温の上昇量[19]

（注）Gt：10億トン、ｔCO_2とｔCの関係はｔCO_2＝3.67×ｔC

したがって、このグラフから気温上昇を２℃以内に抑えるためのCO_2累積排出の許容量がおおよそ読み取れます。IPCC報告書は以下の結論を示しています。

・人為的なCO_2排出のみによる温暖化を、ある確率で1861～1880年の平均から２℃未満に抑えるには、同期間以降のすべての人為的発生源からの累積CO_2排出量を以下の範囲に制限する必要があるだろう。
- ・2℃未満に抑える確率33%超：累積CO_2排出量約3.30兆トン
- ・　〃　50%超：　〃　約3.01兆トン
- ・　〃　66%超：　〃　約2.90兆トン

・なお、2011年までに1.89兆トンのCO_2が既に排出されている。

そこで気温上昇を２℃未満に抑えるために、あとどれだけのCO_2排出量が許されるかを簡単に見積もってみます。

図2.6-1より累積CO_2排出量の上限を３兆トンとすると、上記のIPCC評価報告書が記載された以降（2012～2017年）のCO_2排出量はIEA報告書によると0.20兆トンであり、残りは、
3.00－1.89－0.20＝0.91兆トン　となります。

もし最近のCO_2排出量0.033兆トン/年（2013～2017年平均）のペースがそのまま続くとすると、あと27.5年で残りを排出し尽くしてしまう計算です。

途中のコンピュータ・シミュレーションの過程は大変複雑ですが、最後の結果は単純明快です。これが世界の科学者が頭を突き合わせて導き出した重要な結論です。

このようにして見積もった化石燃料使用によるCO_2累積排出量と大気中のCO_2濃度の関係を単純化したのが図2.6-2です。こ

の図が語るストーリーは以下のようなものです。

・人類は現在までに産業革命以前に大気中に存在したCO_2量に匹敵する量のCO_2を地下の化石燃料（推定埋蔵量の約４割）の消費により発生させている。その半分近くが大気中の温室効果ガスとなり、地球温暖化現象が顕著に現れるようになった。また海洋の温暖化・酸性化の徴候も見られている。
・世界の科学者と国連関係者は、私たちがこのまま化石燃料を掘り進めないように、**科学的根拠に基づいた「２℃制限」を導入して、あと２割程度しか使えないようにして、残りの約４割は今後手を付けないように（坐礁資産化）しよう**と呼びかけています。

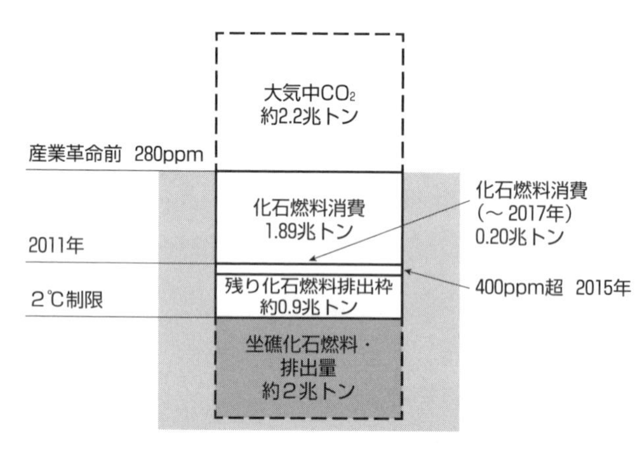

図2.6-2　化石燃料使用によるCO_2排出量と大気中CO_2濃度および２℃制限の関係

（注）化石燃料使用によるCO_2排出量のうち、約半分が大気中に留まっています。

何か最後は至極当然の結論になったように思われるかもしれませんが、最新の科学的根拠に基づいてCO_2排出量の上限を設定したところがとても重要です。

地下の化石燃料の埋蔵量には限りがありますが、それよりも以前に温暖化制約により排出できるCO_2量の限度に到達します。この残り限られたCO_2排出枠を意識すれば、省エネ意識を高めることはもちろん、同じエネルギー消費をするのであれば、先ずCO_2排出量の多い石炭を使うのをやめようという活動に合理性があることがわかります（注）。さらに早い者勝ちでCO_2排出枠を消費するのではなくて、世界全体でどのようにシェアするかの議論も今後必要になると思われます。

（注）世界の投資ファンドや金融機関の間では、石炭火力発電などのようにCO_2を多く排出するエネルギー産業から投資を引き揚げるダイベストメント活動が盛んになりつつあります。

第2部【基礎編】

Ⅲ．エネルギー変換と熱の効率的利用

第Ⅰ章では私たちが日常使っているエネルギーの源流を辿ってみました。その結果、ほとんどのエネルギーの源は太陽エネルギーに行き着くことがわかりました。また、第Ⅱ章では人類の経済活動の発展とそれに伴う活動領域拡大によって、近年地球全体のエネルギー消費が急激に増えて、地球環境を大きく変えつつあることを見てきました。

この章では、現在私たちに与えられたエネルギー源がどのように使われているのか、またどのように活用してゆくのが効率的で環境に与える負荷も少なくできるかを考えてみます。その際に、一次エネルギーから出発して、私たちが手を加えて、場合によっては自然の力を借りて最終的に使いやすいような形態に造り替えられているエネルギー変換の過程を考えることがどうしても必要となります。

1．温暖化対策を進めるために

第Ⅰ章で見たように、温室効果ガスのほとんどを人間が排出しているCO_2ガスが占めていて、当面は温暖化防止にはCO_2排出を抑えることに集中するべきことがわかりました。特に我が国の場合には、CO_2の90%以上がエネルギー使用時に排出されていて、この対策をどうするかが鍵となっているというところまで、問題の焦点が絞られています。

そこでこの問題を以下のようにもう少し分解して、対策を考えてみます。

エネルギー使用によるCO_2排出量
＝(エネルギー使用量)×(使用エネルギー当たりのCO_2排出量)

となりますから、①使うエネルギー量を少なくする（省エネ)、②できるだけCO_2を発生しないエネルギー源を使う（脱化石燃料)、そして③発生したCO_2を吸収・回収する、の３つのアプローチが考えられます。さらに各項目について考えられる対策を列挙すると、以下のようになります。

①エネルギー消費を減らす（日頃の地道な省エネ活動を踏まえた上で)
・用途に応じた**最適なエネルギーの変換・組み合わせを考えて、エネルギー変換装置の効率向上**を行う
・産業としてはCO_2排出の少ない作業プロセスに改善し、使用する機器の性能を上げる
・排熱の有効利用、エネルギーの多段階での利用、輸送システムのモーダル・シフトなど
②できるだけCO_2を出さないエネルギー源を使う
・石炭から天然ガスなど（最終的には自然エネルギー）への燃料転換を進める
・自然エネルギー、原子力等の脱炭素エネルギー源を活用する
・バイオマス、廃棄物のように捨てられているものをエネルギー源として活用する
③発生したCO_2を吸収・回収する

・森林等によるCO_2吸収能力の維持・向上、植林活動や広い意味での自然保護活動
・海洋表層植物の光合成能力（ブルーカーボン）・造礁サンゴのCO_2固定能力の増進
・発生源でCO_2を分離・回収して貯蔵する（CCS：Carbon dioxide Capture & Storage）
・人工光合成、CO_2の有用物質への転換等の技術イノベーション創出

以上の項目のうち、実際にどの対策をどの程度採用するかはその時点の技術の成熟度や経済性などに従って判断することになります。人工光合成のように革新的な技術の構想もありますが、例えば2050年での大幅な適用にはとてもチャレンジングな印象があります。残された時間的制約からは、これから生まれるイノベーションに頼りすぎることのないように、まず手持ちの解決策を総動員することが肝要と思われます。

このような観点で、今からできる賢いエネルギーの使い方について考えてみたいと思います。

２．身の回りのエネルギー変換

図3.2-1は主要なエネルギー形態とそれらの間でどのような変換が行われているかの典型的な例を示しています。これを私たちのようなエネルギー最終利用者の立場で考えると、**熱（冷暖房、加熱・冷却）**、**力学（動力）**、**光（照明）**としての使用が主なもので、電気は一歩手前の利用手段であることがわかります。化学（素材）も食品としての利用などが考えられますが、最終のエネルギー消費に占める割合は大きくありません。

さらにエネルギー利用の途中過程を辿ると、現代の技術では主として光は電気からもたらされ、**動力を得るには熱（熱機関）からと電気（モーター）からの２つの主なルート**があります。

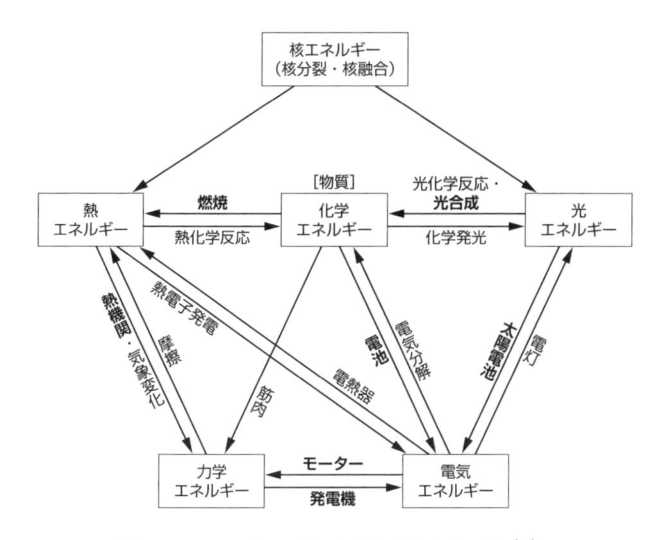

図3.2-1　エネルギー形態と相互変換[1]

熱は“エネルギーの最終形態”とも言えるためいろいろなルートが考えられそうですが、化学（燃焼）から取るのが主となるでしょう。

次はエネルギーの各素材（一次エネルギー）から出発するとどうなるかです。表3.2-1に代表的なエネルギー変換の例を主な変換装置・作動原理とともにまとめました。風力、水力や地熱などのように風車・水車の動力、温泉熱などとして直接利用することも行われていますが、量的には大きくないため、本表が実際のエネルギーの変換の大部分をカバーしていると言えます。

表3.2-1　代表的なエネルギー変換

一次エネルギー		主なエネルギー変換
化石燃料：石炭・石油・天然ガス		（燃焼）（熱膨張・仕事）（電磁誘導） 化学 ⟶ **熱** ⟶ **力学** ⟶ 電気 （ボイラー）**（熱機関）**（発電機）
ウラニウム		（核分裂）（熱膨張・仕事）（電磁誘導） 核 ⟶ **熱** ⟶ **力学** ⟶ 電気 （原子炉）**（熱機関）**（発電機）
自然エネルギー	水力	力学【位置】 ⟶ 力学【運動】 ⟶ **電気** （ダム）（発電機）
	風力	力学【運動】 ⟶ **電気** （風車・発電機）
	太陽光	（光電効果） 光 ⟶ **電気** （太陽電池）
	地熱	**熱** ⟶ **力学** ⟶ 電気 **（熱機関）**（発電機）
	バイオマス	化学 ⟶ **熱** ⟶ **力学** ⟶ 電気 （ボイラー）**（熱機関）**（発電機）

順を追って説明を加えます。

・化石燃料は物質内部に化学エネルギーを蓄えていて、そのほとんどは燃焼反応を使って熱エネルギーを解放して、力学エネルギーを経て電気エネルギーまで変換が進められます。途中段階の熱エネルギー、力学エネルギーとしても活用されていて、現在の私たちの生活を支えている万能エネルギーです(注１)。一方では、近年のエネルギー使用量の急激な増加と化石燃料への依存が現在の地球温暖化問題をもたらしています。

・ウラニウムは原子核エネルギーを使って、化石燃料と同様の過程でエネルギー変換が行われます。素材は比較的安価ですが、取り扱いが難しいため、現在は原子力発電所で集中的に電気に変換されています。

・水力、風力は力学エネルギー（注２）が出発点であるため、直接利用する場合を除けば【力学】⇒【電気】が実用的な唯一の変換ルートです。

・太陽光は【光】⇒【熱】(⇒【力学】⇒【電気】）の変換によって熱エネルギーを利用する太陽熱温水器や太陽熱発電も考えられますが、現在の我が国の環境では太陽電池を使って【光】⇒【電気】によってほとんど電気として利用されています。もちろん、日中の光や熱、植物の光合成のエネルギー源であることを忘れるわけにはいきません。

・地熱は採取地点で直接熱利用するのがエネルギー変換ロスもなくて最適なのですが、大部分の資源は火山地帯などの、消費地からはかなり離れたところにあります。熱は運ぶ際に損失が大きくなるという難点があり、回りくどいようですが、

【熱】⇒【力学】⇒【電気】によって送電線で運ぶのが現実的な選択肢となります。

・バイオマスの素材は木材から各種廃棄物までいくつかの種類がありますが、【化学】（物質の内部エネルギー）は安定で、輸送して利用することもできます。したがって、【化学】⇒【熱】も考えられますし、依然として【化学】⇒【熱】⇒【力学】⇒【電気】も有力です。

（注１）我が国の最終エネルギー消費の88％（2017年）は化石燃料によっています[2]。

（注２）力学エネルギーは位置エネルギー、運動エネルギーに大別されます。さらに圧力によるエネルギー、歪みによる弾性エネルギーなどの各種の形態があります。

以上のように、現在の典型的なエネルギー変換の流れが確認されます。さらに、この表からやがて脱化石燃料へと進んでいった時に、エネルギー供給システムにどのような変化が生じるかも、ある程度推測することができます。

さらに、エネルギー利用者側のニーズとエネルギー供給側の生産能力をマッチングさせるために、途中で各種のエネルギー変換が行われています。そこで、もう一つ見逃してはならないのが両者をつなぐエネルギー輸送、貯蔵、配送システム（注）がどのように組み立てられているのかです。

例えば、石油を例に取ると、中東諸国の油田で採掘された原油が大型タンカーで日本の港湾近辺の製油所まで運ばれ、一旦タンクに貯め置かれます（【輸送】【貯蔵】）。製油所でガソリン、軽油などに分離・精製された後にさらに各地のガソリンスタンドなどに送られて（【輸送】）、私たちが必要な時にいつでも買入ができるように準備されています（【貯蔵】【配送】）。これら一連の流通機構が組み上がって、初めて全体のエネルギー需要供給のネットワークが効率的に機能することになります。

（注）【配送】は消費者の個別のニーズに応じて輸送されるという需給調整の機能を含むため、【輸送】と区別しています。

これから2050年のCO_2排出大幅削減に向けて、現在の化石燃料を中心として組み立てられたネットワークも根本的な見直しが迫られることになります。2050年というと、かなり先のように思われますが、関連する社会インフラの整備を含めるとそれほど余裕があるわけではありません。そのために、まずは私たちがどのような需給のネットワークを実現しようとしているのかという基本的な構想が重要となります（注）。

（注）残念ながら、現在の政府のエネルギー長期計画[3]では十分には触れられていません。

表3.2-2はエネルギーの大規模な輸送・貯蔵・配送の面から、エネルギー形態による特徴をおおざっぱに比較しています。現在の化石燃料によるシステムを基準に考えて、電気、熱、代替燃料（水素など）を評価しています。これらの化石燃料に代わるネットワークにはインフラ整備の現状を含めてそれぞれ長所・

短所があり、お互いに補完し合って全体として最適なシステムを目指すことになります。

ここで、電気エネルギーの貯蔵に蓄電池を利用することも考えられますが、以下でも説明するように経済性などの面で大量貯蔵には向かないというという基本的な制約があります。今後蓄電池の性能向上が期待されるとしても、社会全体のエネルギーの需給調整を支えるには経済的な負担が大きくなり過ぎることが懸念されます。そのため、最近水素やアンモニアといった代替燃料が注目されていますが、エネルギーやりとりの仕組みを含めて幅広く可能な手段を考えてゆく必要があります。

**表3.2-2　エネルギー供給システムを構成する
エネルギー形態の比較（我が国の場合）**

エネルギー形態		輸送	貯蔵	配送	説明
化学（化石燃料）		○	○	○	電気とともに現状の中心的な供給システムを構成
脱化石燃料への転換	電気	○	×	○	自然エネルギーの大量導入には部分的に増強が必要だが、基本的なインフラは整備されている。大量貯蔵は経済性に劣る
	熱（蒸気、温水など）	×	△	×	断熱材適用によりある程度貯蔵も可能だが、長距離輸送には向かない。寒冷な西欧諸国の一部では熱導管インフラが整備されている
	化学（水素などの代替燃料）	△	○	△	水素では高圧化または冷却液化、水素吸蔵合金などの対策が必要で、エネルギー損失と追加コストを伴う。分散電源として燃料電池が使える

（注）×：我国の現状の技術・インフラでは対応が難しい

△：経済性などの問題はあるが、ある程度は対応可能

話が少し拡がりましたが、エネルギー転換の視点に戻ると、脱化石燃料社会への移行を念頭にエネルギーの効率的な利用のためには、これから説明に入る以下の基本的なポイントを押さえておくことが大事になります。

・**自然エネルギーはほとんど電気の形態で導入**（表3.2-1）
・動力としてのエネルギー利用には熱（熱機関）、電気（モーター）のどちらを選ぶべきか
・熱エネルギーは化石燃料を燃やす以外にもっと優れた取り出し方はないのか
・エネルギー貯蔵手段としてのどのような代替エネルギーがどの程度利用できるか

このような問題を考える際に、現在の化石燃料を出発点とするエネルギー供給システムでは【化学】→【熱】の変換プロセスを必ずと言っていいほど通過することになりますから、まず熱エネルギーに関わる変換を知っておく必要があります。その中でも、表3.2-1で頻繁に出てきた熱と動力の間のエネルギー変換の仕組みが鍵になります。少し専門的な内容になりますが、途中の過程はできるだけ飛ばして、重要な結果をかいつまんで以下に紹介します。

3．熱⇔動力のエネルギー変換：熱機関とヒートポンプ

熱エネルギーを動力（力学エネルギー）に変換する代表的な装置が熱機関（Heat Engine）です。図3.3-1（1）がその概念を表しています。これはカルノーサイクルと呼ばれ、同じプロセスが連続的に繰り返されること（サイクル）によって動力が得られます。

産業革命をもたらしたワットの蒸気機関に始まって、車のガソリンやディーゼルエンジン、発電機のガスタービンなど現代のほとんどの動力がこの仕組みで生み出されています。皆さんも物理の教科書などで一度は目にしていると思います。

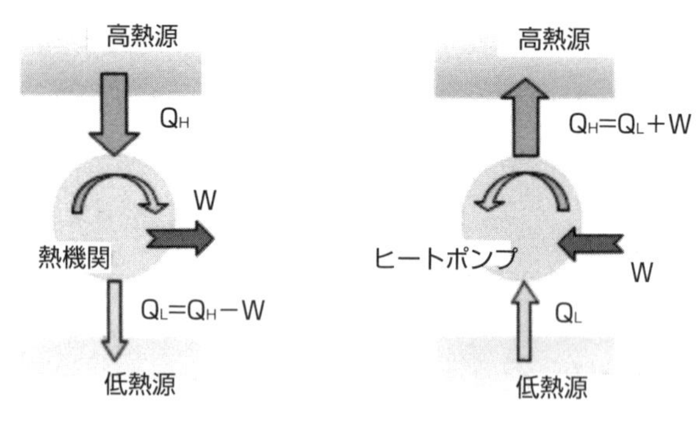

図3.3-1（1）熱機関の原理　図3.3-1（2）ヒートポンプの原理

熱機関では高熱源と低熱源を作り、前者から後者に熱を移動させる過程で外部に仕事Wを行います。一般的には、高熱源はエンジンの燃焼室、低熱源はエンジン外部の大気に相当します。各種の損失が無視できる理想的な場合には$W=Q_H-Q_L$（エネルギー保存）となります。

エンジンの熱効率ηは投入した熱量Q_Hに対する取り出した仕事量Wの割合となり、

$$\eta = W/Q_H = (Q_H - Q_L)/Q_H = 1 - Q_L/Q_H$$

理想的なカルノーサイクルでは高熱源と低熱源の温度比でエンジンの性能（熱効率）が決まってきます。低熱源にQ_Lを渡す必要があるため、ηはどうしても１より低くなってきます。

例えば高熱源が100℃の水蒸気、低熱源が常温空気の蒸気機関を考えると、各々の温度は絶対温度で表され、理論的な最大効率は以下のように非常に低くなります。

$$\eta = 1 - (273 + 20) / (273 + 100) = 0.21$$

この場合は投入した熱エネルギーQ_Hの一部しか仕事に変換されず、残りのほとんどが熱エネルギーとして外部に捨てられること（熱損失）になります。したがって設計者はエンジンの性能を上げるために、まず燃焼ガスの温度（ひいてはQ_H）を上げることを目指します（注）。

（注）最新式のコンバインドサイクル発電では、燃焼ガス温度が1700℃のものが計画されています。

このように、熱機関を使ったエネルギー変換では熱損失を抑えることが機器の性能に直結するため、発電システムなどでは一度動力を取り出した後に残る熱エネルギーを再利用するコンバインドサイクル・エンジンや、地熱発電でのバイナリー発電などが行われています。長い熱機関の開発の歴史の中で、これまで地道な性能改善の努力が積み重ねられて、現代のガスタービンでは最高性能が60%にも達していますが、それでも半分近くの熱エネルギーが捨てられています。

これに対して、発生する未利用の熱エネルギーを無駄に捨てるのではなくて、できるだけ有効活用しようという試みが行われています。排熱をそのまま熱として利用しようという代表例が熱電併給（**コジェネレーション）システム**です。図3.3-2は発電システムにコジェネレーションを導入した場合の効果の一例を示しています。**排熱を回収し有効利用することにより、システム全体のエネルギー効率が大きく（80%程度まで）向上すること**になります。システム構成は複雑になりますが、エネルギーの効率的利用にはとても有効です。

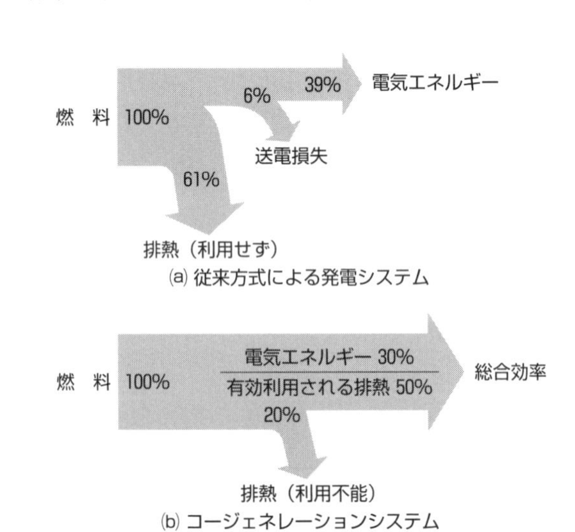

図3.3-2　発電システムへのコジェネレーション導入効果[4]
（注）変換効率は代表的な例です。

ところが、実際にコジェネレーション・システムを導入するためには、排熱量に見合うだけの熱需要の存在が前提となります。100万kWクラスの大型火力発電所で利用できる排熱量は、住戸約50万戸分の熱需要量に相当（注）していて、それを輸送するための専用の熱導管などのインフラも必要です。したがって、現実的には大規模商業施設や工場などのまとまった熱需要のある場所に小型発電所が併設されるとか、計画段階から総合的にエネルギー需給が考慮された都市開発などで採用されることになります。

（注）家庭の世帯当たり熱エネルギー需要（2011年）：3.8×10^{7}（kJ）×0.653（熱割合）÷3600 s ≒7000kWh
100万kW発電所の排熱量：100万kW×（365×24）h×0.7（稼働率）×0.5（排熱割合）＝3×10^{5}万kWh

また、逆に熱エネルギーの効率的利用に主眼を置いて、発電設備の規模を熱需要に合わせて小型化するという考え方もあります。自然エネルギーのうちでもバイオマスや地熱を使って発電する場合のように、もともと地域で使えるエネルギー資源と需要量が限られている場合がこのケースに該当します。自然エネルギー利用が従来の大規模集中型から地域分散型の地産地消へと移行する一つの契機となります。

我が国でも最近、固定価格買取制度（FIT）を利用して、数万kWクラスの大型バイオマス発電所の計画が出現しつつありますが、そのほとんどは排熱利用を伴わないモノジェネレーション設備となっています。近辺に熱を大量に利用するユーザーがいなかったり、個々のユーザーに配給するための熱導管などのインフラ設備が整っていなかったりするためですが、これらの発電設備の効率や経済性はあまり良いとは言えません。

これに対して、例えばドイツでは、大型のバイオマス発電所の建設を規制し、小型のコジェネレーション設備でできるだけ地域の熱利用にも活用するように政策的な誘導がなされています。

以上は熱エネルギーを発生させて、力学エネルギー（仕事）や電気エネルギーに変換して利用する場合です。これと全く逆のプロセスが図3.3-1（2）のヒートポンプで、外部から力学エネルギー（仕事）Wを与えて、熱エネルギーを低熱源から高熱源に汲み上げます。

熱機関が言わば“表の顔”とすると、月影に浮かぶ“裏の顔”になります。効率的な熱エネルギーの利用方法を探るため、ここに注目することになります。

ヒートポンプの仕組みは逆カルノーサイクルとも言われ、その理想的な効率 ε は以下のようになります。

$$\varepsilon = Q_H/W = Q_H/(Q_H - Q_L) > 1$$

ここでは**提供した仕事Wに対して、それ以上の熱エネルギーが取り出せる**という待望の結果が得られます。しかも高熱源と低熱源の温度差（$Q_H - Q_L$）が小さいほどその効果が大きくなります。

一見すると、熱エネルギーQ_HがWよりも余分に生み出されるのは奇異で、エネルギー保存則が成り立っていないのでは？と感じるかもしれません。しかし、ここでの**仕事Wは低熱源の熱エネルギーQ_Lを集めて高熱源Q_Hに移動させる**ために使われており、低熱源の熱エネルギーが尽きることのない限り問題はありません。

ヒートポンプの原理を使った空調機器などの実例についてはさらに以後の５項で取り上げますが、その前に熱エネルギーを効率的に使うために、その特有の性質を知っておく必要があります。

4．熱エネルギーの質と自然エネルギー利用

以上のように熱エネルギーの利用効率を上げることにより、省エネを通じて化石燃料の使用を抑えて、CO_2排出削減につながります。しかし、将来的にはさらに化石燃料の使用を減らして、自然エネルギーへとエネルギー源を移行していかなければなりません。この時に、熱エネルギーの質（あるいは本質）を考える必要が生じてきます。

上記の３項で熱エネルギーと力学エネルギーの変換を考えてみました。熱エネルギーを力学エネルギーに変換する熱機関の場合には、すべてを変換することは理論的に不可能で、かなりの熱エネルギーを捨て去らなければなりませんでした。ここでは、いつも無駄になる“廃熱”処理の問題がつきまとってきます。

これに対して、ヒートポンプの例では力学エネルギーをほとんど熱エネルギーの移動に活用することができました。つまり、この両者の変換プロセスは完全に対等ではなくて、力学エネルギーが熱エネルギーより優位な立場にある“質の高い”エネルギーであると言うことができます。さらに同じ熱エネルギーでも温度が高い（あるいは温度差が大きい）ほど利用価値が高いことが示唆されます。

これらをイメージしやすいように表示したのが図3.4-1です。ここでは左の縦軸はエネルギーの“質”の善し悪しを表していますが、これは仕事への変換のしやすさの程度と考えることがで

きます。力学エネルギーはもちろん、電気エネルギーや太陽光エネルギー（理想的な変換装置があればですが）はかなりの部分を仕事に換えることができます。化学エネルギーはほとんど熱エネルギーへの変換を経由するため、原料の性質（燃焼温度など）によって利用の効率が変化するため、縦軸に幅があります。

最も品質の幅が広いのが熱エネルギーで、上で見たように高温のものは有効な仕事に変換しやすいのですが、身の回りの常温の空気や水ではいくらたくさんあってもほとんど仕事（力学エネルギー）には使えません。一方では、私たちが家庭で使う分には暖房で20℃ちょっと、お湯も40℃ぐらいで、“質の良くない”熱エネルギーでも十分です。

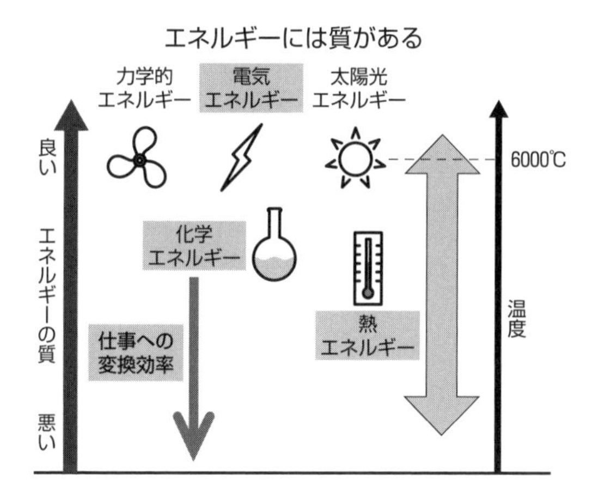

図3.4-1　エネルギーの質と利用価値 (5)

以上はエネルギーの利用のしやすさという評価の仕方ですが、一方ではこれに見合ったエネルギー供給という面から自然エネルギー源を考えてみます。利用可能な自然エネルギーの形態としては以下のようなものが考えられます。

・**力学**（⇒電気）エネルギー：水力、風力、潮流、波力
・（光⇒）**電気**エネルギー：太陽光
・（化学⇒）**熱**エネルギー：バイオマス、地熱、太陽熱

バイオマスは素材から言うと化学エネルギーですが、燃やして使うことが多いため、ここでは熱エネルギーに含めています。バイオマスを一旦ガス化して使う場合やバイオディーゼル油などは別にして、燃料としては石油・石炭よりも燃焼効率が悪く、燃焼温度も低い比較的"質の低い"エネルギー源です。

地熱や太陽熱になると利用できる温度はせいぜい100℃～200℃にとどまります。こう見ると、自然エネルギーから利用できる熱は熱エネルギーの中でも質が低いものが多くなっています。このような場合には無理をして、電気エネルギーのような高品質のものに換えるよりも、（熱の需要があれば）熱のままで利用する方が途中のエネルギー変換ロスがなくて効率的です。まず熱需要は熱（供給）で賄うのがベストと言えます（図3.4-2の④参照）。

図3.4-2に最終の熱エネルギー消費（注）に伴うCO_2排出の現状と今後の取り組みについての全体像がわかりやすく示されています。これはエネルギーの効率的な使い方（図中の①～⑤）

を検討する際の一つの把握の仕方として、整理されたものです。本図のように各部門によって使用される熱の温度帯（あるいは質）が異なるため、高温（産業用）で使われた排熱をその下の低温（産業用）、さらにはより低温（民生用）という具合に無駄なく使うことを理想としています。

これを「熱のカスケード利用」と言いますが（図の③）、コジェネレーション・システムなどを含めて、エネルギー需給の部門を越えた統合的な運用が求められています。

（注）熱機関などのように途中過程での熱利用を除きます。

図3.4-2でも見られるように、私たちの日常生活や商業などの**民生用（低温）の熱利用でのCO_2排出量は我が国全体の熱利用による排出量の約４割**です。また、民生用エネルギー消費だけをとってみても、熱利用によるものが６割以上を占めています。改めて、私たちが効率的な熱利用に心掛けなければならないことを示しています。

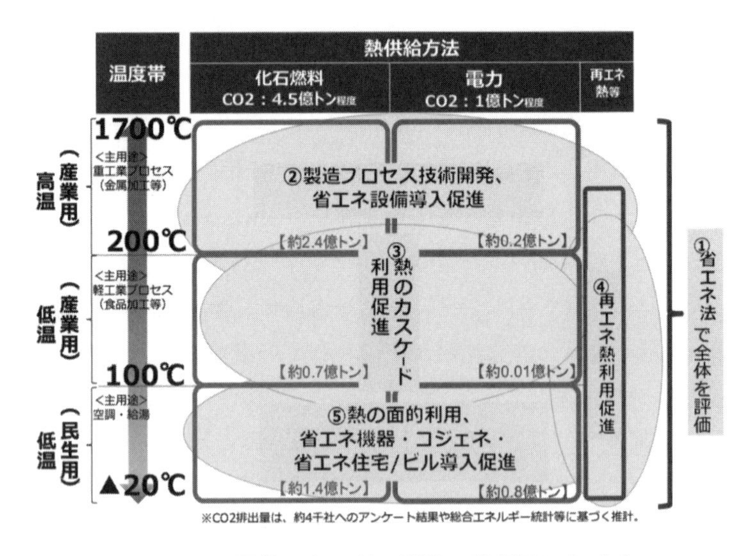

図3.4-2　最終エネルギー消費・熱利用における
CO_2排出の現状と対策(6)

一方、産業部門では化石燃料を一次エネルギーとする超高温の熱利用が圧倒的に多く、我が国全体の熱利用によるCO_2排出量の約半分を占めています。その中でも製鉄などの金属製造がかなりの割合を占めているため、その製造プロセスの改善が重要なポイントとなっています（図3.4-2の②）（注）。

（注）CO_2排出削減のために、鉄鉱石などを原料として「高炉」で製造する粗鋼生産から、鉄くずを溶かして再利用する「電炉」への移行、鉄鉱石の還元に石炭から造るコークスに換えて水素を利用するなどの改善策の検討が行われています（本章９項参照）。

以上は熱エネルギーに限った話ですが、これに対して、我が国全体の最終エネルギー消費とそこに至るエネルギー変換の過程を総括したのが図3.4-3です。ここでは、一次エネルギー原料・素材が投入されてから、最終の消費者に渡るまでのエネルギーの量的な変遷がまとめられています。私たちが日頃どのようなエネルギーの使い方をしているかについての全体像が眺められます。

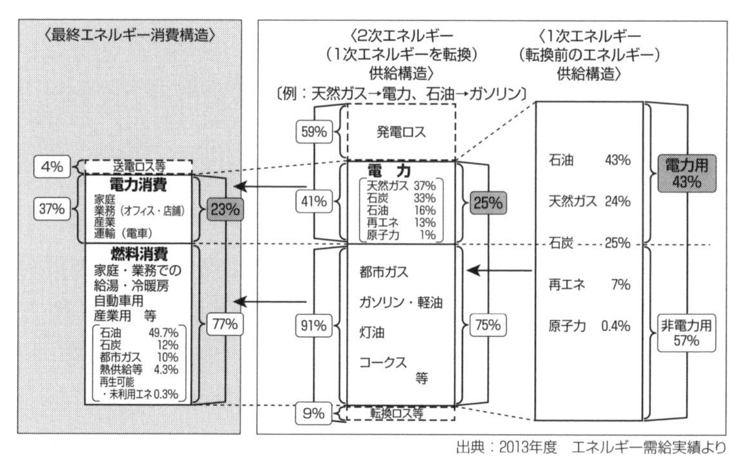

図3.4-3　エネルギー需給の構造（2013年）[7]

（注）一次エネルギーから最終エネルギーへの流れが、右から左へと進んでいます。

本図を一見すると、最終消費者に届けられる電気エネルギーは全体の約1/4以下（23％）にもかかわらず、一次エネルギーは半分近くも使っていて（CO_2排出量は約４割）、非効率ではないかと思われるかもしれません。

この図の中では、中央の二次エネルギー欄中の都市ガス～コークスについては一次エネルギーとあまり形態が変わらないのですが、電力についてはエネルギーの形態が大きく変わっています。したがって、それに伴うエネルギー転換ロスも非常に大きくなっていて、**もともとの持っていたエネルギー（100%）が最終の電力消費では約1/3（37%）まで減っている**ことがわかります。途中の発電や送電ロスが非常に目につきますが、電気がそれだけ質の高いエネルギーであることを表しています（もちろん、損失を減らすための努力が続けられています）。

さらに、本図の最終エネルギー消費における「燃料消費」では、自動車などのように実際に利用する段階でほとんど熱エネルギーへの変換を経由することになり、そこでは相当の変換ロスを発生しています。最終消費者がこれらの熱エネルギーをどの程度有効に使っているかまでは、図中には明示的には表されていません。

例えば、ガソリンを給油して車を動かす場合には、エンジン内で化学→熱→力学のエネルギー変換をしたうえで、走る動力が生み出されています。つまり、電気（電気自動車）とそれ以外の燃料（ガソリン車など）にかかわらず、最終的に利用する動力に到達するまでのどこかの過程で主要なエネルギー変換を通過しなければならず、最終利用段階のエネルギー変換までは本図に織り込まれていないことには注意が必要です。

このほかにも、電気エネルギーには注目すべきいくつかのポイントがありますが、次章以降に譲ります。

図3.4-3により、我が国のエネルギー消費が化石燃料に大きく依存している現状や、エネルギー国産化率も10％程度と極めて低いことなどのエネルギー消費構造が掴めます。そして、これからCO_2排出削減に向けて、この構造をどのように転換していくのが良いかを考えるヒントを与えてくれます。

5．家庭でのエネルギーの有効利用を考える

ここからより具体的なテーマとして、家庭でのエネルギー消費について考えてみます。いきなり「脱化石燃料・脱炭素化を進めなければいけない」と言われても、どこから手をつけたらいいか戸惑ってしまうかもしれません。ここでは、日頃何気なく使っている“熱”というなかなか実体を捉えにくいエネルギーの利用を中心に話を進めます。

図1.1-1のように私たちの日常の生活に相当する「家庭部門」のCO_2排出量は全体の16％となっています。

パリ協定に基づき政府が提出した2030年度の国全体のエネルギー起源のCO_2排出削減目標26％（2013年度比、注）において、**家庭部門には39％の高い削減目標**が割り付けられています（部門別内訳は表3.5-1の通りです）。「業務その他部門」と「家庭部門」の削減目標値が他に比べて高いのは、これまで特に住居や建物についての省エネ活動が「産業部門」などと比べて進んでいなかったことによるとのことですが、あと10年程度の間にこれだけの削減が本当にできるのでしょうか？

（注）正確にはGHG排出削減目標ですが、我が国の場合はCO_2に置きかえることができます（第Ⅱ章３項参照）。

表3.5-1　我が国の2030年度エネルギー起源のCO_2排出削減目標と部門別内訳[8]

	2030年度の各部門排出量の目安［百万t・CO_2］	2013年度［百万t・CO_2］	削減率
エネルギー起源CO_2	927	1235	▲25％
産業部門	401	429	▲7％
業務その他の部門	168	279	▲40％
家庭部門	122	201	▲39％
運輸部門	163	225	▲28％
エネルギー転換部門	73	101	▲28％

・新築の省エネ基準適合推進と既築の断熱改修
・高効率給湯器の導入
・高効率照明の導入
・機器の省エネ性能向上
・徹底的なエネルギー管理の実施
・国民運動の推進
など

皆さんはこのような目標値があることを御存知でしょうか。一応、表3.5-1の吹き出しにあるような各種の対策を積み上げて出てきた目標値なのですが、多くの人は初めて見る内容でしょう。

ここで、一つクイズを差し上げますので、考えてみてください。

【クイズ⑤】

図3.5-1は、我が国の家庭のエネルギー消費量の用途別の内訳（%）を示しています。図の各部分が下記の１～４のどれに相当するか結び付けてください。

１．照明・家電　２．給湯　３．冷房　４．暖房

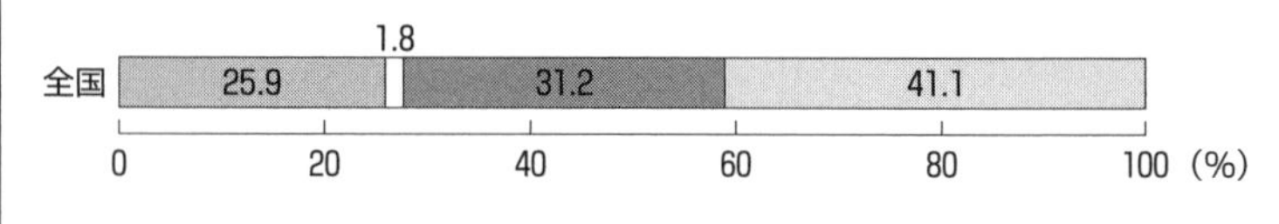

図3.5-1　住宅におけるエネルギー消費量の内訳（2012年）

念のために、さらにヒントを出します。図3.5-2は図3.5-1を地域別に示したものです。

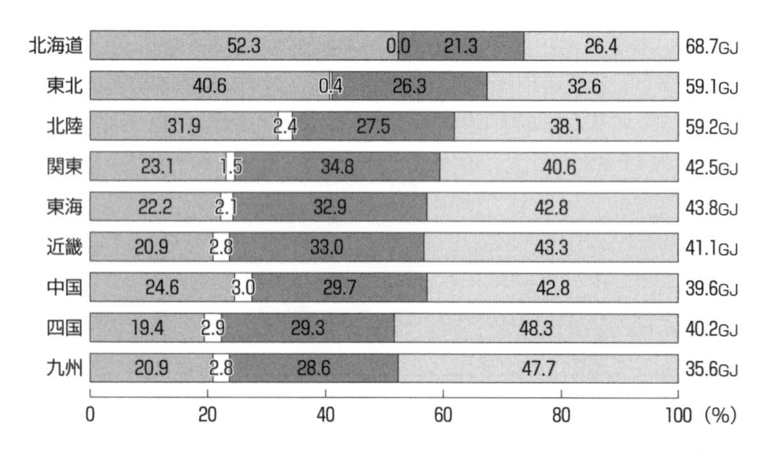

図3.5-2　住宅におけるエネルギー消費量の内訳（2012年）[9]

（注）データ出典は「家庭用エネルギーハンドブック2014」（住環境計画

研究所編）による。

もうおわかりと思いますが、答えは質問の１～４の順序を真逆にしたものです。

これは参考資料[9]から引用したものですが、そこでは「家庭でエネルギーを一番使っていると思う用途は何ですか？」というアンケート結果（図3.5-3）も比較のために紹介しています。質問が少し違うのですが、図3.5-2と比べていただければわかるように、私たちのエネルギー使用についての以下のような認識ギャップがあることがうかがえます。

・暖房はやや大きめに、給湯はやや少なめに評価する傾向がある。
・**冷房は非常に過大評価する**傾向がある。
・その他の照明・家電は相対的に低めに評価する傾向がある。

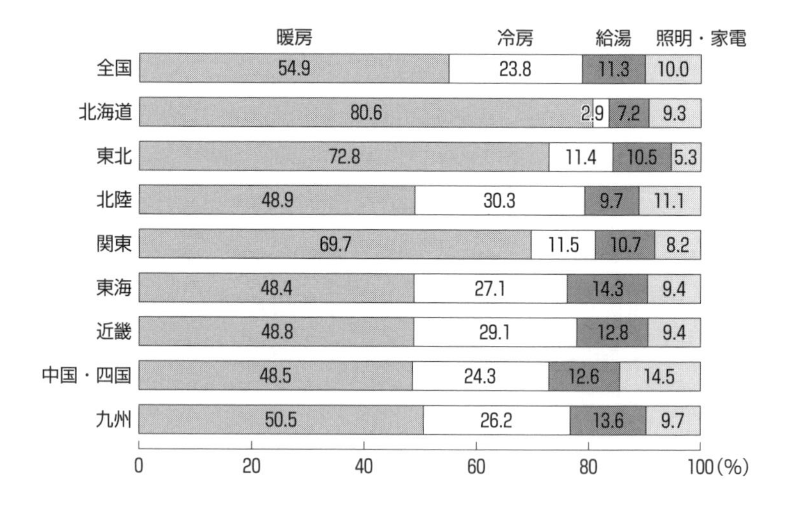

図3.5-3　家庭でエネルギーを一番使っていると思う用途のアンケート結果(9)

家電製品の省エネ性能の向上は日進月歩ですし、照明にはLEDへ置き換えるという省エネ対策の決め手があります。また、電子レンジや調理器具の使用エネルギーが照明・家電（その他）に含まれることを考えると、家庭では“加熱”の形でのエネルギー使用が67%と大半を占めています(10)。つまり、**熱（特に加熱）の利用を効率化することが家庭でのCO_2排出削減に向けての第一歩**であることがわかります。

６．家庭での熱エネルギー収支は　　どのようになっているか

言うまでもないことですが、熱は温度の高い方から低い方に自然に流れてゆきます。そして、上で見たように、各家庭で使っている熱エネルギーの使用は冷やすよりも暖める（あるいは加熱する）方がずっと多いのです。

ごく大雑把に言うと、各家庭で使っている熱エネルギーは住居などの建物から外に逃げてゆく熱エネルギーで評価することができます。この熱エネルギーに見合うだけのエネルギーを内部で供給する（建物内を加熱する）必要があるからです。

この建物を暖める装置に必要なエネルギーは以下の式で求められます。これは熱の伝わり方の式を少し変形したものです。

$$\frac{(\text{建物内外の温度差})①\times(\text{建物の熱のもれ具合})②}{(\text{加熱システムの効率})③}\times\text{持続時間}④$$

部屋内外の温度差①は直接エネルギー使用量に関係してきます。私たちが生活してゆく上で快適と感じる温度は、湿度にもよりますが20℃～28℃の範囲にあります（図3.6-1）。

これに対して、例えば東京の年間平均気温は15.4℃ですから、10℃程度低くなっています。これが、上記の冷房よりも暖房に多くのエネルギーを使っている主たる要因となっています。しかも、家庭で使用する期間④は関東エリアでは冷房が７～９月の３カ月弱に対して、暖房は11～３月の５カ月近くと長くなっています（注）。

人類はアフリカ大陸に誕生して古代文明などを経て現代に至るまで、熱をうまく使いこなしながら、生活圏を気温が低い高緯度地域へと拡げてきたものと思われます。

（注）最近の温暖化は、暖房よりも冷房に使うエネルギーの割合を少しずつ増やしていると思われます。

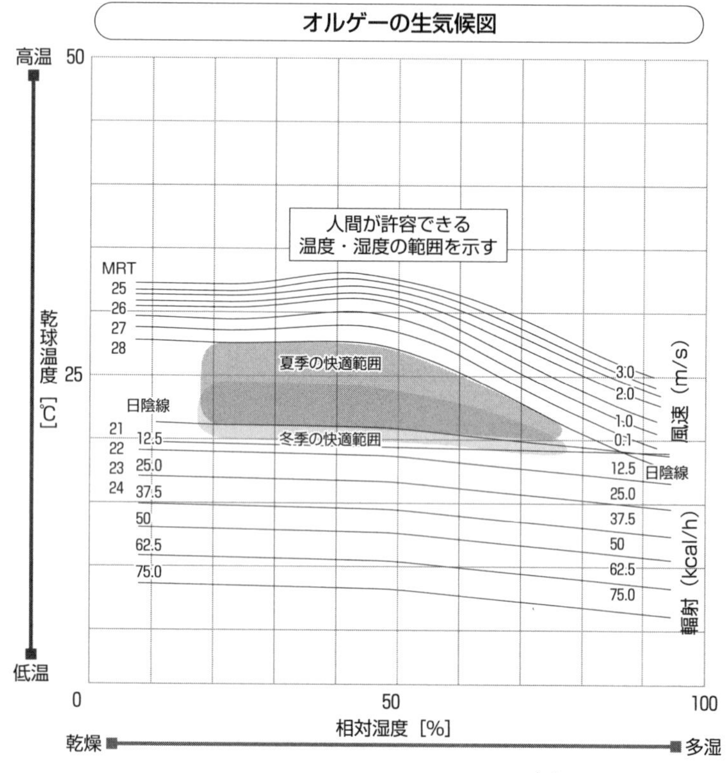

図3.6-1　人間が快適と感じる気温[11]

また、上記の冷房についての認識ギャップの背景には①と④のほかに、冷房を使うことに対して、エネルギーを無駄遣いするので、“もったいない”という潜在意識があるように思います。エネルギーを無駄使いしないという意識は大切ですが、これからは夏の暑い昼間には太陽光発電または太陽熱利用が盛んになり、むしろ電気エネルギーが余ってくるという状況が予想されます。快適な生活を犠牲にしてまで冷房を切り詰める必要性も少なくなってくるでしょう。

熱の外部へのもれ具合②は窓や壁、天井などの断熱性能とそれらの面積の掛け算で決まってきます。特に、断熱で効果が上がる手っ取り早い対策は、２重・３重窓（複層ガラス、ペアガラスとも）へ交換することです。図3.6-2のように冬期には開口部（ドア、窓など）から漏れる熱の割合は全体の半分ぐらいにもなります。窓ガラス表面の金属膜コーティング（Low-Eなど）やサッシ材質の選び方にもよりますが、１枚のみの単ガラスから複層ガラスに換えることにより、断熱性能を２倍程度に高めることができます[(12)]。また、窓の断熱性を高めると結露がなくなり、内側カーテンなどのカビ発生を抑えるなどの副次的効果もあります。

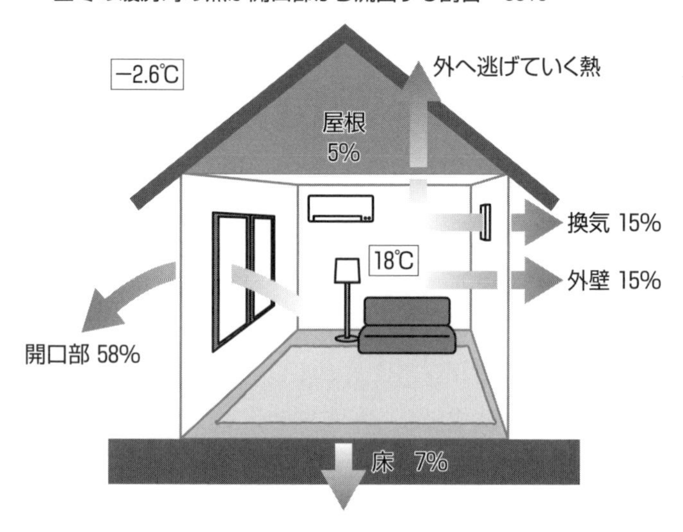

図3.6-2　平均的住宅の各部位からの熱の流出（冬期）[13]

もれ部分の面積については、ほとんど家屋の大きさや構造で決まってきますので手を入れるのは大変ですが、各部の断熱対策はそれなりに効果を発揮します。

私事ではありますが、筆者は集合住宅の２階に住んでいますので、上下と横の計３面は熱の出入りがほとんどなくて、有効な断熱性能は約２倍になります。冬でも、太陽の光が差し込めば、ほとんど暖房の要らないエコな生活をしています。

加熱システムの効率③については、石油やガスストーブなどの燃料を燃やす装置では、90%以上の熱エネルギーへの変換効率となっています（排煙処置や換気などのために少し損失があり、薪ストーブなどではさらに損失が増えます)。これ以上の効率向上は難しいところです。

そこで、もっと効率の良い加熱方法が何かないものでしょうか。ここで、3項で取り扱ったエネルギー変換をもう一度思い起こしながら考えてみます。

7．さらに効率の良い加熱方法を求めて

ここまできたところで、もう一度私たちが使えそうな加熱（暖房）方法について整理し、比較してみます。表3.7-1がその概要になります。

ヒートポンプ④にはエアコンのほかに、エコキュートの商品名で販売されている家庭用給湯器があり、図3.7-1に作動原理を示しています。熱エネルギーを持ち込む先が貯湯ユニットとなりますが、電気エネルギーで圧縮機を駆動（仕事を作用）して、より多くの熱エネルギーを運ぶ仕組みで、省エネ・高性能なのはヒートポンプ式エアコンと同じです。

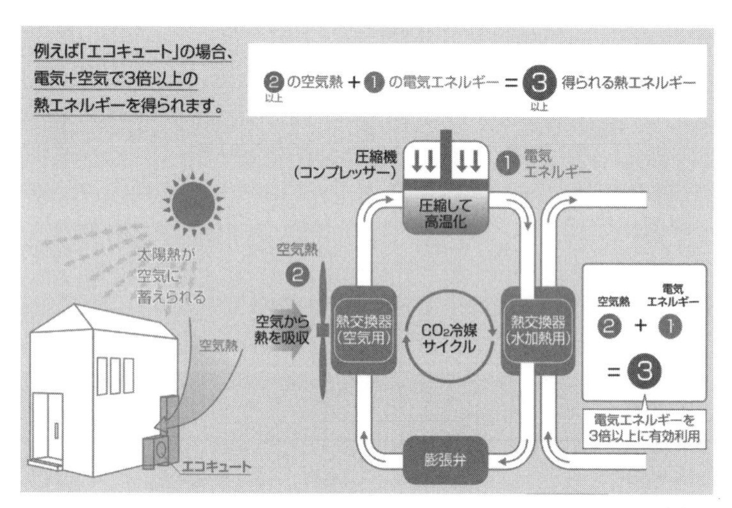

図3.7-1　ヒートポンプ式給湯機（エコキュート）の仕組み[14]

表3.7-1のエネルギー効率は対等な比較となるように、一次エネルギーである燃料（化学エネルギー）から出発して考えています。ご覧のように②は他に比べて最も効率の悪いやり方になっています。初めに化石燃料などを燃やして造った熱エネルギーを電気エネルギーに変換した上で、もう一度熱エネルギーに戻すという二重手間をやっているわけですから、やむを得ないところです。調理などで局所的に加熱する（温める）のに使う以外は、あまり賢い使い方とは言えません。この辺りについては皆さんも実感されているところでしょう。

表3.7-1 代表的な家庭用加熱（暖房）装置の比較

No.	加熱装置（作動原理）	エネルギー変換	総合効率の目安	使用上の特徴
①	石油・ガスストーブ/給湯器（燃焼）	化学⇒熱	0.9	
	石炭・薪ストーブ（燃焼）		0.7～0.8	排煙・換気などにより熱損失
②	電気ストーブ（ジュール熱） IHヒータ（電磁誘導加熱）	電気⇒熱	0.37（注1）	局所的な加熱に有効
③	コジェネレーション燃料電池（電気化学反応）	化学⇒電気＆熱（注2）	～0.9（発電のみ～0.45）	電気と熱の供給割合には柔軟性なし⇒給湯や地域冷暖房との一体運用が理想
④	ヒートポンプ式エアコン/給湯器（逆カルノーサイクル）	電気⇒力学⇒（熱移動）	0.37×COP	室内外の温度差が大きいほど、効率低下

（注1）現状の平均的な発電端効率40％より送配電等の損失を考慮して、需要端効率37％としている。

（注2）発電効率は最新の燃料電池（エネファーム）の性能による。
総合効率と発電効率の差が最大熱エネルギーとして利用可能な部分。

③の熱電併給（コジェネレーション、略してコジェネ）は、まず電気エネルギーを造った上で副産物の熱エネルギーを有効活用していますので、より高効率でエコな使い方です。実際に使う時に問題となるのは、電気と熱の発生割合を自由に決めることができないため、熱エネルギーが余ってしまうことが多いことです。例えばエネファームのように温水の形で発生した熱エネルギーを貯めておくことによって、熱使用のタイミングをシフトするのは一つの解決方法となります。ここでは熱エネルギーが電気エネルギーとは違って、より貯蔵がしやすいという特長（表3.2-2参照）が生かされています。

ヒートポンプ④は他の方法に比べてより高い効率（1.2～2.1倍）となる可能性があり、大変魅力的です。ここで、３項で出てきたヒートポンプ式空調機器の効率 ε の登場ですが、実際には省エネ性能を表す指標としては ε の代わりに、成績係数COP（Coefficient of Performance）が用いられます。COPは室温と外気温の差、その他の使用環境で変わってきますが、エアコンのパワーを示す「暖房能力」Q_Hを定格消費電力Wで割って求められます。

主要な国内メーカー６社の最新（2018年）のルームエアコンについて計算した結果は以下の通りです。

・COP：3.2〜5.8（APF：4.7〜7.6）

各社のカタログにはCOPの数値そのものは掲載されていなくて、上記括弧内のAPF（Annual Performance Factor、通年エネルギー消費効率）という指標が実際の使用状態に沿ったものとして一般的に表示されています（注）。いずれのメーカー・カタログでも小型の方がCOP／APFが高く、大型になるほど効率が低くなる傾向があります。これは室外機がスペースの制約などにより小型のエアコンに合わせて最適なサイズとなっていることによると言われています。小型の機器の方が高性能というのは私たちの常識には反するようなところがあり、エアコンを選ぶ際には留意したいところです。

（注）運転環境として、東京地区における木造住宅の南向きの洋室で、10月28日から４月14日の期間中、６時から24時の18時間に外気温度が16℃以下の時に20℃で暖房運転を使用した場合を想定しています。

④のCOPの値も、今後さらに向上するでしょうから、ますます他の方法との差が広がります。しかし、真冬の寒さが厳しい時や寒冷地では、外気との温度差が大きいため効率が悪くなるのには注意が必要です。①では周りの環境にかかわらずに同じ燃料からは同一の熱エネルギーが発生するのに対して、④では温度差の大きい場所の間で熱エネルギーを運ぶにはそれだけ多くのエネルギー（仕事）が必要になるためです。

いずれにしろ、ほとんどの場合、加熱性能の数値上の比較という面からはヒートポンプ式エアコンに軍配が上がります。想定されるCOPの理論値からは、今後技術開発がさらに進めば、2050年には16近くに到達するのではないかとの予測もあります[(15)]。

ところが、実際にエアコンを使っていても、暖まり方に何か物足りなさが残るのも実感です。どうしてこのような感覚のズレが出てくるのでしょうか？

8．エアコン使用の理想と現実

図3.8-1はエアコンの冷房性能に関するCOPのデータの一例で、解析に基づく予測値と実測値の比較を示しています。これはあくまでも典型的な例なので、実際に使用する個々の機器の特性に応じて判断する必要がありますが、以下のような、いくつかの興味深い結果が読み取れます。

・COP実測値は外気温26℃で最大となり、それ以上の外気温ではほぼ予測値通りに外気温度上昇（室内外の温度差上昇）とともに性能が低下する。

・26℃以下ではCOP実測値が低下し、予測値とは逆の傾向となっている。**このCOPの低下はエアコンの低負荷域において圧縮機の断続（On-Off）運転により生じる**ことが知られている。

・棒グラフのように、実際の外気温の出現頻度は26℃以下の方が多い。

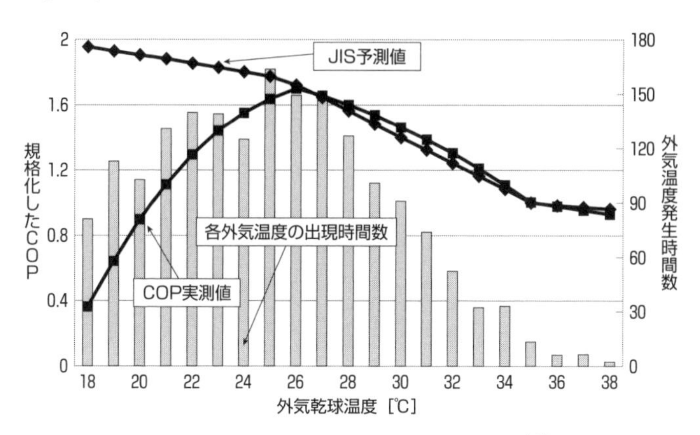

図3.8-1　COP予測・実測値の比較 (16)

上記は冷房性能についてのデータですが、多分暖房についてもCOP最大の外気温を境として、似たような傾向が予想されます。したがってエアコンの暖房使用に際して、機器の性能をできるだけ引き出すために、いくつかの留意点が浮かび上がってきます。

・真冬の寒さが厳しくて外気温が極端に低い場合にはエアコンの効きが悪くなるため、ストーブなどの直接加熱方法がより効果的です。
・エアコンの特性によっては、外気温があまり低くない低負荷時に性能が低下する可能性があります（使用するエネルギーが小さいため、長時間でなければ影響は少ないのですが）。したがって、大は小を兼ねるで、部屋の広さなどで推奨されるエアコン能力よりも過大なものを選択するのは避けた方が良さそうです。また、広い部屋の場合には、設置スペースなどに余裕があれば、より小型でほどほどの能力のエアコンを複数台使う方がより効率的という場合もあります（部屋の配置、エアコン特性などの条件によって変わってきます）。
・エアコンは冷暖房を兼ねており、部屋のスペースの関係上、窓際の壁上部に設置されるのが通常です。この位置は冷房使用時には冷やされた空気がエアコンから自然に下りてくるため好都合なのですが、逆に暖房使用時には暖かい空気が天井付近に滞留することになります。効きが悪いと思って風量を上げると、頭上から暖かい空気が吹きつけて快適性が損なわれますし、本当に温めてほしい足許などにはほとんど届きません。これを改善するためには、シーリングファンやサーキュレータで空気を強制的にかき混ぜてやることも考える必要があります。

このように見てくると、私たちのエアコン暖房に対する不満も、必要な時に必要な場所にすぐに熱エネルギーを届けてくれないことにありそうです。その主な要因は、エアコンから供給される熱は直接ではなくて、先ず周りの空気を暖めて、間接的に私達に伝えられるという仕組みによります。常時全館・全室暖房を行っている場合などでは余り感じないでしょうが、途中にある空気は、局所的に不均一な温度分布によって私達の意図しない動き（流動）を生じています。

エアコンの能力を最大限引き出すためには使用する部屋や建物とのマッチング、そして私たちの使い方次第のようなところがあります。エアコン機器側でもセンサーを付けて風の吹き出しを制御するなどにより性能ポテンシャルを発揮しやすいように工夫されていますが、私たち使う側にもそれを理解した賢い使い方が求められているようです。

熱エネルギーを効率的に使うために、家庭でのエアコン使用を具体例として、少し細部にわたる話になりました。まずエアコンなどの機器の基本的な性能についての情報を頭に入れた上で、状況に応じて工夫をするというのがエコな使い方の基本になります。

このようにこまめな配慮が積み重なって、年間を通じてまとまったCO_2排出削減につながることも忘れてはいけないと思います。

９．素材産業のCO_2排出削減

【クイズ⑥】

図3.9-1は、製造部門の主要業種のCO_2排出割合（2016年度）を示します。図中のA～Dが以下のどの業種に対応するか結びつけてください。

・機械製造業
・化学工業
・鉄鋼業
・窯業・土石製品製造業
・その他

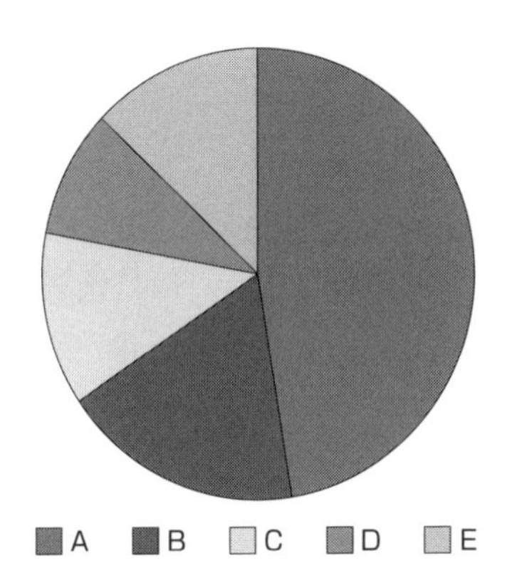

図3.9-1　製造業（主要業種）におけるCO_2排出量の割合：「環境白書2018」による

答えは以下の通りです。

・Ａ：鉄鋼業47.7％
・Ｂ：化学工業17.7％
・Ｃ：機械製造業12.7％
・Ｄ：窯業・土石製品製造業9.1％
（Ｅは、その他：パルプ・紙・紙加工品製造業6.5％、食品飲料製造業6.3％）

なお、主要６業種全体のCO_2排出量は３億4750万トンで、製造業全体の89％を占め、国内CO_2排出量の29％に相当します。

①素材生産とCO_2排出

私たちが製造業としてまず思い浮かべるのは、金属を削ったり、叩いたりして部品を成形する部品加工産業や自動車などの組立産業でしょう。ところが、CO_2排出量で見ると、意外とその割合が少なく、鉄鋼業がCO_2排出量の半分近くを占めています。ほかに、化学工業、窯業ほか（CO_2排出はほとんどがセメント製造）、紙パルプを合わせると、素材産業がほとんどを占めています（注）。これらのうちには鉄鋼製品などを作るまでの加工関係も一部含まれますが、CO_2排出量としては多くありません。

（注）製造業全体に対しては67％に相当します。

素材産業は我が国の産業を支える基盤であり、産業の構造を体現しています。我が国を代表する自動車産業は鉄鋼業との結びつきが深く、また最近の海洋プラスチックごみ汚染などの廃プラスチック問題はリサイクルを含めて化学工業とつながっています。一方、世界全体の電力の３％を消費するアルミニウム精錬は我が国では行われていないため、ここには登場しません。私たちが日常使うアルミニウムはかなりの量がリサイクルされた材料で循環しています（アルミ缶回収率は９割以上）。とにかく、製造業のCO_2排出削減がどの程度実現できるかは素材製造にかかっていることの再確認が必要です。

素材製造でCO_2を多く排出するのは、これらの製造過程で多量の熱エネルギーを供給して反応に適した超高温状態を作り出すのが必要なこと、それに化石燃料が化学反応のプロセスに組み込まれてCO_2として分離されることが主な要因です。

例えば、製鉄の高炉内では1500℃以上の高温が必要ですが、3.4項（図3.4-2）でも見たように化石燃料を使わないで実現するのは効率的ではありません。また、反応プロセスに化石燃料が組み込まれると素材の生産量に応じた分の化石燃料が必要となりますので、基本的なプロセスを変更しない限り、CO_2の削減は見込めません。

次に、この状況を鋼材の製造過程について見てみます。

鋼材を製造する一連の工程の最初が、製鉄所の高炉と呼ばれているコークス炉で行われる「製銑」で、鉄鉱石を原料として銑鉄の生産が行われます（図3.9-2）。この工程が全体の中で圧倒的にエネルギー消費量が大きく、設備費用もかかるところです。そのプロセスは多くの反応物質や不純物が介在して非常に複雑ですが、主要な部分の反応は以下のものです。

Fe_2O_3（鉄鉱石）＋C（石炭）⇒Fe（鉄）＋CO_2

石炭はあらかじめ蒸し焼きにして反応性を高めたコークス状態にして炉に投入されます。ここで石炭（コークス）は次の2つの役割を果たしています。

（ⅰ）燃焼することで多量の熱エネルギーを供給する

（ⅱ）鉄鉱石から酸素を取り除く還元剤として働く

石炭はこの両面で活躍する優れた原料ですが、それに伴って大量のCO_2を排出します。

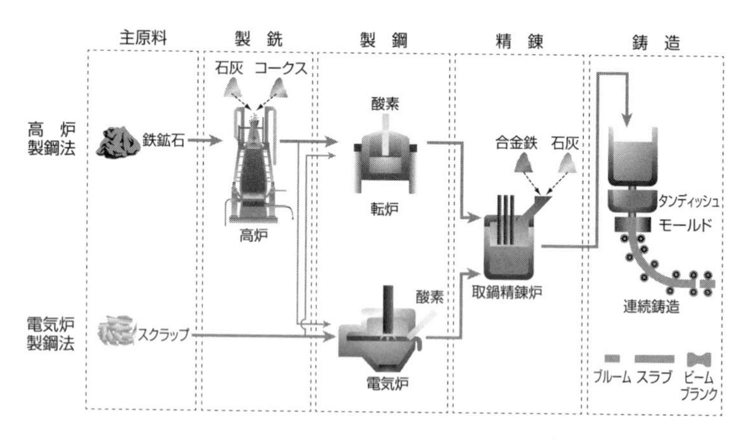

図3.9-2　高炉・電気炉製鋼法の工程 (17)

原理的には、（ⅱ）から鉄1トンについて少なくとも44/58（分子量比）＝0.76トンのCO_2を発生します。我が国の鉄鋼の約8割は高炉で生産されており、鉄鋼業でのCO_2発生量1.8億トンの1/3（年間粗鋼生産量1.1億トン×0.8×0.76＝0.67トン）以上は化学反応プロセスから生じていて削減できません。鉄鉱石を熔解・反応させるために必要な熱エネルギーと還元反応がCO_2排出削減にとっては制約条件となり、基本的な製造プロセスを変更しないとなかなかCO_2排出削減対策が効果を発揮できないことになります。

高炉を使った製鋼法のほかに、回収した鉄スクラップを原料にした電気炉による製鋼法も行われています（図3.9-2）。この方法では、電気炉でスクラップの熔解や不純物の分離などが必要ですが、製鉄のプロセスを省略できるため、原理的にはエネルギー使用量やCO_2排出量を大幅に削減できます。現在は高炉と電気炉の製鋼法が使用する用途と原料によってすみ分けがなされて、鋼材の生産が行われています。

②製造業のCO_2排出量と素材産業

近年の我が国製造業CO_2排出量の推移を示したのが図3.9-3です。世界的な経済危機（2008年）による一時的な生産減少に伴うCO_2排出量の低下は見られますが、製造業（産業部門）としては全体的には緩やかな減少傾向を示しています。

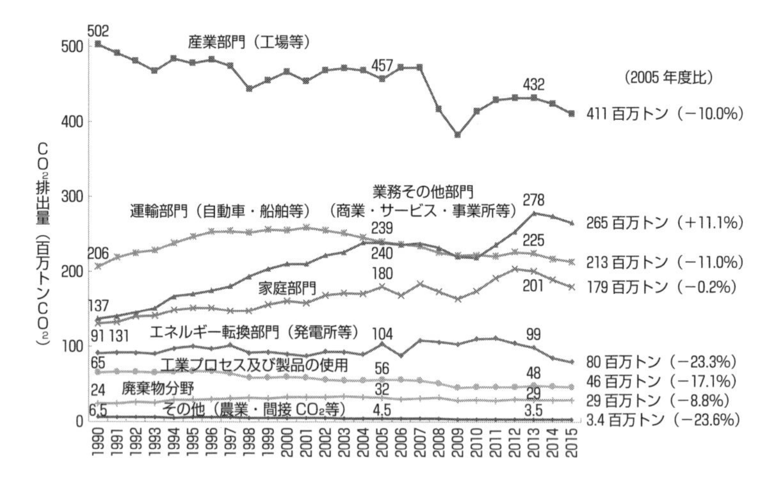

図3.9-3　CO_2の部門別排出量の推移 [18]

（注）発電によるCO_2排出量は最終の電力消費部門に割り振っています。

各種工業製品の生産量の変化に伴ってCO_2排出量も変動するため、生産効率の推移を調べるためには、単位の生産量当たりの排出量で比べる必要があります。そこで生産指数（製品ごとの付加価値額の重み付けあり）で除したものがエネルギー消費原単位、またはCO_2排出量原単位で、その結果が図3.9-4、図3.9-5です。これらによって、さらに以下のような特徴的なことがわかってきます。

・石油危機が勃発した1970年代から1990年にかけて、製造業のエネルギー効率が大きく改善した（約２倍）が、その後は現在に至るまで停滞傾向にある。

・製造業の主要な素材４業種のCO_2排出量原単位については、製紙業以外は1990年以降、ほとんど改善が見られない。

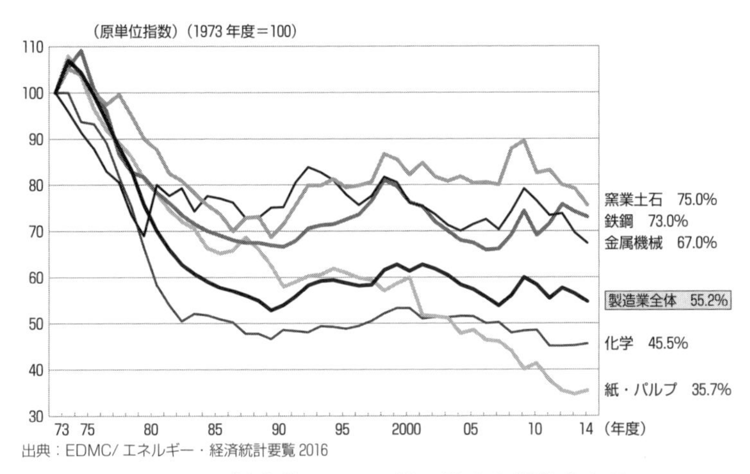

図3.9-4 製造業における鉱工業生産指数当たりエネルギー消費原単位の推移 (19)

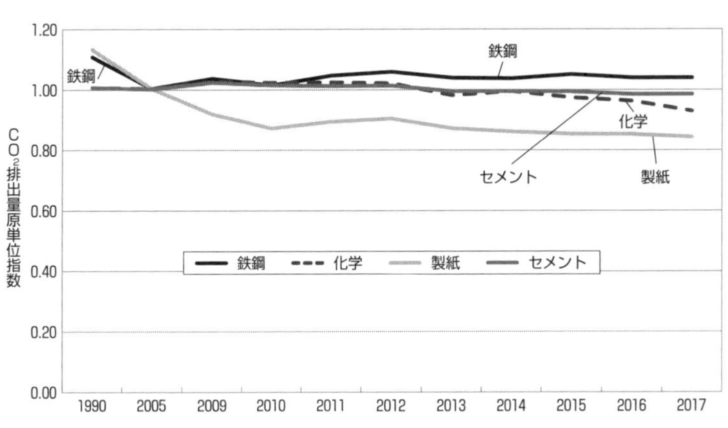

図3.9-5 素材４業種のCO_2排出量原単位の推移 (20) **（2005年を１とする）**

これらのデータから製造業の中でも特にウエイトの高い鉄鋼業に改善が見られないのが、全体の効率停滞に影響していることが予想されます。世界的に見ても、エネルギー効率が高いと言われる我が国の鉄鋼生産ですが、細かい効率改善の積み上げだけでは顕著な性能向上は難しい段階に入っているものと思われます。

③素材生産からリサイクルへ

将来に向けて製造業のCO_2排出量削減には素材産業、なかんずく鉄鋼部門での大胆な削減が必要であること、さらには現状の製造プロセス改善のみでは実現が難しいことを見てきました。

ここからは、小宮山宏氏他の提唱する「2050年のビジョン：“プラチナ社会”」を参考に、新しいアプローチでの削減の可能性について考えてみます。

最初に同氏の著書[21]から関連する部分について、要点を抜粋します。

「21世紀の社会においては、ほとんどすべての人工物は飽和状態に向かっていて、その代表的な例が、自動車や建築物です。そこで使われる各種の金属は“都市鉱山”として、社会の循環システム（リサイクルなど）により貴重な資源に代わります。その代表例である鉄は何回でもリサイクル可能であり、我が国を始めとする多くの先進国では既に（1990年頃）飽和状態に入っており、世界のほぼ全域でも2050年頃には飽和状態に達します。これらに対応する技術、社会制度や経済システムの確立が求められます。」

図3.9-6が我が国の各種人工物に含まれる鉄の総量（累積量）

と年間の増減量です。図の年間増分が1990年前後にピークに達していて、この頃にほぼ鉄の飽和状態に近づいているものと推定されています。さらに現在に至ると新しく投入される人工物に含まれる鉄の量と、鉄スクラップの量が、それぞれ3000万トンで等しくなって、年間蓄積量はゼロ水準となっています。鋼材需要と供給の質的なマッチングを別にすれば、国内だけで見ると、既に量的には循環資源だけで賄える状態に達しています。この点が、鉄鉱石を原料として高炉で多量のエネルギーを使って、CO_2をたくさん排出する製造方法の見直しに至る鍵となる部分です。

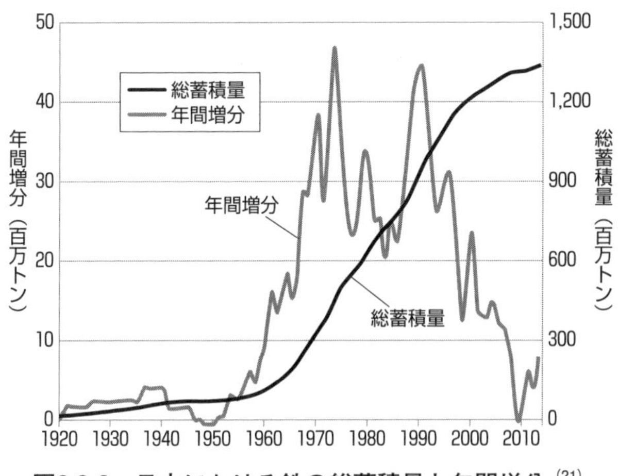

図3.9-6　日本における鉄の総蓄積量と年間増分 (21)

我が国以外の先進国でも鉄が飽和状態に達していることが予想されますが、その他の新興国などでも21世紀の前半には同様の状態になるものと考えられます。これを図式化したものが図3.9-7です。21世紀中盤に向けて「全生産量」と「採掘資源」の間を埋める「リサイクル」の位置づけがさらに高まってきます。これが**資源循環型社会（サーキュラー・エコノミー）の典型的な姿**と言えます。

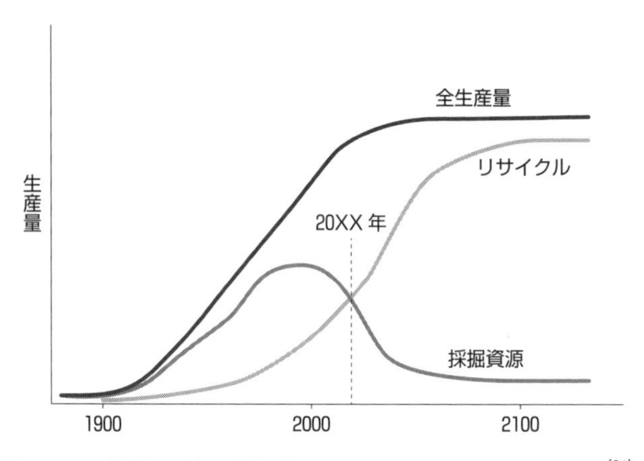

図3.9-7　製鉄原料の採掘資源からリサイクルへの遷移 (21)

④CO_2排出量削減のための鋼材生産プロセス革新

鉄鋼業界においてもCO_2排出を減らすための種々の検討と研究開発が行われています。

代表的なものに、還元剤として石炭の代わりに水素を使う方法、あるいは発生するCO_2を分離・回収して地中などに埋設するCCS（Carbon Capture and Storage）を併用する方法（下巻・第Ⅶ章参照）があります。前者では自然エネルギー由来の電力を使った電気分解によって製造される水素を利用すると、その分だけCO_2発生が抑えられます。いずれの方法でも、製造プロセス変更に伴うコストアップが予想され、実用化に立ちはだかります（注）。

（注）鉄鋼業界では2050年の実用化を目指して、コークス製造時に発生する水素などを利用し、CCSと併用することによりCO_2排出量を約３割削減する技術を開発中です。

これらの方法に比べると、鉄スクラップを使った電気炉による鋼材製造は現状プロセスに改良を加えることにより実現できて、CO_2排出削減の観点からはより現実的と考えられます。成分調整や材料の組織制御を行う工程を加えることにより、自動車や家電で使われる高張力鋼、電磁鋼板についての品質が確保できるかの検討が行われています（注）。現状では未だ高炉を使った大量生産と比べてコスト面の競争力がどの程度までいけるかという問題はありますが、CO_2排出削減対策として、さらにその先の資源循環型社会へ向けての有力な手段となります。

（注）研究開発の状況が日本経済新聞（2019/11/5）に報告されています。

欧州（EU）ではサーキュラー・エコノミーを基本的な理念として、資源のリサイクルによるCO_2排出削減の検討が行われています。上記の“プラチナ社会”における物質循環システムの主旨と通じるところがあります。

欧州が2050年までを見通して、鉄の生産に伴うCO_2排出量を減らす方策として検討されている結果が図3.9-8です。ここでは現時点と2050年（目標）における高炉での生産と電気炉でのものを比較しています。

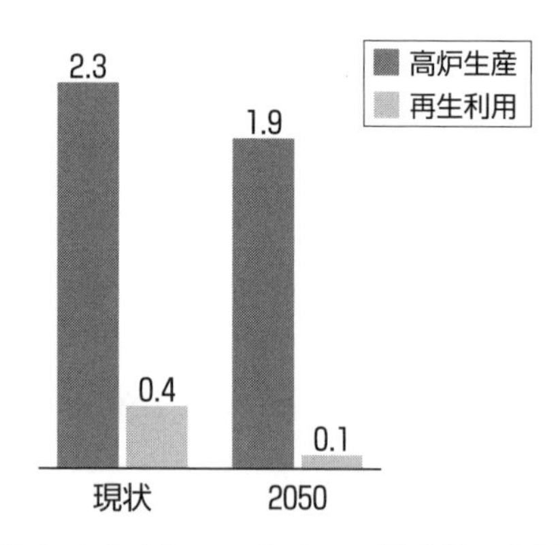

図3.9-8　鉄のリサイクルによるCO_2排出量の削減効果[22]
（トン・CO_2/トン・鉄生産量）

ご覧のように、現時点においても電気炉を使うことにより大幅なCO_2排出削減のポテンシャルがあることが示されています。ここで使用する電力を2050年時点ですべて自然エネルギー由来のものにすることにより、さらに1/20程度までCO_2発生を抑えることができる可能性があります。これは高炉での生産プロセスに各種の改善を織り込んだ（15%削減目標）場合と比較しても、その差は歴然です。

以上は概念的な検討結果ですが、国内でもこれらの対策によりCO_2排出量を1/5程度に削減できる見通しがあると言われています。

欧州ではこのほかにも、プラチック、アルミニウム、セメントなどの製造時に多量のCO_2発生を伴う材料のリサイクル効果を算出していて、あくまでも推定ですが、同様に大幅な削減効果が見込める結果となっています。例えば、プラスチックの場合、我が国では廃棄物の回収が進んでいて、最終的にはCO_2発生を伴う焼却処分に持ち込むことが多い（注）のですが、欧州諸国ではさらに再資源化にまで踏み込んだ技術開発を推進しています。

（注）国内のプラスチックごみの回収率84％は世界的にも高水準ですが、そのほとんど（約７割）が焼却処分され、この処理方法は国際的にはリサイクルとしては認識されていません。これに対して、製造段階からプラスチック材料としての再生利用を考えた製品開発へと移行する必要性があると言われています。

以上を踏まえて、我が国の鉄鋼生産に戻って、現状を調べてみます。

図3.9-9のように国全体の粗鋼の年間生産量約1.1億トンの２割が輸出に回されていて、そのほとんどがアジア諸国向け（輸出の約８割）です。国を越えての鋼材の動きは、車などのように製品としての輸出入、鉄スクラップとしての移動もあり、正確に把握するのは難しいのですが、これらのアジア諸国への輸出は主に鋼材の新規の蓄積に相当していると考えられます（注）。したがって、当面は鉄鉱石を原料とする鋼材の製造で賄っていますが、これらの国々でも、CO_2排出削減及び資源循環の観点より長期的にはリサイクル材料（すなわち鉄スクラップ）に置き換わることが望ましい姿となります。

（注）中国向けは鉄スクラップが主体です。

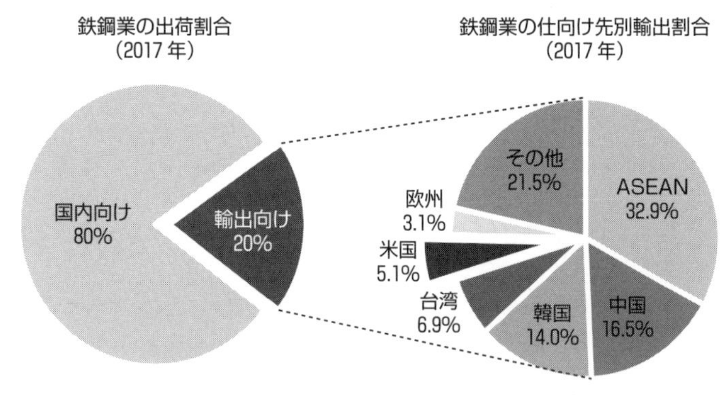

図3.9-9　日本の鉄鋼業の出荷割合(23)

一方、残りの国内消費８割の相当部分も将来的にはリサイクル材料を活用した電気炉製法の拡大により、CO_2排出削減に向かうことが期待されます。図3.9-10は我が国の電気炉での鋼材生産のシェア推移を示しています。その割合は２割程度と、主要国や世界平均と比べて低いのが目につきます。ここにCO_2排出削減の余地が多く残されていることがわかります。

表3.5-1では、2030年の産業部門のCO_2排出削減目標（▲７%）が他部門に比べてかなり控えめな数値となっていますが、さらに意欲的な取り組みが期待されるところです。

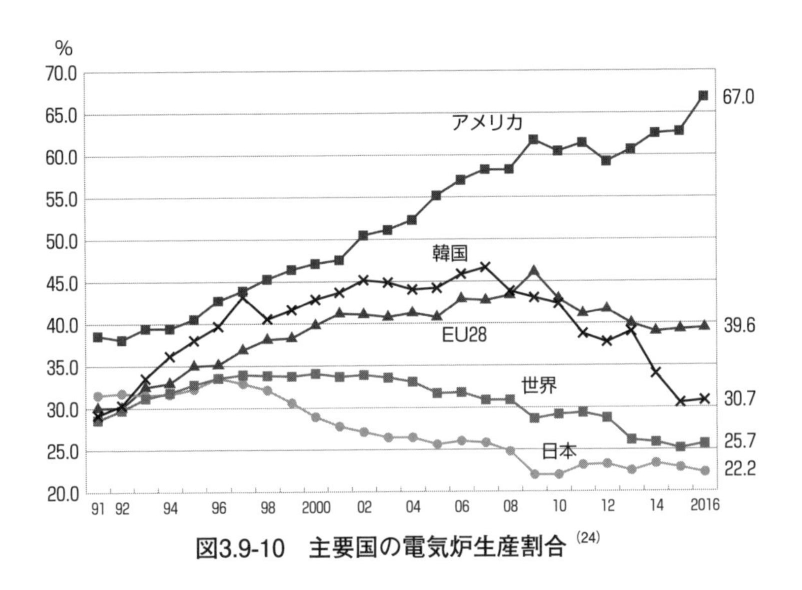

図3.9-10　主要国の電気炉生産割合 (24)

⑤需要側(マーケット)が導く循環型経済社会 (サーキュラー・エコノミー)

それでは根本的に素材生産でのCO_2排出削減がどうして進まないのか、あるいはどのようにすれば脱炭素化に向けて本格的に動き出せるようになるのかが次のポイントです。

鉄鋼業界は中国の過剰とも言える生産設備や生産量増加の影響もあり、厳しいグローバル競争環境の中にあり、供給側（サプライサイド）だけからは、なかなかCO_2を減らすためのプロセス改善の設備投資に消極的にならざるを得ないのが現在の状況かもしれません。

それに対して、最近の世界経済フォーラムなど(22)では、政府機関や鉄を利用する関係企業、私たちエンドユーザーがマーケットを通じてCO_2削減に取り組むための正しいシグナルを発信することが必要であると指摘されています（注）。その基本にあるのが、既にある材料や資源を最大限に活用して循環型経済社会を目指すという明確なビジョンです。

（注）2019年９月24日の世界経済フォーラムでは2050年までのCO_2排出ゼロを目指して８つのイニシアティブを立ち上げ、その中に鉄鋼業界の“Net-Zero Steel”などがあります。

具体的な例として、自動車のCO_2排出規制を取り上げます。

図3.9-11の左側が現状の自動車に関わる生産から走行およびそのためのエネルギー生産、廃棄、再利用（注）などのライフサイクル全体でCO_2の排出量の割合を表します。本図はハイブリッド車のようにかなり燃費性能の良い例を示していますが、それでも走行時の燃料消費によって発生する部分が大半を占めています。したがって、現状では車のCO_2排出量を燃費で規制することはそれなりに合理性があります。

一方では、電気自動車（EV）のように走行時にCO_2を排出しない電動車両は、走行時の燃費のみを捉えるのでは過大評価になるのではないかとの批判もあります。

（注）資源再利用は廃棄時のCO_2を減らすだけではなくて、次の製品のCO_2排出削減にもつながります。

これに対して、2050年に至る過程で、燃料やエネルギー源の脱炭素化が大きく進展すると、今度はそれ以外の素材から製品製造に至る部分でのCO_2排出割合が目立ってきます。走行時の燃費だけをカウントするのでは、正当な評価とは言えなくなり、バリュー・チェーン全体に目を向けることが必要となります。走行時以外で、排出量の大きい項目の一つが鉄鋼材料の製造時ですから、車両メーカーとしてもやがてCO_2排出の少ないリサイクル材料の拡大に踏み込まざるを得ないことになります。

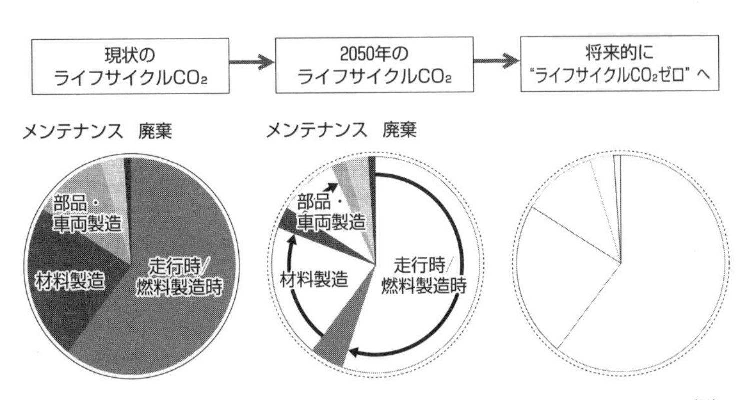

図3.9-11　ライフサイクルCO_2ゼロチャレンジの将来イメージ[25]

このような背景から、EUでは車の環境規制を現在の燃費基準からライフサイクルでのCO_2排出量で評価する方法に移行すべく検討が進められています。この規制は早ければ2025年にも導入される可能性があり、その際には車両メーカーはサプライヤーを含めた関係者と連携してCO_2排出削減に取り組む必要に迫られます。その過程で、素材製造でのCO_2排出の大幅削減の要求がもたらされることになります。

例えば、トヨタ自動車では、「トヨタ環境チャレンジ2050」

で車の環境負荷をゼロに近づけることをうたっており、その目標の一つに「ライフサイクルでのCO_2ゼロ」が挙げられています。

以上が、回りくどいようですが、需要側からの資源循環とCO_2排出削減へのアプローチの例です。我が国でも、以前から3R（Reduce, Reuse, Recycle）活動として資源節約の運動が展開されています。欧州諸国が主導している「サーキュラー・エコノミー（循環型社会）」ではこれをさらに一歩進めて、製品製造の上流段階から材料や部品の再利用・解体がしやすい設計法、循環を容易にする素材や製造技術を取り入れるといったように、生産システム全体を包含して仕組みを変えて行こうという動きが見られます。

図3.9-12がサーキュラー・エコノミーの概念をわかりやすく示したものです。原図はオランダ政府が環境保全キャンペーンとしてホームページで公開している情報に基づいています。これまでの、原料を使って生産した製品を使用後にほとんどそのまま廃棄するという「リニア・エコノミー」に対して、現在行われている「リサイクリング・エコノミー」をさらに進めて、製造プロセスのループを閉じて廃棄物を極力ゼロに近づけるという考え方です。

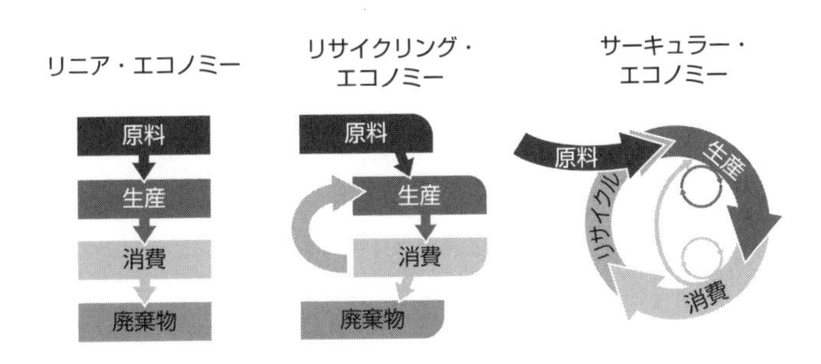

図3.9-12　これまでの経済モデルとサーキュラー・エコノミーのイメージ(26)

本章では、エネルギー使用に伴うCO_2排出を減らすことを主眼に考えてきました。一方では、資源や材料のリサイクルによる物質循環システムは異なるアプローチですが、2050年に目指すのは共通の脱炭素社会です。そこに付加価値が生まれ、新たなビジネスの機会が誕生することが予想されます。これに備えて、今から私たちの考え方、社会制度やインフラ、経済システムを切り換えていくことが求められています(27)。

Ⅳ．脱化石燃料と電気の利用

1．なぜ今電気なのか？

まずウォーミングアップを兼ねて、以下の問題を考えてください。

【クイズ⑦】

次の電気エネルギーに関する記述の中で、正しいものはどれでしょうか？

①電気は大気汚染物質や温室効果ガス（GHG）を排出しない最もクリーンなエネルギーである。
②電気は高品質なエネルギーであり、単位エネルギー量当たりのコストも他のエネルギーと比べて安価である。
③電気エネルギーの貯蔵性は最近の蓄電池（バッテリー）技術の飛躍的な進歩により、他のエネルギーと比べても遜色ないようになりつつある。
④電気はエネルギー輸送に適していて、利用用途に応じて多様な使い方ができる特徴がある。

①については既に答えが出てきました。確かに、電気を使う場所では排気ガスなどを出すこともなく、クリーンなエネルギーです。しかし、化石燃料を使う発電所ではCO_2などの排気ガスを排出しています。このようにエネルギーを実際に使用する

場所と一次エネルギーを電気に変換する場所が違っているため、ロンドン、パリ、北京などの大都市では大気汚染対策として内燃エンジン車の走行を規制して、電気自動車（EV）の導入を推進するなどの施策も行われています。

そして、忘れてならないのは、**自然エネルギーが一次エネルギー源になると、完全にクリーンな電気エネルギーになります**(注)。もちろん、一次エネルギーの種類にかかわらず、生み出される電気の質に何らの違いがあるわけではありません。

（注）発電設備の建設時や維持管理の際などに多少のCO_2排出を伴います。

②については電気が一次エネルギーを元に変換して造られる（そのためのプロセスが追加される）ために、品質が高くコストも高くなるのは納得できます。しかし、電気自動車を日頃使っている人は、電気の方が実際にガソリンよりも安いために、少し違和感があるかもしれません。

例えば、以下のような比較になります。

・EV走行：N社のEVカタログでは、バッテリー容量62kWhで走行距離が458km（実際には×0.7＝320kmと考える）とありますから、この時かかる電気代は、

62kWh×26円/kWh（東京電力、家庭用）＝1612円

・ガソリンエンジン車：燃費15km/Lとすると、同じ距離を走行するのにかかる燃料代は、

320km÷15km/L×140円/L＝2987円

となり、ガソリン代がEVの２倍近くかかり、かなり大きな

差です。

どうしてこのようなことになるのかを考えてみると、以下のような要因が働いていることに気づきます。

・発電に使われている一次エネルギーは天然ガス、石炭が中心で、いずれもガソリン（石油）よりも安くなっています（注１）。逆に、車用に使われるガソリンは最も高品質で高価な一次エネルギーです。これはまた、**電気エネルギーが種類を問わずに幅広いエネルギー源から変換して造られる共通のエネルギー**という特徴を表しています。このように多様なエネルギー源から変換できることが、ここからさらにいろいろなエネルギーに形態を変えて幅広い使い方ができることとともに、**電気エネルギーの柔軟性**を表しています。
・私たちがガソリンスタンドなどで購入するガソリン代の半分近くが、税金です（注２）。政策によってエネルギー消費の構造を変えることができる一例です。
・ガスタービンやガソリンエンジンなどの内燃機関を使って電気や力学エネルギーへ変換する場合には、かなりの熱によるエネルギー損失が発生します。一般的には、熱損失の割合は、エネルギー変換装置の規模が大きくなるほど低く抑えることができるという**スケール効果が働きます**（注３）。つまり、発電所のような大規模集中型の装置の方が、車１台１台のエンジンよりも熱効率が高くなります。

（注１）我が国の電源構成（2018年）では石炭28.3％、天然ガス37.4％、石油3.7％などです。

（注２）現在のガソリン税および石油税（消費税含まず）は約56円/Lです。
（注３）エンジン出力が内燃機関の体積に比例して、外部への熱損失がその表面積に比例すると単純化して考えると理解しやすくなります。例えば、半径２の球１個と半径１の球８個の体積は等しいですが、熱損失に影響する表面積は前者が後者の半分となります。

③は電池（バッテリー）とガソリンなどの液体燃料のエネルギー密度を比較すると明らかとなります（図4.1-1）。エネルギー密度として体積当たり（横軸）と重量当たり（縦軸）の性能が比較の対象となりますが、前者では２桁にも及ぶ大きな差、後者でもこれに近いような開きが見られます。最近のバッテリーに関する技術の進歩には目覚ましいものがありますが、もともと**電池はエネルギーの貯蔵の面ではかなりのハンディを背負っている**ことがわかります。

通常のバッテリーでは電気エネルギーが一旦化学エネルギーの形に変換されて、エネルギー貯蔵が行われています。しかも、直ぐに電気として取り出せるような特殊なエネルギー保持の仕組みと機構が備わっています。図4.1-1は基本的にはエネルギー物質の化学的な性質とそれを保持する機構によって決まってきますので、今後のバッテリー技術の進歩によってもこの位置付けを大きく変えることは難しいでしょう。この点を踏まえて、これらの利用法を考える必要があります。

本図には、参考までに二次エネルギーとしての水素を含めたガス燃料が表示されていますが、重量当たりの貯蔵性能は液体燃料とほぼ同等ですが、体積当たりでは液体燃料に劣後します。将来の環境対応車として、EVや水素を燃料とする燃料電池車（FCV）が注目を浴びていますが、EV/FCVの販売が伸びない理由の一端がこの辺りにありそうです。

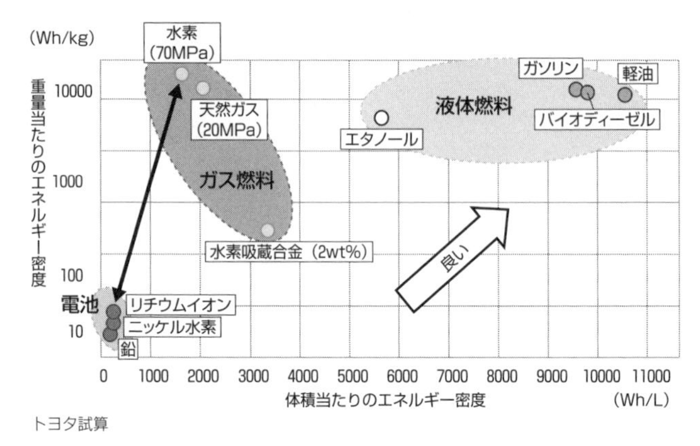

図4.1-1　蓄電池と液体・ガス燃料のエネルギー密度の比較[1]

（注）最近の二次電池は性能が向上して、本図よりも少し高い位置にあります（下巻第Ⅶ章参照）。

④について言えば、電気は貯蔵が苦手ですが、送電線などのインフラが整備されていれば輸送はスムーズに行えて、私たちの生活の利便性を支えてくれているのは本章２項の通りです。従って正解は④となります。

電気が温暖化対策の一環としてCO_2排出削減に重要な役割を担っていることについては、以下でさらに考えてゆきます。

ところで、最近地球温暖化対策としてニュースなどに出てくる話題は、電力の固定価格買取制度（FIT）をはじめとして、やたらと電気に関するものが多くて、それ以外のエネルギーは一体どうなっているのだろうと思ったことはないでしょうか。

実は、そこには単なる電気エネルギーへのシフトに留まらないいくつかの根本的な理由が含まれています。これから脱化石燃料を目指すためには、以下のように電気エネルギーを中心に考えるのが最良のシナリオだからです。

（ｉ）自然エネルギー・原子力などの脱化石エネルギーは主に電気として導入される
（ⅱ）電気は流通インフラである送配電網が既にかなり整備されている
（ⅲ）電気は最新の制御技術などと組み合わせて効率的なエネルギーの使い方がしやすい
（ⅳ）動力としてエネルギーを取り出す際に熱機関のように高温・高速回転部のない電気モーターはメンテナンスも比較的容易
（ｖ）IoT/AIの技術を駆使することにより、エネルギーの需給調整を効率的に行える可能性がある

（ｉ）については前の章（表3.2-1）でも見たように、電気が自然エネルギーや原子力エネルギーの利用に際しての主要な入り口になります。ということは自然エネルギー由来の発電量がどのくらいの割合であるかが概ね温暖化対策の進捗度合いを表す指標になります。後に出てくるように、その国の電源構成を見ることによって、どこまで環境に優しいエネルギー政策がなされているかが一目瞭然になります。

（ⅱ）について言うと、これから脱化石燃料社会に進むために、私たちがエネルギーを必要な時に必要な分量だけ、経済的に入手するために効率的な流通機構を備えておかなければなりません。この際に、これまで整備されてきた送配電網を中心としたネットワークを活用することが近道になります。我が国では全国津々浦々、およそ人跡の及ぶ地域には電線が張りめぐらされています。少し前までは、自宅の屋根に太陽電池を取り付けて、発電した電気のうち使い切れない分をこの電線を通じてよそに送る、つまり一般消費者がエネルギー生産者に変身するという状況をどれだけの人が想像できたでしょうか。

また、従来の集中型の大規模発電所から自然エネルギーのような地域分散型エネルギー源への本格的な移行に際しては、それに適合するように既存のインフラシステムを改修・補強することも必要になるでしょう。

（ⅲ）（ⅳ）については、電気は瞬時に伝わり、応答性に極めて優れているため、最近話題になっている自動運転車のように最新の制御技術を応用して、複雑な任務を遂行するためのエネルギー源として優れたポテンシャルを持っています。このため、電気自動車（EV）は自動運転とは技術的な相性が良いと言われています。電気を動力源とするEVがどの程度輸送機器のエネルギー使用の効率化、あるいは環境性能の向上につながるかについては、本章５項で具体的な効率の比較を通して考えてみます。さらに、輸送機器の根本的な脱炭素化には、ガソリンエンジン車などからEVなどへの転換は避けられないため、欧州主要国では2040年頃を目処に内燃エンジン車の製造・販売を禁止する動きもあります（注）。

（注）欧州主要国では以下のように、ガソリンおよびディーゼル車（含むハイブリッド車）が販売禁止となる予定です。

・ノルウェー：2025年

・ドイツ、オランダ、デンマーク、スウェーデン：2030年

・英国：2035年

・フランス、スペイン：2040年

最後の（ｖ）について言うと、自然エネルギーが大量に導入された環境で、電気の需給調整をどのようにこなしてゆくかは、これからの最重要課題となります。電気を大量に貯めるのは経済性が劣るという基本的な性質があります。特に変動する風力や太陽光などの電源を大量に受け入れて、瞬時～１年間までの需要と供給のバランスをどのように確保してゆくかが大きなチャレンジです。今後IoT/AIなどの最新技術を駆使して、どこまで経済的で信頼性のある需給調整システムを築けるかが自然エネルギー社会成否の鍵を握っています。

次項で脱化石燃料社会の実現に向けて、現在電気の需要と供給のバランスをどのように取っているかの概要を掴むことから始めます。

2．電気の需給調整の仕組み

発電所で電気が生み出されて、私たち需要家が消費するまでの需給システムをわかり易く表すために、少し前までは図4.2-1のようなイメージ図が使われることがありました。電位をプールや貯水池の水位に、給排水口から流れ出る水流が供給・消費される電流に相当するという見立てになっています。各地の発電所から遠く離れた家庭に電気を送るために、水位の高さ、つまり高い電圧が（途中のエネルギー損失を抑えるために）大切だというのもイメージできそうです。

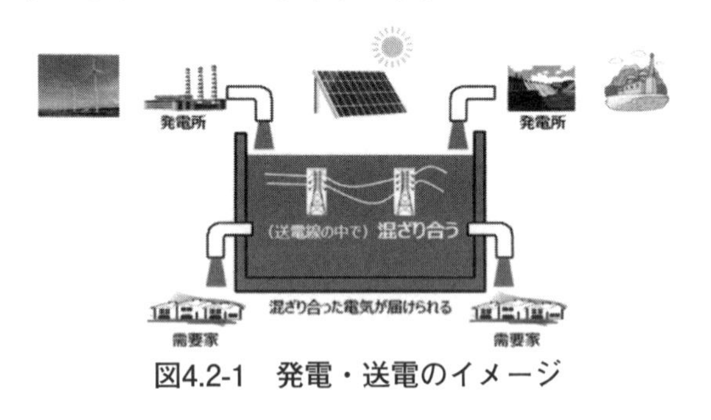

図4.2-1　発電・送電のイメージ

しかし、この絵には一つ問題点があります。プールに水を注ぎ入れる水道の蛇口を閉めて、排水口を閉じれば、プールの水面はそのままですが、実際の電気ではあたかもプールの水があっという間に蒸発したように無くなってしまいます。つまり、電気の基本的な性質として、「電気は流れることによりエネルギーを伝え、本来の目的のために役に立つ」ということを表しています。あるいは、「電気エネルギーは大量に貯めることが難しく（注）、例えば蓄電池のように別のエネルギーに変換して大量に貯えるのも経済的ではない」とも言えます。現在の送配電システムは電気エネルギーを極めて早く、効率的に伝えるという点では非常に優れているのですが、このようなダイナミズムを簡単な絵で表現することは難しそうです。

（注）（原文を挿入）。

送配電システムを管理している現場では電気の需要と供給量の調整によって、例えば私たちが家庭で使う電圧は少なくとも（101±5）Vの範囲内に収まるようにコントロールしています。もし、これがうまくいかなくなると、交流の送電では電流の周波数が乱れて、各種の電気機器が誤作動し、ひいては大規模停電の引き金になる恐れがあります。周波数の許容範囲は電力系統全体を安定的に運用するために、より厳しく±（0.1～0.3）Hzに収まるように調整されます。この需給調整の要件は「**同時同量**」の原則と言われています。

例えば、2016年に始まった電力小売自由化では各電力小売会社は、事前に（前日までに）30分ごとの電力（積分値）の需要および供給計画値を提出し、ここから３％以上外れるとインバランス料金というペナルティを支払う必要が出てきます（計画値同時同量）。そして、30分内の変動分や全体の需給調整については従来通り大手電力会社（2020年度以降は送配電事業者）が担当することとなっています。私たちがたとえ電力受給会社を新電力に切り替えても、停電の心配はいりませんというのはこのためです。

①FIT開始前の電力需給調整

手始めは、今となってはやや古典的な電力の需給調整の基本的な考え方についてです。

図4.2-2は少し以前の需給バランス調整の仕組みを図式化したものです。自然エネルギーも水力、地熱のみで、まだ電力需要もさらに拡大すると思われていた時期です。一番上のカーブが実際の需要に相当するカーブ（早朝は揚水発電の下側）で、各電力会社はこれに合わせるべく、各発電装置の発電量を積み上げてコントロールすることになります。

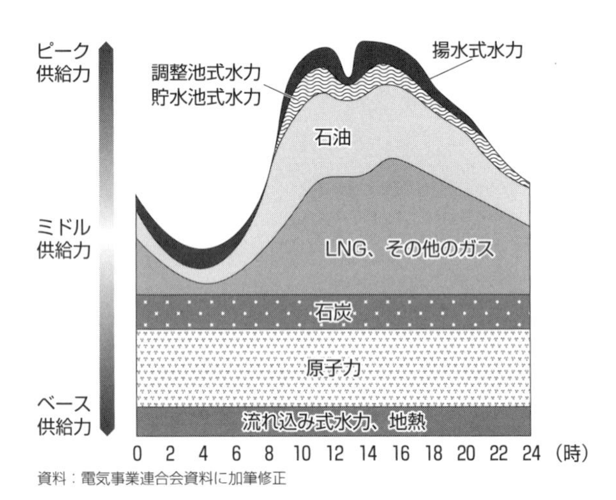

図4.2-2　電力の一次エネルギー種別供給構造(2)

大手電力会社は概ね、以下のような手順で電力需給の計画を立てます。

・電力の需要曲線は過去の電気使用量実績に基づき、季節、曜日、その日の天候・気温などに応じて前日までに設定されます。その時の景気動向や社会の動きからイベント等に至るまでの各種の情報も参考にされます。

・これに対して、その需要を上回る電力供給力（含む予備力）の確保と、具体的にどの発電機をどのように組み合わせるかの発電計画が立てられることになります。その際には発電能力だけではなくて、同時に電力系統全体の安定性や経済性（収益性）も考慮されます。

・個々の電力供給源としては、経済性や昼夜を問わず安定的・継続的に稼働できるかなどを考慮して、需要によらず出力変化させない、またはさせにくいものから順に、

ベースロード電源⇒ミドル電源⇒ピーク電源

のように積み上げます。

各電源は以下のような特徴によって、区分けがされています。

【ベースロード電源】

流れ込み式水力・地熱は自然エネルギーで、需要変動への追随は困難なため、ベースロード電源となります。原子力も海外では出力調整することが行われています（注）が、国内ではフル稼働が前提です。過去には出力変化させる技術検討も行われましたが、住民の反対などもあり、実現には至っていません。石炭火力は出力調整することに技術的な問題はなく本来はミドル電源の位置づけですが、燃料コストが安いため、ベースロード電源に近い位置にあります。

【ミドル電源】

LNG他のガス火力は短時間の出力変化への対応能力が比較的高く、需要変動に対する主な調整電源となります。LNGは

石炭に比べてCO_2排出が少ないメリットもあります。

【ピーク電源】

石油火力は燃料代が高くて経済性が悪いため、ピーク電源に位置づけられます。電力会社としても使用量をミニマムにしたいところです。また、ダムや調整池を備えた一般水力は出力調整向きですし、もともと出力調整を目的として造られた揚水式水力は需要変動への追従性に優れています。例えば、図4.2-2で電力需要が少ない早朝に下池から上池への揚水動力に電力が消費され、需要がピークとなる昼前後の時間帯に発電して、需要を満たすことになります。ただし、この揚水／発電の１サイクルでは30％程度のエネルギー損失が生じます。

（注）フランスやドイツでは、需要の少ない時間帯に原子力の出力を半分程度まで絞る制御を行っています。

②現在の電力需給調整

太陽光発電などの自然エネルギーの導入が増えつつある現時点で需給調整がどのようになっているかを表したのが図4.2-3です。各電力会社によって太陽光発電などの導入割合が異なりますが、最も早く影響が出てきたのが九州電力管内で、太陽光発電設備の申請が集中して、“九電ショック”と言われる電力系統への接続に各種の制限が加えられるようになりました。需給バランスが崩れて、電力系統の安全性や安定性に問題が生じることを未然に防ぐために、自然エネルギーの接続可能量を安全側に（大手電力会社寄りに）設定する考え方が採られています。

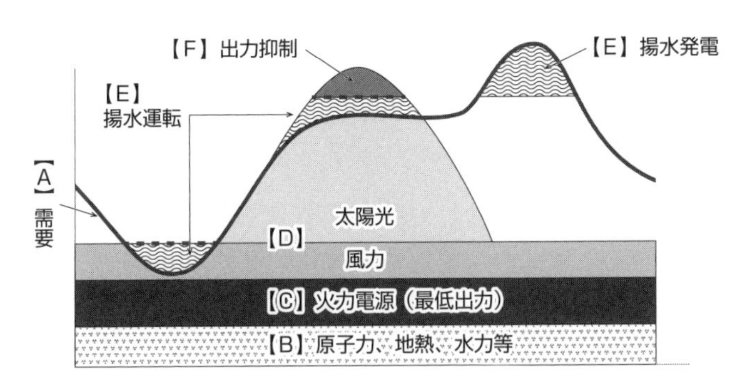

図4.2-3　再エネ接続可能量の算定方法に関する考え方 (3)

以下に本図の説明を加えます。

【A】需要曲線は揚水発電利用で電力シフト（夜昼→夕方）し、実際の電力需要は点線に移ります。

【B】ベースロード電源は基本的に出力調整なしです。

【C】５月連休の晴天日昼間などには太陽光発電の出力が大きくなり、全体の発電能力が使用量の低い需要曲線を上回る恐れが出てきます。その場合には、火力電源を最低出力まで（現在は発電能力の50％が目安）絞る必要があり、それ以下になると安定稼働に懸念が生じると言われます（「下げ代不足」問題）。逆に、雨天などの太陽光発電量が少ない日にも、揚水発電の活用等と併せて、需要を満たす必要があります。

【D】晴天昼間には、太陽光発電が増えて、それを差し引いた有効な需要曲線が相対的に下がってくるため、揚水発電を運転してできるだけエネルギーを貯蔵し、夕方にかけての需要の駆け上がり（「ダックカーブ」問題）に備えます。

【E】自然エネルギーの最大限受け入れのために、自然エネルギー余剰時または需要が底を打つ時間帯に揚水運転を行い、夕方に放水（揚水発電）を行います。主に夜間に揚水運転をしていた図4.2-2とは正反対の使い方になります。元来揚水発電所建設の狙いは主に原子力発電が大量に導入された時に、夜間の余剰電力を有効活用するために建設されたことにあり、それが今度は再エネを含めた需給調整のために活かされることになります。全国の**揚水発電の能力は2550万kW（全発電容量の約15%）とかなり大きく、これをフルに使いこなすことが今後の需給調整の一つの鍵**となります。

【F】以上の対策を採っても需給調整が間に合わない場合には、系統連系線を通じて隣の電力会社と受け渡しをして、さらには個別の再エネ発電所に順次出力停止を依頼することになります（出力抑制）。当初は年間30日までに限って再エネの出力抑制が金銭的に無補償で可能でしたが、現在は需給状況によっては、時間制限なしまで出力抑制が要請できるようなルールになっています（注）。

（注）大手電力会社との電力接続契約が締結された時期によって、最大の無補償での出力抑制日数が決まっています。

③自然エネルギーが大量に導入されるこれからの電力需給調整

以上では、まだ自然エネルギーの導入割合がそれほど多くない場合について、電力系統全体でのマクロな需給調整を主体に考えてきました。ところが、今後自然エネルギーがさらに大量に入ってくると、これまでとは様相が大きく変わってきます。図4.2-1で言うと、大小おびただしい数の蛇口が送電線を経由して貯水池につながり、あちこちでさざ波が立つようになります。これによって、図4.2-2で見られたベースロード／ミドル／ピーク電源の区別も不明瞭となり、ほとんど意味をなさなくなってきます。

さらに、電力供給側の構造的な変化が現れます。電力の固定価格買取制度（FIT）がきっかけですが、工場・住宅などの屋根に太陽電池を設置した企業や家庭などのプロシューマー（producer ＋ consumer ＝ prosumer）と呼ばれる（注）、電力の消費者であるとともに生産者でもある新しいプレーヤーの参入です。今後このようなプロシューマーが全国各地で次々と誕生してきます。池の水位などを管理している大手電力会社は、これまでは主に自らが所有する複数の大型発電所の蛇口を需要量に合わせて開度を調節していれば良かったのですが、これからは不特定多数のプロシューマーが蛇口を開けたり閉めたりするのを横目で見ながら全体を微妙にコントロールすることが求められます。

（注）ジェレミー・リフキンが『限界費用ゼロ社会』で新しく導入した造語です。

このように自然エネルギーが大量に導入されると、電力の需給調整の面からは、以下のような大きな変化が現れ、それに対処するために、新しい電力ネットワークの制御・運用方法が必要になります。

・太陽光・風力などの変動する自然エネルギーが電源の主力になる。
・電力ネットワークの構成が大規模集中型から地域分散型へと転換する。

自然エネルギーとしては出力がコンスタントで、ある程度計画的に供給できる従来からの水力発電のほかに、バイオマスや地熱発電も期待されます。しかし、これから自然エネルギーの主力として大幅に増えるのは太陽光であり、風力です。

図4.2-4が太陽光発電の出力の典型的な例です。図の左側はある１カ所の発電所の１日の出力変化で、短時間に出力が大きく変動しています。風力発電でも同様にこのような急激な変化が日常的に見られます。この太陽光発電出力の短周期の変動は雲により日射が遮られることにより発生するもので、ある程度広い範囲にわたる複数の発電所の出力を平均すると右の図のように、比較的なだらかな変化となり、「ならし効果」と言われます。これに倣って、発電所の運用範囲を広げる（さらに電力の広域運用につなげる）と、出力変動が緩和されることが期待されます。図4.2-1の貯水池の電力の需給モデルで、池が大きくなればなるほど、水位の変化がなだらかになるのと同じです。

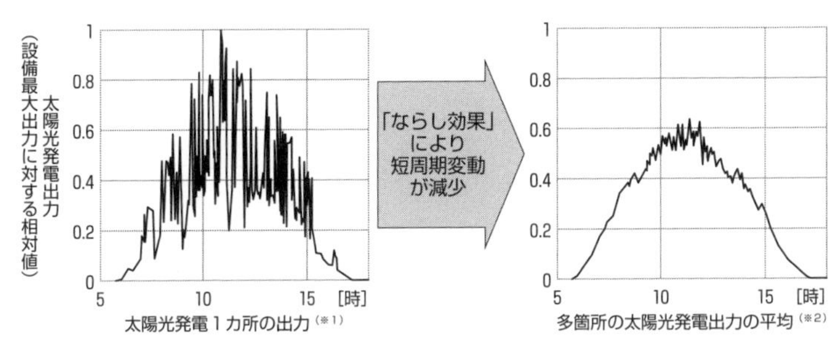

(※1)「分散型新エネルギー大量導入促進系統安定対策事業」(経済産業省実証事業)にて実現した日射強度データを使用。
エリア全域で比較的変動の多かった日(2010/10/7)を選定し計算。
(※2)同日の関東エリア61カ所の日射強度実測値を利用。

図4.2-4　太陽光発電の「ならし効果」(4)

このような運用上の効果を考慮しても、なお短周期の変動から1日(24時間)までの大きな変動は避けることができません。電力の需要量の変化を含めて、時々刻々変化する需給状況に対応できる調整能力が供給側に求められます(注)。

(注) 2020年に大手電力会社の分社化で誕生する送配電事業者と、それらを管轄する電力広域的運営推進機関の担当任務となります。

また、電力ネットワーク(電力系統)の構造変化は、図4.2-5の2つの図をよく見比べるとわかります。

これまでの電気の流れは大規模な発電所で造られた電気が、変電所で一旦昇圧された後に基幹送電系統(275kV〜500kV)を通じて消費地の配電系統まで次第に電圧を下げながら送られるという一方通行でした(図4.2-5-1)。この送電線による基本的な電力の流れを電力潮流と呼びます。

これに対して、太陽光発電などの自然エネルギーが大量に送配電線につながった電力系統では図4.2-5-2のように、大規模発電所からの流れは細くなって、各地域の供給系統や配電系統に直接つながった分散電源によって電流が完全に逆方向に流れたり（逆潮流）、双方向に流れたりするようになります。

このように各種の分散電源（自然エネルギーのほかに燃料電池、蓄電池など）が非常に複雑な電力潮流を構成し、事故などの緊急時までも考慮して安定的な需給バランスを実現するための高度な制御が要求されることになります。これをIoT/AIなどの最新技術を駆使して、私たちの電力消費行動を含めてトータルで解決しようというのが本章６項のスマートグリッドです。電力系統を統合して経済性のある電力需給システムが構築できるかが、自然エネルギー社会実現の成否を握っていると言って過言ではないでしょう。

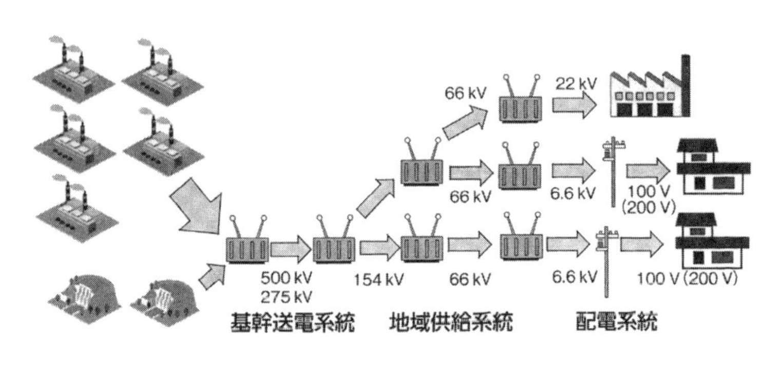

図4.2-5-1　従来の電力ネットワークのイメージ[5]

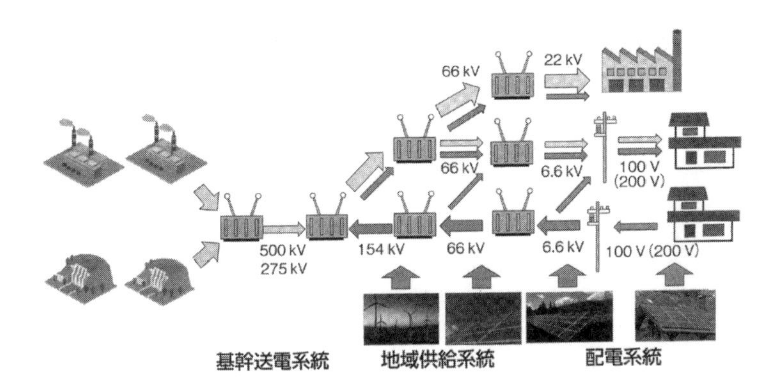

図4.2-5-2　自然エネルギーの大量導入を想定した電力ネットワークのイメージ(5)

3．我が国の温暖化対策はどこまで進んでいるか？

本章１項のように、各国が地球温暖化対策としての脱化石燃料導入にどの程度力を入れていて、どのような成果につながっているかは電源構成（エネルギー・ミックス）を見ればよくわかるとのことでした。主要国について、この電源構成を比較したものが世界エネルギー機関（IEA）の発表している図4.3-1です。言わば、主要国の温暖化対策の世界ランキングで、下側に行くほど上位となっています。

本図を提供しているIEAは1973年の第一次石油危機を受けて発足した先進諸国による国際機関で、現在30カ国が加盟していますが、中国、ロシア、インドなどは入っていません。設立の主たる目的は、エネルギーの安定供給をどのように確保するかにありますので、エネルギー問題に関しては比較的保守的な立場を取っていると言われます。しかし、最近は自然エネルギー関係にも活動の軸足を移しつつあり、このような形でデータを提示していること自体が世界のエネルギー分野での関心が地球温暖化対策にシフトしつつある現状を表しています。

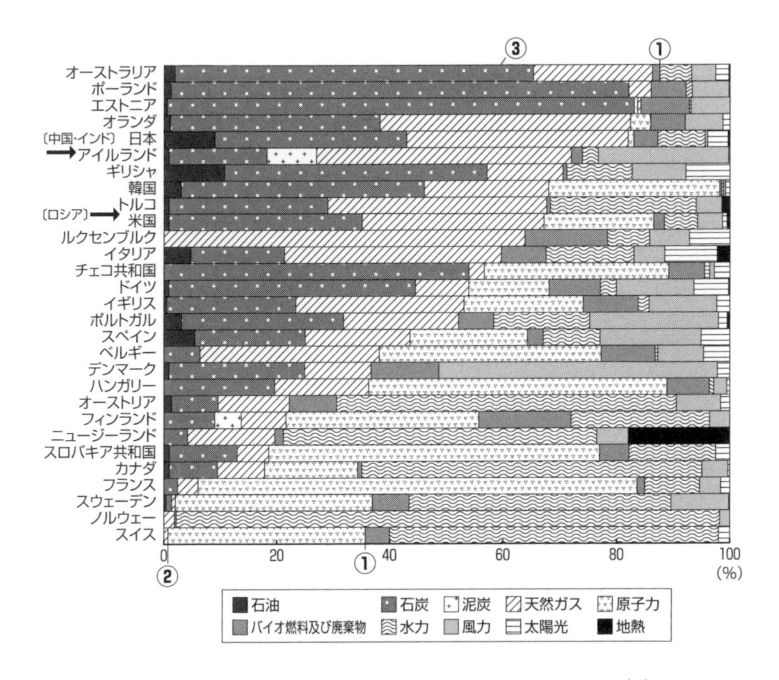

図4.3-1　IEA加盟国の電源別発電量（2015年）[6]

（注）「原子力・エネルギー図面集2018」[7]によりIEA非加盟国の推定位置を矢印で書き加えています。非化石燃料の割合は中国22%、ロシア32%、インド19%。

本図のデータを見比べる際には以下の３つの評価のポイントがあります。

①自然エネルギーをどこまで取り入れているか（右端～バイオ燃料及び廃棄物バー）

②CO_2を排出しない原子力を含めた非化石燃料の割合はどうか(右端～天然ガスバー)

③CO_2排出の多い石炭にどの程度頼っているか（石炭バーの長さ）

本IEAランキングは②の基準に従っていて、地球温暖化対策、すなわちCO_2排出をどの程度抑制しているかという順番に並べています。

一見して、この順位表の下位グループには、石炭使用の割合が高い国が多いことがわかります。その理由としては、オーストラリアなどのように石炭の生産・輸出国であることや、日本、韓国のように燃料コストが安いために石炭を輸入している場合が考えられます。このように各国によってさまざまなエネルギー事情があって、単純に比較するのは無理がありますが、大まかな位置づけは掴むことができます。

残念ながら、我が国は下位グループに位置しています（注）。福島原発事故の影響で原子力が抜けたのが響いているという意見もあるでしょうが、自然エネルギーの割合だけを採ってみても成績は芳しくありません。かつては1970年代に石油危機に見舞われた後の熱心な省エネ活動などもあり、省エネ大国を自認していたように思います。その後も、難しい国際交渉を先導して、1997年の京都議定書に漕ぎ着けた"環境先進国"の面影が見られなくなっています。

（注）2019年（歴年）では自然エネルギー18.5%、原子力6.5%となっています。

どうして、我が国の評価がこのように低くなっているのでしょうか？　考えられる理由について、以下で関連するデータに基づいて読み解いてみます。

まず、脱化石燃料化への取り組みに影響を与えるいくつかの要因を並べてみます。

（ⅰ）自然エネルギーの環境
・各種自然エネルギーの賦存量と利用上の各種制約を踏まえた導入ポテンシャル
（ⅱ）エネルギー需要環境
・人口（密度）と生活レベル：エネルギー需要量に関係し、GDPなどの指標で表せる
・国土面積と気候条件：国土を移動する手段や平均気温に応じて使用するエネルギー量が変化
・技術レベル：自然エネルギーを利用してきた歴史や関連の産業集積など。社会インフラを含めた流通システムが自然エネルギー利用の効率・経済性に関係する
（ⅲ）**産業構造の変化・ソフト化**
・一般的には、国際分業などで進展する産業構造の変化（素材製造→部品加工・製品組立→製品企画・販売・サービス）に応じて、全体のエネルギー消費量が変化する
（ⅳ）**産業のエネルギー生産性**
・**製品／サービスのエネルギー生産性と一次エネルギーの調達方法がCO_2排出量に関係**
（ⅴ）脱化石燃料への取り組み姿勢
・各種の自然エネルギー導入政策とそれを支える国民の環境意識

（ⅰ）、（ⅱ）の詳細については章を改めますが、ここでは（ⅳ）を中心に考えてみることとします。

図3.9-4の我が国最大のCO_2排出部門である製造業のエネルギー生産性の推移を振り返ります。業種によってばらつきがありますが、平均的には石油危機の後、1990年頃に至るまでの大幅なエネルギー効率の改善と、それ以降現在に至るまでの停滞が顕著に現れています。

我が国では1990年頃に始まるバブル経済の崩壊により、戦後の高度成長が終えんを迎えました。その後"失われた20年"とも言われる、デフレ不況に始まる低成長期に移ります。不況期に生産量が低下することによる一時的な生産性の低下はいつの時代にもあり得ることでしょうが、それがあまりにも長期にわたり、現在に至るまで尾を引いているのが問題とされています。もし、これが私たちの意識が新しい時代の変化に対応できていないことに起因するとすれば、以下のCO_2排出削減への取り組みの遅れも"同じ穴のむじな"ということになります。

次は主なCO_2排出元である電力のエネルギー源の中身の問題です。

図4.3-2は1990年と最近（2013年、日本の場合には東日本大震災直前の2010年も）の電源構成の比較で、増加量を＋側に、減少量を－側に表示したものです。主な先進国では、再エネと（天然）ガスの増加、石炭と石油の減少が際立っています（注１）が、**我が国では再エネはほとんど増えずに、石炭と天然ガスの**

増加が目立っています。1990年頃は、温室効果ガスがもたらす地球温暖化の問題が専門家の間でクローズアップされ始めた頃で、欧州の一部の先進的な国では、炭素税や固定価格買取制度(FIT)などの自然エネルギー導入策が取り入れられるようになった時期です(注2)。しかし、我が国では、コストが安いという主に経済性の観点から石炭火力発電を選ぶ、逆行する動きとなっています。

(注1) フランスは主として原子力発電が増えている点はやや特異です。

(注2)・欧州諸国の炭素税導入年：フィンランド1990年、スウェーデン1991年、デンマーク1992年

・同FIT導入年：デンマーク1979年、ポルトガル1988年、ドイツ1991年、イタリア1992年、スペイン1994年

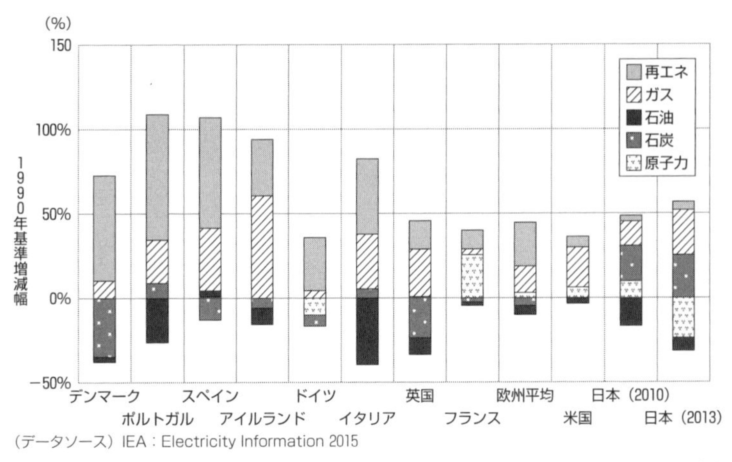

(データソース) IEA：Electricity Information 2015

図4.3-2　主要国の電源構成の変化（1990年の総発電電力量を基準）(8)

電力会社がどのエネルギー源を選ぶかについては、図4.2-2の

ように運転費用、すなわち燃料費の安いものから順に選択されることになります。火力発電の燃料としては、石炭の価格は石油や天然ガスに比べてかなり安価で（注）、しかも価格が安定しているのが魅力です。これを裏づけるのが、図4.3-3の各火力発電設備の稼働率の比較です。燃料費の安い石炭火力が、ベースロード電源としてほぼフル稼働に相当する高い稼働率を保ち、次にコストの安いミドル電源のLNG、最も高い石油火力は調整電源の位置付けとなります。

（注）2015年３月の1000kcal当たりの価格は、一般炭1.65円、原油4.51円、LNG5.81円です。この年のLNG価格が原油よりも高いのは、原油連動で価格が決まるという我が国独特の契約方式による一時的なものです。

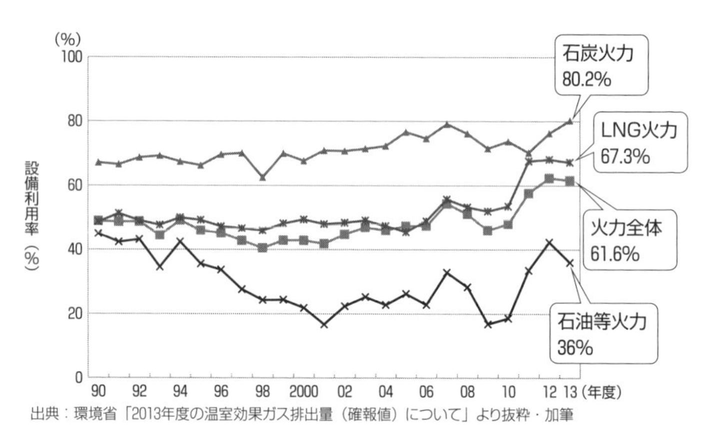

出典：環境省「2013年度の温室効果ガス排出量（確報値）について」より抜粋・加筆

図4.3-3　火力発電所の設備利用率の推移 (9)

したがって、電力会社はCO_2排出などの環境問題よりも経済性を優先して、石炭火力の設備更新を進め、次にLNG火力、そして石油火力の設備更新は一番後回しとなります。その結果、

図4.3-4のように石炭火力発電設備に比べて、石油・LNG火力の老朽化（CO_2排出量低減が進まない）が急速に進んでいるのが現状です。これは後にも出てくるように、自然エネルギーの大量導入によって需給調整のための電源能力が必要とされるようになると、支障を来すことになります。

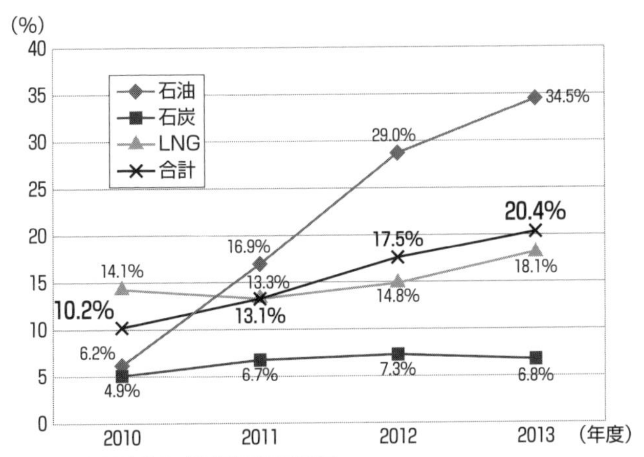

（注）1）数字は、沖縄電力除く一般電気事業者9社の合計。
（注）2）各年度の夏季（7～9月）又は冬季（12～2月）に稼働させていた発電所を計上。
（注）3）長期停止中のもの、廃止されたもの、緊急設置電源の休止中のものは、当該年度に計上していない。
（ただし、2010年10月に廃止された姫路第二1～3号機（LNG）は2010年度に計上）。

図4.3-4　老朽火力発電設備の割合（発電容量ベース）[(10)]

（注）縦軸は運転開始から40年以上を経過した（ほとんど高度成長期の設備のまま！）設備の割合です。

このような背景もあり、我が国ではエネルギー分野（主に発電設備）での研究開発は図4.3-5のように原子力発電が中心で、残りの火力発電設備の中では石炭火力が主体に行われてきました（注）。それによって、石炭火力の分野では超臨界圧（SC）から超々臨界圧（USC）、石炭ガス化複合発電（IGCC）のような世界トップレベルの技術が生み出されています。その甲斐もあって、我が国の石炭火力の発電性能は図4.3-6のように世界トップレベルに位置しています。

これまでの開発の主眼は経済性（あるいは省エネ）、NOxやPM2.5などの大気汚染対策に置かれて、CO_2排出削減はその次の位置づけであったものと思われます。当時は高コストな再エネ関係にはあまり関心が向かず、東日本大震以前は再エネ開発への支出も少なくなっています。福島原発事故を契機として、2011年からは再エネ関係も増えていますが、依然として原子力がエネルギー関係の政府支出のトップであることは変わっていません（注）。

（注）原子力の研究開発・普及費は1990年～2014年の間では、全体の68％にも達します。原子力関係の費用は主に国家予算によって賄われているものと推定されます。

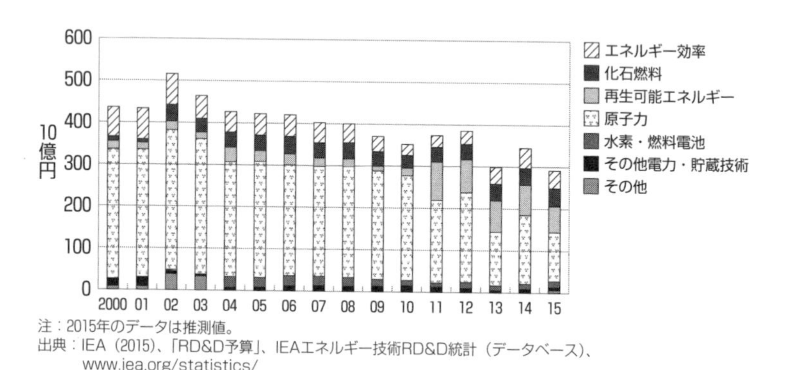

注：2015年のデータは推測値。
出典：IEA（2015）、「RD&D予算」、IEAエネルギー技術RD&D統計（データベース）、www.jea.org/statistics/

図4.3-5　日本政府のエネルギー研究開発実証に関する支出（6）

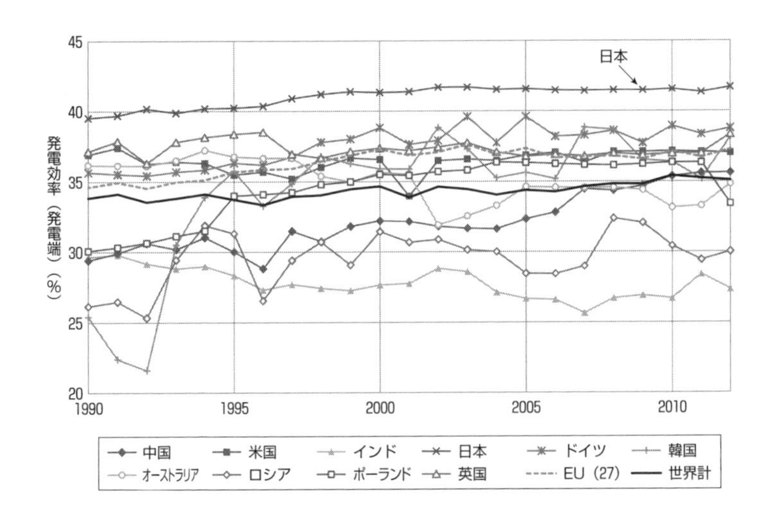

図4.3-6　石炭火力の熱効率の国際比較(11)

当時、発電設備メーカーの開発現場では、石炭火力発電設備の0.＊％の効率向上を目指した地道な研究開発が行われていましたが、それだけ客先である電力会社の強い要望を受けた熾烈な受注競争が行われていたわけです。しかし、石炭火力が多少性能向上しただけでは、CO_2排出量においてはLNG火力とは比較になりません（注）。したがって、電力分野のCO_2排出係数は図4.3-7のように1990年以降ほとんど改善が図られずに、2000年以降は石炭火力の増加によってむしろ増える状態になっています。そして、2011年の福島第１原子力発電所の事故を経て一段と悪化し、主要な諸外国に比べて見劣りすることになりました。

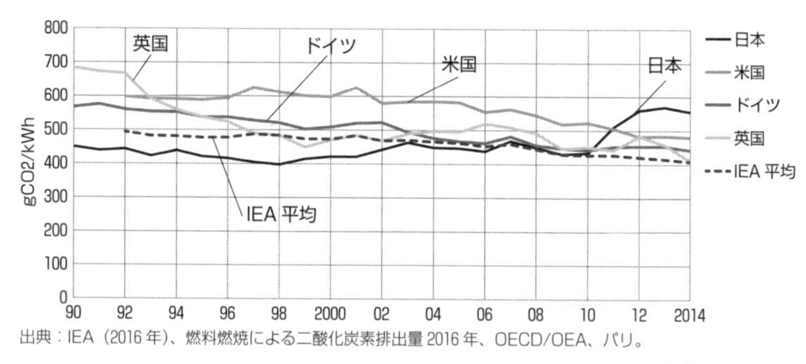

出典：IEA（2016 年）、燃料燃焼による二酸化炭素排出量 2016 年、OECD/OEA、パリ。

図4.3-7　発電におけるCO_2排出量原単位の比較 (6)

（注）主要な発電方式のライフサイクル全体にわたるCO_2排出原単位の比較を図4.3-8に示します。これは発電に関わる全行程における総CO_2排出量を発電所が一生涯に生み出す総発電量で割ったものです。第Ｉ章で見たように、発熱量基準では石炭はLNGに対して倍近くのCO_2を排出しますが、固体・気体の違いにより発電時の熱効率（図中の直接分）の差が広がり、石炭はさらに分が悪くなります。

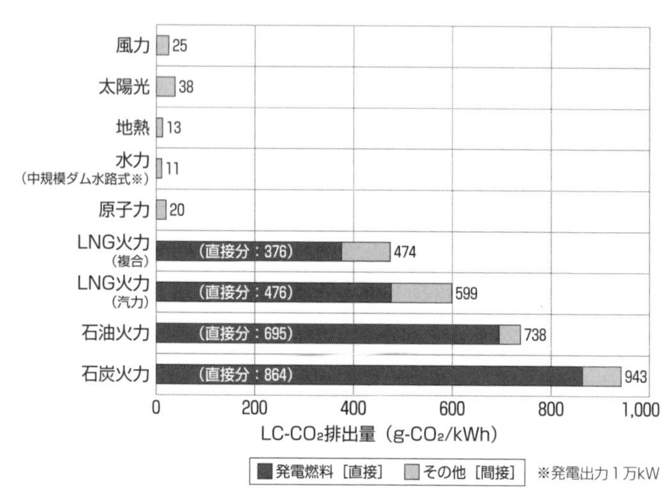

図4.3-8　電源別のライフサイクルCO_2発生量 (12)

最近、国内で石炭火力発電所の新設計画が相次ぎ（注）、さらにはアジアの新興国などへのインフラ輸出計画が持ち上がっていて、環境保護団体などから非難される状況になっています。これまで磨き上げてきた石炭火力発電に関する世界トップレベルの技術を活かしたいとの開発技術者の想いも理解できないではないですが、たとえ最新技術が盛り込まれたとしても、温暖化対策に逆行することには変わりありません。これらの設備が新設されると、少なくとも40年の稼働が予定されることになりますので、2050年にGHG排出量の実質ゼロという政府目標の達成も危うくなります。ここでも自然エネルギー社会実現に向けての発想の転換が求められています。

（注）東日本大震災後13基の石炭火力発電所が建設・稼働し、現在も24基が建設に向けて計画が進行中です。

最後の（ｖ）についても少し触れます。

図4.3-9は、世界76カ国の市民１万人に「あなたにとって、気候変動対策はどのようなものか？」と尋ねたアンケートの結果です。我が国は「生活の質を脅かす」という否定的な回答が他国に比べて、著しく高くなっています。

本データの引用者は、日本の気候変動対策はポジティブな観点を十分に踏まえてこなかったのではないかとコメントしています。まずは、私たちが地球温暖化あるいは気候変動問題をきちんと受け止めることが必要であるように思います。

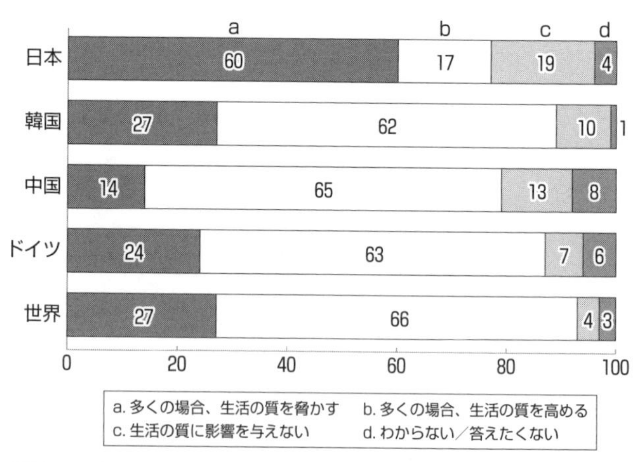

（出所）WWViews（2015）

図4.3-9　気候変動対策は生活の質にどのような影響を与えるか？：世界市民会議アンケート結果[13]

以上の主なポイントをまとめてみます。

・電力分野においては、少なくとも東日本大震災までは**経済性が最優先で、原子力開発を除けば、抜本的なCO_2排出削減の取り組みがほとんど行われてこなかった。**例えば、火力発電においてはCO_2排出の多い石炭火力がベースロード電源の位置づけで、重点的に技術開発と設備整備が進められてきた。

・政策面でのCO_2削減はすべて、原子力発電の拡大に依存するという、言わば“**原発一本足打法**”であった。今回のように、その前提条件が崩れた時の代替案が準備されていなかった。

・これらの根底にあるものとして、地球温暖化対策としてCO_2排出削減を図るための**エネルギー産業の構造転換、私たちエネルギー消費者の意識改革が遅れていることが危惧される。**

自然エネルギーを活用するという考えが東日本大震災後にやっと政策課題に乗せられるようになったが、先進的な欧州諸国からは約20年遅れで、自然エネルギーに真摯に向き合うことが必要になっている。

4．なぜ脱石炭火力が進まないのか？

最近のニュースから、環境問題に関する３つの話題を紹介し、背景の説明を加えます。その中から本項テーマの根っこにある問題点を考えてゆきます。

①燃えるアマゾンの熱帯雨林（図4.4-1）

図4.4-1アマゾンの森林火災（2019年）[(14)(15)]

南米ブラジルのアマゾンで熱帯雨林の火災が頻発して、2019年１月～８月の熱帯雨林の焼失面積は東北地方の広さにあたる6400平方キロに及んだ。火災の原因の多くはアマゾン開発を行う業者などが野焼きをしたことによると言われており、ボルソナロ大統領の経済開発優先の姿勢に欧州諸国を中心に国際社会から非難が噴出した。米ウッズホール・リサーチセンターが衛星画像などから推定したところでは、**このアマゾンの火災により１億400万トンから１億4100万トンのCO_2が排出された**とのことである。

８月下旬にフランスで開かれた主要７カ国首脳会議（G7サ

ミット）の議長国、フランスのマクロン大統領は、以下のツイートで議論を呼びかけた。
「アマゾンの熱帯雨林――地球上の酸素の20％を供給する地球の肺――が燃えている。国際的な危機だ」

②日本の石炭火力発電所の新増設計画に国際環境NGOなどが抗議活動（図4.4-2）

2019年、国連の気候変動枠組み条約締約国会議（COP25）の際に、日本は国際環境NGOネットワークから“化石賞を２度も受賞する”という不名誉な評価を受けた。それまでも下記のように、日本は石炭火力への公的支援などを通して、地球温暖化対策に消極的と批判されている。
・東日本大震災後に約50基の石炭火力発電所の新規建設が計画された。その後、計画が中止されたものもあるが、それでも現在の石炭火力発電所（発電量全体の約1/3を供給）の全出力4340万kWの**約1/3**に相当する発電所が稼働済み、または新増設に向けて計画進行中である。先進国で石炭火力発電所の新規建設が行われているのは日本のみである。
・途上国の石炭火力発電所建設に巨額の支援を実施している。日本は2007～2014年の公的資金出資額だけでも204億ドルに達する世界最大の石炭プロジェクト出資国となっている。

図4.4-2　COP25会場前で日本政府の石炭政策に抗議する人々（マドリード、2019年12月10日）[16]

この国内石炭火力発電所の増設による毎年のCO_2排出増加量を、図4.3-8のCO_2排出係数を使って概算すると、以下の通りです。

総発電量10000億（kWh）×1/3（石炭発電割合）×0.943（kg・CO_2/kWh）×1/3（増設分）≒ **1億トン・CO_2**

③ドイツ政府は石炭火力発電を2038年までに段階的に廃止する方針

2019年1月、ドイツ政府の委員会は2038年までに石炭火力を廃止するという提言書をまとめた。これを受けて連邦政府と各州は年末までに関連の立法化と具体的な実行計画の作成を行う予定である。

ドイツは図4.4-3の巨大な露天掘りの石炭採掘場に見られるように、世界有数の石炭産出国です。産出されるのは褐炭と言われる熟成度が低い（エネルギー当たりのCO_2排出量の多い）低品位の石炭種が中心で、現在の石炭火力発電は発電量全体の38％（2018年）を占めるに至っています。石炭産業は炭鉱労働者のほかに関連産業を含めると約7万人の雇用を擁する産業となっています。

図4.4-3ドイツの露天掘り褐炭採掘場（ガルツヴァイラー）[17]

一方では、国民の環境意識は高く、2020年にはCO_2排出量の40％削減（1990年比）を目標にしていましたが、2017年実績で削減量は27.7％にとどまっていて、達成が危ぶまれています。再エネ電力は42.5％（2018年）に到達しましたが、CO_2排出の多い石炭火力の削減が思うように進まないのが目標未達の大きな要因となっています。

このような状況の中で国民の声にも後押しされて、石炭産業、環境NGO、労働組合代表、経済団体などのメンバーからなる委員会がやっと上記の合意に辿り着きました。これには、現在建設中の発電所への補償や撤退で影響を受ける州への多額の支援金などが含まれています。

この石炭火力が全廃された暁（2038年以降）での、年間のCO_2削減量を見積もると、次のようになります。

ドイツの総発電量6000億（kWh）×0.38×0.943（kg・CO_2/kWh）＝**2億1500万トン・CO_2**

以上、３つのトピックスでCO_2排出の増減量に注目しましたが、いずれも年間１～２億トン・CO_2のレベルにあることがわかります。アマゾンのような熱帯雨林が一度失われると、再生は非常に困難とも言われていますが、地球温暖化においてはそれに匹敵する影響を石炭火力発電所がもたらしています。もちろんアマゾンの自然環境破壊は地球温暖化問題だけではなくて、絶滅危惧種や生物多様性の保護などの幅広い環境への影響が懸念されています。

アマゾン森林火災のニュース映像が流されて、日頃環境保護活動等に携わっていなくても、胸を痛めた方も多かったのではないかと思います。また、昨年（2019年）後半から年始にかけて、オーストラリアで発生した森林火災では**約４億トン**のCO_2が排出されたとの推計もあります。私たちが目にすることのできないCO_2排出量が削減対象で、しかもそのほとんどが身の回りの生活圏から離れたところで排出されているため、私たちが肌で感じにくいという難しさがあります。少しでも、定量的に具体的な事例と結びつけるために、取り上げてみました。

問題は石炭火力発電設備が一度建設されると40年間はCO_2排

出が固定化されることになり、ドイツが完成間近の石炭火力発電設備の建設をまずストップしたのもそこにあります。我が国の長期的な温暖化対策（「2050年にGHG排出実質ゼロ」）を考える上で、“現在”とても重要な判断ポイントにさしかかっています。

現在の地球温暖化問題には、最近のベストセラー書(18)の著者アンナ・ロスリングの次の言葉(19)がぴったりと当てはまります。

「最大の問題は長期的な変化に備えるのが政治的に難しいということ。有権者は、ゆっくり、長期的に変化するトレンドにはほとんど関心を払わず、足許で今起きていることについて変化を求める。それが最も厄介な部分だ」

石炭火力発電所による目に見えないところで進んでいるCO_2排出の増加と、ゆっくりと進行する地球温暖化について、改めて考え直す必要があります。

エネルギー基本計画（2018年７月３日閣議決定）では、石炭火力発電を「コストが低廉で、安定的に発電できるベースロード電源」と評価しています。ここでの第一の判断基準はコストで、燃料費の安い石炭からCO_2排出の少ない天然ガスや自然エネルギーに転換すると、電気代などにすぐに跳ね返るということです。これも目先だけを見るとその通りかもしれませんが、長期（～2050年）を見通すと様子が変わってきます。

「2050年にGHG排出実質ゼロ」を目指すには、石炭火力によるCO_2排出を抑えることがどうしても必要となります。例えば、上記の計画に織り込まれている石炭火力とCCS（CO_2回収・貯留）を併用してCO_2排出を削減する方法（注）では、図4.4-4のように他の電源に比べて大幅にコスト高となると推定されています。早晩ドイツと同じような選択を迫られることになると思われます。

（注）技術内容は下巻・第Ⅶ章８項を参照してください。

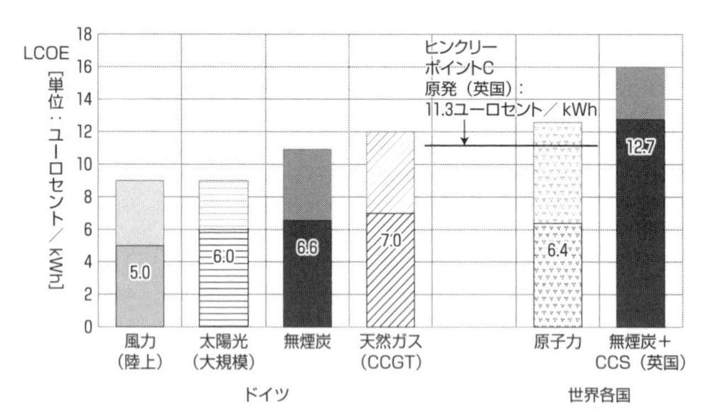

均等化発電原価（LCOE）とは、異なる技術間で1kWhあたりの発電コストを比較する際に使われる単位です。固定コストや変動コスト、そして加重平均資本コスト（WACC）も考慮されています。固定価格買取制度による買取価格は、LCOEよりも総じて少し高くなります。これは通常、発電事業者が、収入による利益分の一部を計算に組み込んでいるためです。

図4.4-4ドイツの電源の発電コスト比較（2016年） [20]

（注）バーチャートの薄色部分は価格の推定範囲を示します。無煙炭はほとんどが輸入で、国産の褐炭を使った火力発電（未表示）はより低コストです。無煙炭＋CCSはドイツでの実例がないため、英国の例に基づいて推定しています。

さらにドイツ政府は石炭や原子力産業関係者の反発を受けな

がらも、原子力（2022年全廃）と石炭火力からの同時のエネルギー転換という難題に取り組もうとしています。地下資源の乏しい私たち日本人には想像し難いのですが、豊富な石炭資源と関連産業を保有するドイツには持てる者の悩みがあり、これが脱石炭火力を難しくしています。

一方、石炭についてそのようなしがらみの少ない我が国で、経済性を根拠にして石炭火力を推進するのは、世界が協調して温暖化対策に取り組むという主旨に反するとの批判が当然予想されます。石炭資源に恵まれる米国でも、安価な天然ガスや自然エネルギーに押されて、事業者は近い将来に石炭火力発電所が坐礁資産化することを嫌って、新設計画は見られません。

表4.4-1に欧州主要国などの石炭火力発電からの撤退に向けての取り組みをまとめます。スウェーデンのように2022年に化石燃料ゼロの電力実現を目指している国から、ドイツのように今後難航が予想される国まであります。脱化石燃料に至る道筋には各国の資源保有状況や社会的な環境によって違いが見られます。それでも共通しているのは、CO_2排出を減らす最も手っ取り早く、確実で、最終的に安上がりとなる方法は石炭火力発電の廃止であり、その方向に歩みを進めようとしていることです。

表4.4-1　石炭火力発電所の廃止に向けての主要国の取り組み

国	目標全廃年	電力の石炭依存度	政策	PPCA
英国	2025年	9%（2016年）	カーボンバジェット制度導入、原発と再エネで脱炭素化	加盟
フランス	2022年	2%（2016年）	再エネ導入拡大と原発の段階的縮減	加盟
ドイツ	2038年	38%（2018年）	再エネ導入拡大と脱原発（2022年まで）	加盟
イタリア	2025年	12%（2016年）		加盟
スペイン	2025年	14%（2016年）		—
オランダ	2030年	35%（2016年）		加盟
スウェーデン	2022年	1%（2016年）	2020年に前倒し達成	加盟
カナダ	2030年	6.5%（2016年）		加盟

（注）PPCA：「石炭火力からの撤退連盟」で、石炭火力発電所の廃止と国内外のすべての石炭に対する投資を止めることを宣言。2017年にカナダと英国政府のイニシアンティブで発足し、26カ国、８地方政府、24企業等が参加している。

５．輸送機関の脱炭素化：電気自動車を例にとって

我が国の最終エネルギー消費のうち、運輸部門は全体の23％を占めており、さらにその約90％が自動車によるもので、そのほとんどを石油製品に依存しています（図4.5-1）。自動車は、"移動"するというミッションのために、主な駆動装置であるエンジンが**（スケールメリットが発揮できない）小型軽量**でなければならなくて、使用条件も発進・低速走行および加減速による**部分負荷運転の繰り返し**です。このいずれもが、エンジンのエネルギー効率を下げる要因となり、部門別では最大のエネルギー損失（注）を発生しているため、効率の向上やCO_2排出量の低減が焦眉の急となっています。

（注）文献[21]によると、2012年の運輸部門のエネルギー損失は国全体の約46％に相当しています。エネルギー消費割合は他部門に比べて特段大きくないのですが、エネルギー効率が非常に低いのが問題です。

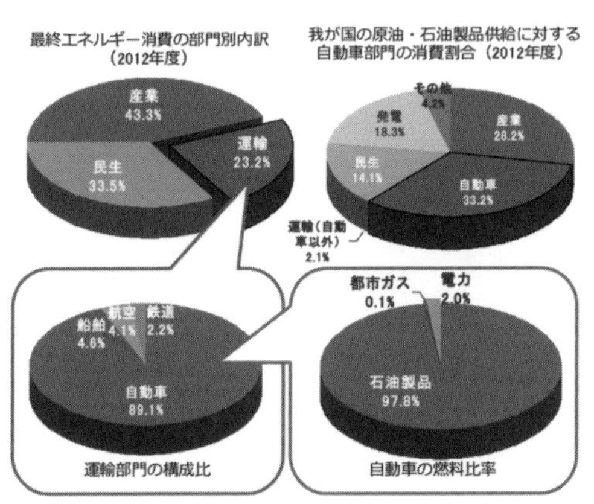

図4.5-1　輸送部門のエネルギー消費の現状（2012年度）[22]

ここでは動力装置の脱炭素化に向けて、動力のエネルギー源を化石燃料から（自然エネルギー由来の）電気にシフトする"電動化"の意義について考えてみます。電動化の代表的なものが、今起こっている自動車の駆動システム（パワートレイン）をガソリンエンジンから電動モーターやハイブリッド・システムに置き換えるという流れです。これらの性能などを比べてみると興味深いことがわかってきます。

文献[21]では、脱炭素社会の実現性を検討するために、エネルギー供給の流れを以下の３種類のフローで分析しています。そして、再エネを含むエネルギー資源から需要家における消費に至る一連の流れを可視化するなどで理解することが、これからのエネルギー・システムを設計するために重要であるとしています。

・エネルギーフロー（エネルギー効率）
・カーボンフロー（環境性）
・キャッシュフロー（経済性）

私たちが車の購入を検討する場合を考えてみます。使用する用途や予算に応じて、大体の車の大きさやタイプを絞り込み、いくつかの候補車種を決めた上で、カタログを取り寄せて比較検討することになります。この際には、上記のエネルギーフローは最終的な車の燃費で押さえて、キャッシュフローは必要な頭金、購入代金、途中の燃料代などで念入りに検討するでしょう。しかし、カーボンフロー（CO_2排出量）はあまり意識することがないと思います。しかし当面は心配には及ばず、CO_2排出量は燃費の裏返しのようにエネルギーフローと対になっていますから、ほとんどは燃費で考慮されていると考えられます。

ところが、これからガソリン以外をエネルギー源とする電気自動車などが増えてくると、事情が大きく変わってきます。カーボンフローを環境対策の一環として、別途比較検討の対象に加えなければならなくなります。

はじめに、従来型のガソリンエンジン車GV、ハイブリッド車HV、電気自動車EVのエネルギー効率の比較に移る前に、ハイブリッド車の仕組みについて簡単に説明します。

ハイブリッド車HVは２つ以上の動力源を持つ車ですが、通常は内燃エンジンとモーターを使います。図4.5-2にEVとHV２種の動力系統を比較しています。HVには大きく分けて、エンジンは発電用のみに使用して、完全にモーターのみで走行するシリーズ式（図の真ん中の日産e-POWER）と、エンジン走行をモーターでアシストするパラレル式（従来型HEV）があります。これらのHVに比べると、EVはエンジン・発電機はもちろん、燃料ポンプなども要らなくて、すっきりとした見かけですが、逆にモーターや電池容量をかなり大きくする必要があります。

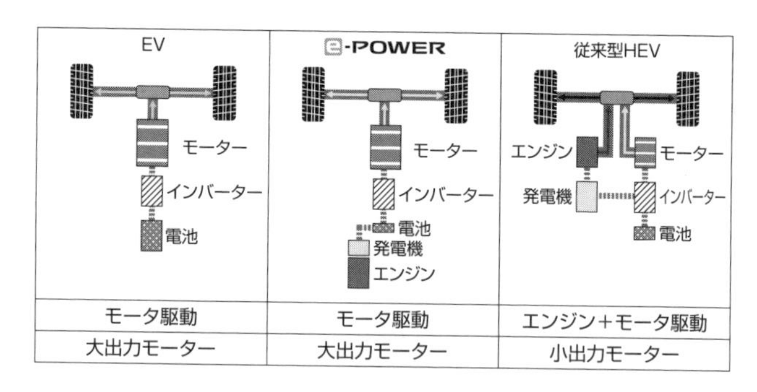

図4.5-2　EVとHVの動力系統の比較[(23)]

次に、HVの特長についてです。

一言で言えば、エンジンとモーターという異なる特性を持つ動力源を高度に制御して、高い燃費性能を実現していることにあります。もう少し具体的には、以下の２点が挙げられますが、前者はアイドリング・ストップなどとともに普通のガソリン車でもある程度取り入れられつつありますので、後者が本質的に重要です。

・減速または制動時の運動エネルギーを電気エネルギーに変えて、無駄に捨てられていたエネルギーを回収して電池に蓄える（回生エネルギー）。

・内燃エンジンでは、図4.5-3のように**低負荷・低回転領域での熱効率が急激に落ちるため、この部分をモーター駆動で代替し、できるだけエンジンを最高効率に近い領域で使う**ように制御する。

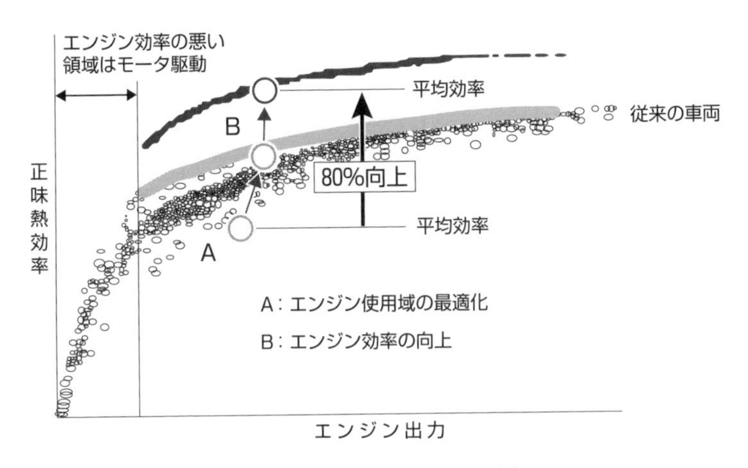

図4.5-3　エンジン熱効率 (24)

通常の車運転時に圧倒的に多い部分負荷運転という、エンジンが苦手としていた領域をうまくモーターが補ってくれれば、かなりの性能向上が期待できます。電動モーターは熱エネルギー損失が少なくて、設計条件から外れた運転でも性能の低下はあまりありません。

さらに、設計者にとってありがたいのは、従来は低速走行などの低負荷運転からフルパワーまで全体の性能がうまくバランスするようにトレードオフでエンジン開発を進めなければならなかったのが、ほぼ最大出力付近の一点集中で最適設計を追求することができることです。そのため、最近は自動車メーカー各社から熱効率が50％に迫るエンジンが開発されたとのニュース（注）が相次いでいます。大型の発電用ガスタービンの熱効率が60％に達しつつあるのに比べても、あまり見劣りがしなくなっています。

（注）トヨタ、日産、ホンダ各社がハイブリッド車用の試作エンジンで性能改善を続けています。但し、発表される数値は最高の熱効率であるため、従来の平均的な熱効率などと比較する場合には注意が必要です。

図4.5-4はエンジンの熱効率をイメージしやすいように別の典型的な例から採ったものですが、損失の大部分が熱損失です。設計者がエンジンの熱効率を改善するために、日夜苦闘している姿が目に浮かびます。このエンジン出力から動力伝達系や空調系などでの損失が引かれて、車両効率となります。実際の走行においては、さらに車輪の転がり抵抗、車体の空力抵抗によるエネルギー損失が加わることになりますが、ここでの車両効率には含めていません。

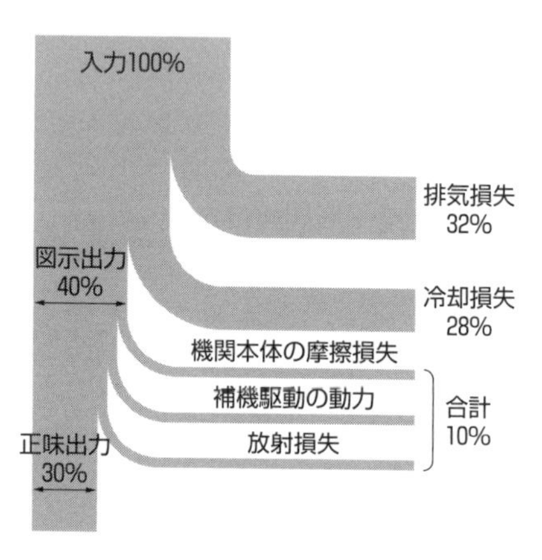

図4.5-4　典型的なガソリンエンジンのエネルギー効率(25)

異なる種類の動力源同士でエネルギー効率を比較する場合には、一次エネルギーが採掘されてから、最終的に有効な仕事として消費されるまでの全体プロセスを見渡す必要があります。そのため、ここでは燃料効率（Well to Tank）と車両効率（Tank to Wheel）に分けて、総合効率（Well to Wheel）を試算してみました。

通常のガソリン車とHV、EVのエネルギーフロー全体の特徴と性能を比較するため、簡単な試算を行った結果を表4.5-1に示します。ここでは、主に一次エネルギーとしてガソリンなどの化石燃料を使用する前提で検討が行われています。

なお、再エネをエネルギー源とした場合も考えましたが、資源量に限り（希少価値）がある化石燃料と無尽蔵とも言える再エネを同列に比較することにはあまり意味がないこともあり、燃料効率は空欄のままにしてあります。

車のエネルギー消費率（燃費）などの性能は運転条件や車種などによって大きく変化し、しかも性能は日進月歩ですから、表中の数字はあくまでも現在時点の平均的な目安と考えてください。注目点はどこでどのようなエネルギー損失が生じているかです。

表4.5-1．動力源による車のエネルギー効率の比較

	動力源	燃料効率（%）	車両効率（%）	総合効率（%）[6]
化石燃料主体	ガソリン車GV	84 [1]	18 [4]	15
	ハイブリッド車HV	84 [1]	37 [4]	31
	電気自動車EV	33 [2]	80-α [5]	26-α'
	燃料電池車FCV（化石燃料改質）	46 [3]	60-β [5]	28-β'
再エネ	電気自動車EV	—	80	—
	燃料電池車FCV	—	—	—

（注）各数値の考え方を以下に示します。

＊1．ガソリンの燃料効率は「輸送用燃料のWell-to-Wheel評価」（トヨタ自動車・みずほ情報総研）による。
精製効率0.88×輸送効率0.95と考える

＊2．電気変換効率（図3.4-3）0.37×バッテリー充放電効率0.90

＊3．生成効率（下記資料）0.58×燃料輸送効率0.80
「固体高分子形燃料電池の現状と課題」（小久見善八）

＊4．エンジン熱効率（下記資料）0.41×補機・伝達系・空調損失0.90、GVの熱効率はHVの1/2（下記資料）
「自動車の将来動向：EVが今後の主流になりうるのか」（藤村俊夫）

＊5．FCVの車両効率はJHFC燃料電池自動車WG(2010年）などによる。
α、βは空調などによるエネルギー損失

＊6．総合効率（Well-to-Wheel）＝燃料効率（Well-to-Tank）×車両効率（Tank-to-Wheel）
α'、β'はα、βに燃料効率が掛かったもの

表4.5-1の結果に説明を加えます。まずエネルギー総合効率についてです。

・ガソリン車（GV）

私たちが日頃使っているマイカーなどは、平均的にはエネルギー効率が10%そこそこと非常に低いのがわかります。ライドシェアやマイカーから乗合いバス、鉄道などへ、貨物トラックから鉄道、船舶などへの輸送機関のモーダル・シフトの必要性が叫ばれるゆえんです。

・ハイブリッド車（HV）

我が国の自動車メーカーが磨き上げてきた技術の結晶であり、エネルギー効率がガソリン車から大幅に伸びます。意外なことに、エコカー代表のEVなどと比べても優れた性能です。上記のように、部分負荷運転での性能低下というエンジンの弱点をモーターのアシストで補って、発電用ガスタービンなどのスケールメリットと対抗すべくエンジン性能を向上させています。一方、EV側にも発電所からの電力系統での送電ロス、バッテリーとの間の充放電ロスや繰り返し使用時のバッテリー性能劣化という固有の問題点があります。

・電気自動車（EV）

表中の$-\alpha$、$-\beta$は空調（特に暖房）を使用した時の性能低下を表しています。表3.7-1のように電気を熱に変換して使うのはとても非効率で、GVやHVがエンジンでの排熱を有効利用できるのとは大違いです。特に冬期や寒冷地でEVを使用するとかなりの燃費低下を実感するでしょうが、電気エネルギーしか持たないEVの泣きどころでもあります（注）。

全体のエネルギー損失はほとんど発電所のエネルギー転換で

生じていることがわかりますが、上記のように我が国の火力発電所の設備が古いこと（図4.3-4）やLNGと比べて元来の発電効率の悪い石炭火力の割合が依然として高いこと（図4.3-1）が足を引っ張っている可能性もあります。

また、この表には含まれていませんが、エネルギー密度が低い（図4.1-1）ためにボリュームが大きくて重たいバッテリーを積むため、車体重量がGVよりも２～３割増えると言われます。「高価なバッテリーを運ぶ高級車」とも揶揄されかねない状況で、EVがエコカーとしてなかなか普及が進まない一つの要因となっています。

（注）燃料電池車も似たような状況ですが、燃料水素の化学反応時に出てくる排熱を多少利用できる可能性があります。

次に、カーボンフローにおける評価です。

現在の電源構成は図4.3-1のように、ほとんどが化石燃料に依存しているため、EVと化石燃料によるGVやHVでは単位エネルギー当たりのCO_2排出量にあまり差はなくて、表4.5-1の評価がほとんどそのまま当てはまります。さらに精確性を期すために、最近のCO_2排出係数で比較すると下記のようになり、上記のEVとHVの差は約３割縮まります。

・電力のCO_2排出係数（2016年）：0.516 kg・CO_2/kWh

・石油のCO_2排出係数：0.66 kg・CO_2/kWh

逆に、車の製造工程までも考慮すると、EVはバッテリー部品製造でかなりのCO_2を排出するため両者の差はより広がることになります。

これらの結果からすると、ハイブリッド車のエネルギー性能が頭一つ抜きん出ていて、「これ以上のエコカーは要らないのではないか？」との声が出てきそうです。しかし、これは我が国の電源構成（CO_2排出係数）で考えた現時点での評価であることに注意してください。これから電源の脱炭素化が進んでゆくと、その割合が直接EVの環境性能（CO_2排出量）の向上に関係し、やがてHVの環境性能を逆転することになります。そして、両者の一次エネルギーの性質が異なる（自然エネルギーと化石燃料）こともあって、エネルギーフローとカーボンフローの評価が完全に分かれることになります。

西欧諸国の中には、近い将来に内燃エンジン車GV/HVの販売を禁止しようという動きが出つつありますが、むしろこれらの国にとってはカーボンニュートラルな社会実現のための重要なステップと捉えていることがわかります。

以上から、次の結論が導かれます。

・車の（エネルギー）性能と環境性評価は必ずしも一致しない
・電気自動車がその環境性能を発揮するためには、電源の脱炭素化がまず必要である
・私たちが地球温暖化対策をどの程度重視するかが、エコカー普及の方向性を決める

このように車の電動化と電源の脱炭素化は車の両輪のように働いて、効果を最大限に発揮します。そして、エネルギー全体

の脱炭素化が本格化する2050年頃には、現在の延長線上で考えられる状況とは一変するものと考えられます。

我が国の2050年目標値「GHG排出量・実質ゼロ」では、材料などの製造プロセスで代替品がない場合を除くと化石燃料が自由に使えなくなる可能性があります。輸送部門でも、飛行機などの対応が難しいもの以外は脱化石燃料に向かうでしょう。バイオディーゼルやエタノールなどのバイオ燃料は供給量が大きく伸びることは難しいかもしれませんから、化石燃料を使った内燃エンジンから自然エネルギー源の電気自動車へ移行が進むことは確実と思われます。

この車の電動化、電気自動車へのシフトがどのようなスピードで進むかが自動車メーカーの重大な関心事です。特に世界に冠たるハイブリッド技術を擁する日本の自動車メーカーにとっては、この切り替えのタイミングをどのように考えるかが将来の経営を左右することになります。自動車メーカーにとっては大変悩ましい時代に入ってきました。

図4.5-5はある大手電力会社が発表した2050年のエネルギー需要予測の一例です。最大電化ケースとして運輸用動力と熱利用（注）のかなりの部分が将来電気エネルギーに置き換わり（「電化による省エネ」）、省エネ活動の推進なども加わって、全体のエネルギー需要は減りつつも、電力需要はやがて回復する（「25％増」）ことを想定しています。各種の調査機関などから将来のエネルギー需給見通しが発表されていて、個々の結果には少

し開きが見られますが、人口減少と省エネ、運輸部門や熱利用の電化によるエネルギー総需要の減少を見込んでいる点ではほとんど共通しています。

（注）第Ⅲ章７項によります。

この点についてのさらなる議論は下巻・第Ⅷ章で取り上げます。

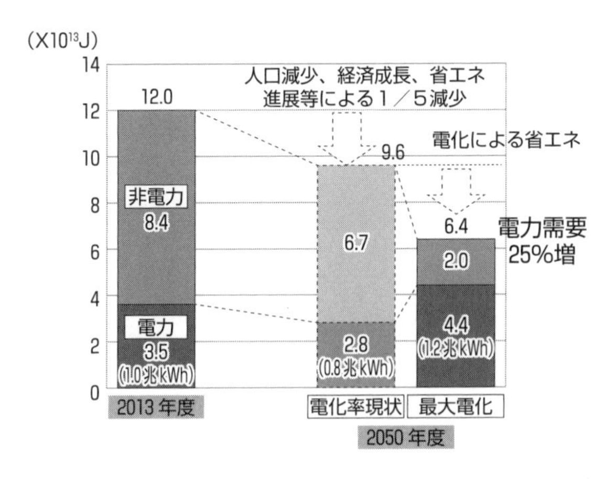

図4.5-5　2050年の最終エネルギー消費と電力消費 [26]

（注）電力消費には自家発電を含む。

自然エネルギー社会で電力の果たす役割が大きくなることを再確認したところで、次に電力の輸送においてどのような変化が生まれてくるかを考えてみます。

６．我が国の電力系統の特徴と課題

これまでに見てきたように、地球温暖化対策のために社会の脱炭素化に向けて自然エネルギーの導入拡大を進めていくと、電力の果たす役割がますます大きくなってきます。それはエネルギーを効率的に使うという側面とともに、「必要な人に、必要な時に、必要なだけ」エネルギーを供給するという現在の電力システムが持っている優れたポテンシャルによります。これから自然エネルギーが大量に導入された時に、このポテンシャルをどこまで発揮できるかは、それを支える社会インフラや仕組みがどれだけ整備されているかにかかっています。

いくら無尽蔵にある自然エネルギーを有効活用しようと言っても、それを取り出すことから始まって、ニーズのあるところに速やかに確実に届けられるようにならないと、エネルギーとしての価値を生み出すことができません。その意味で、電気の送配電系統（以下では電力系統またはグリッド）はこれからさらに重要な位置を占めることになります。ここでは、自然災害の発生などでトラブルが発生した時以外はあまりニュースになることもなく、意外と知られていない電力系統について少し考えてみたいと思います。

最初に、我が国の戦後の電力系統の展開を簡単に振り返ってみます。

以下に図4.6-1の電源構成の推移を参考にして、電力系統の変遷をまとめてみました。戦後の高度成長期を経て、電力需要が急激に拡大するとともに、電力の一次エネルギー源が時とともに移り変わって、それに応じて電力系統も発展してきました。

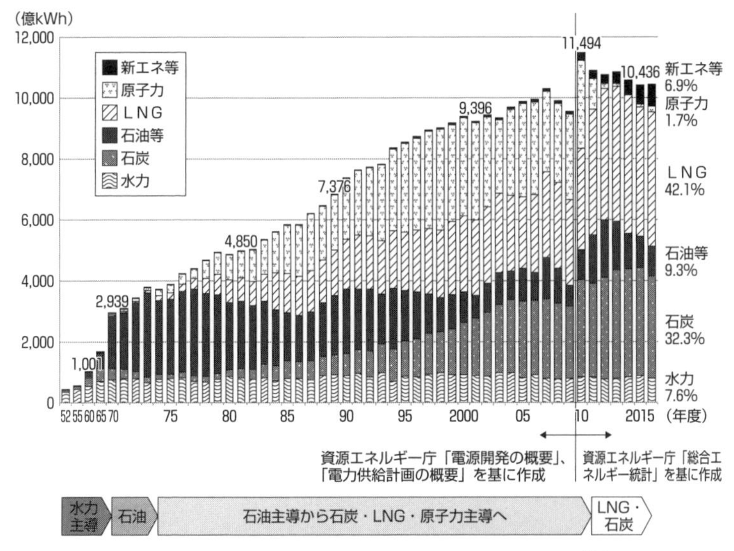

図4.6-1　我が国の電力の電源別供給量割合 [27]

【国産エネルギーの時代】

昭和40年頃までは電力の主力は水力でした。次に多いのが石炭火力で、我が国も未だ電力需要量がそれほど大きくなく、ほとんど国内資源で賄っていました（電力の原風景）。したがって、図4.6-2（ｉ）のように列島中央の山間部に点在する水力発電所から都心部への送電線を中心に電力ネットワークが構成されました。水力発電所の規模は、後の火力・原子力に比べて小さいため（注）、送電線容量も現在主力の500kVに比べて小さいものでした。

（注）最大の奥只見水力発電所56万kWでも、近年の大型火力発電所が100万kWを超えるのに比べて小さいことがわかります。

自然破壊や立地地域住民の生活環境の問題もあり、この時期までに主な水力の開発が終わるとともに、以降は現在に至るまで水力発電所の発電容量・発電量は揚水発電を除くとあまり増えていません（注）。特に関西エリアは需要に対して水源に恵まれていないため、関西電力が社運を賭けて中部山岳の奥地にまで進出し、昭和38年に黒部ダムを竣工したのが時代の転換点となりました。年配の方には映画『黒部の太陽』（石原裕次郎、三船敏郎主演）として記憶に残っていることでしょう。

（注）本州の大手電力９社の水力発電設備容量（揚水を含む）の構成比は、いずれも現在15~21％と似たような割合になっています

1955年当時
山間部の水力発電所と京浜地区を結ぶ154kV送電線と都区内周辺を取り巻く66kV内輪線で構成。

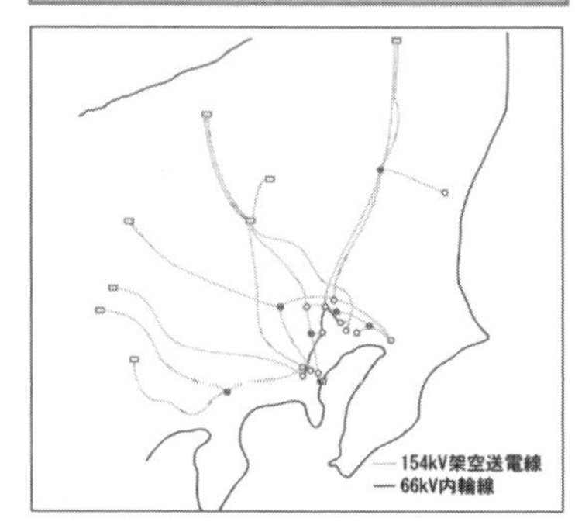

（ｉ）1955年当時

1985年当時
首都圏を囲む500ｋV二重外輪系統がほぼ完成。その後も、需要の増大、電源の開発に対応して、500kV系統を逐次構築。

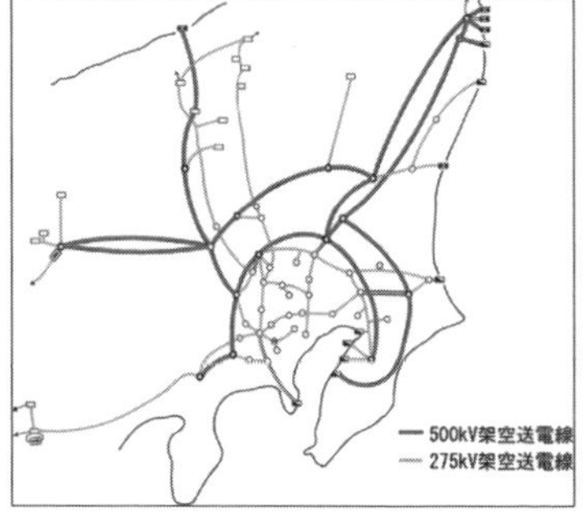

（ⅱ）1985年当時

図4.6-2　東京電力の電力ネットワークの展開(28)

【電力需要の急増と石油火力依存の時代】

昭和40～50年代にかけては、高度成長期の真っただ中に入り、電力需要の急拡大と消費の都市集中により、都市と遠隔地の発電所とを結ぶ大容量500kVの系統が構築されます。大都市近郊には石油火力発電所の建設が進みますが、住民の生活圏との近接は、四日市市、川崎市などで大気汚染などの公害問題の一因となります（Environment）。

こうして都心部周辺には高圧大容量の環状・放射状の系統が整備されていきます。しかし、昭和48、54年の二次のオイルショックがもたらした石油価格の高騰以降は、エネルギーの経済性（Energy Efficiency）と同時に安定供給が重視されるようになり、準国産エネルギーとしての原子力発電への期待が高まってきます。

【原子力勃興の時代】

昭和50年代に入って、石油価格高騰の影響を緩和するために、代替エネルギーとして原子力開発とLNGへの転換が進められます。特に、原子力は上記の公害問題への対応策にもなり、関西電力はエリア端部の若狭湾、東京電力はエリア外の福島、新潟といった遠隔の原発立地に高圧・大容量の送電線とともに進出します。図4.6-2（ⅱ）のように、この時期には現在の電力系統の基本的な骨格が出来上がったようです。

【エネルギーバランスの時代】

中東情勢やテロ等の地政学的なリスクが高まり、エネルギー供給に対する安全保障（Energy Security）が注目されるようになり、平成に入って東日本大震災までは、原子力、ＬＮＧ、石油・石炭がほぼ同じような割合を占めるようになっています。この時期には、さらなる需要増加による系統規模拡大に対応して、都市部周辺で地中送電線を含めて電力系統が増強されています。

そして2011年の福島第１原子力発電所の事故によって生じた原子力発電量の落ち込みを石炭とLNG火力発電が肩代わりして、現在の電源２本柱となっています。また、合わせて原子力施設に対する安全性（**Safety**）の見直しと根本原因の追求が続けられています。

以上、簡単な要約ですが、現在のエネルギー政策の基本である“3E＋S”がこの間の電力導入拡大の歴史に織り込まれています。さらに、現在エネルギー源として化石燃料の使用偏重がCO_2の大量排出を招き、**地球環境問題（Environment）**に別の角度から光が当たっています。

そして、これから脱化石燃料へと大きく舵を切った時に**現在の電力系統が、運用方法を含めて今後の自然エネルギー大量導入のために最適なグリッドとは多少異なった姿である**ことは、容易に想像されます。今の電力系統に何が欠けていて、どのように補強していくかを議論すべき時期にさしかかっています。

ここで、改めて現状の全国の電力系統を概観してみます。

図4.6-3が日本の主要な送電系統図です。図4.6-4のドイツのものと比較するとその違いがよくわかります。前者は“櫛(くし)形”、後

者は“メッシュ形”と言われます。個人的な印象としては、我が国のものは各電力会社のエリアを団子に見立てて、それらを地区間連系線で串刺しにした“串形”の形容の方がふさわしいような気がします。これは南北に細長い国土の上に中央に険しい山脈が走るという地形上の特徴からくる自然な姿と言えます。

一般的には、前者は後者に比べてどこかの電源で生じた出力変動を吸収するのがやや苦手ですが、逆に１カ所で事故が発生した時などに意図しない経路で電流が流れて思わぬ大規模停電を引き起こす可能性が低い（電力の潮流管理がやりやすい）と言われます。もう一つ決定的な違いは、我が国は周囲が海で囲まれて電力系統が孤立しているのに対して、ドイツはヨーロッパ大陸中央部で周辺諸国と連系線で複数つながっていることです。

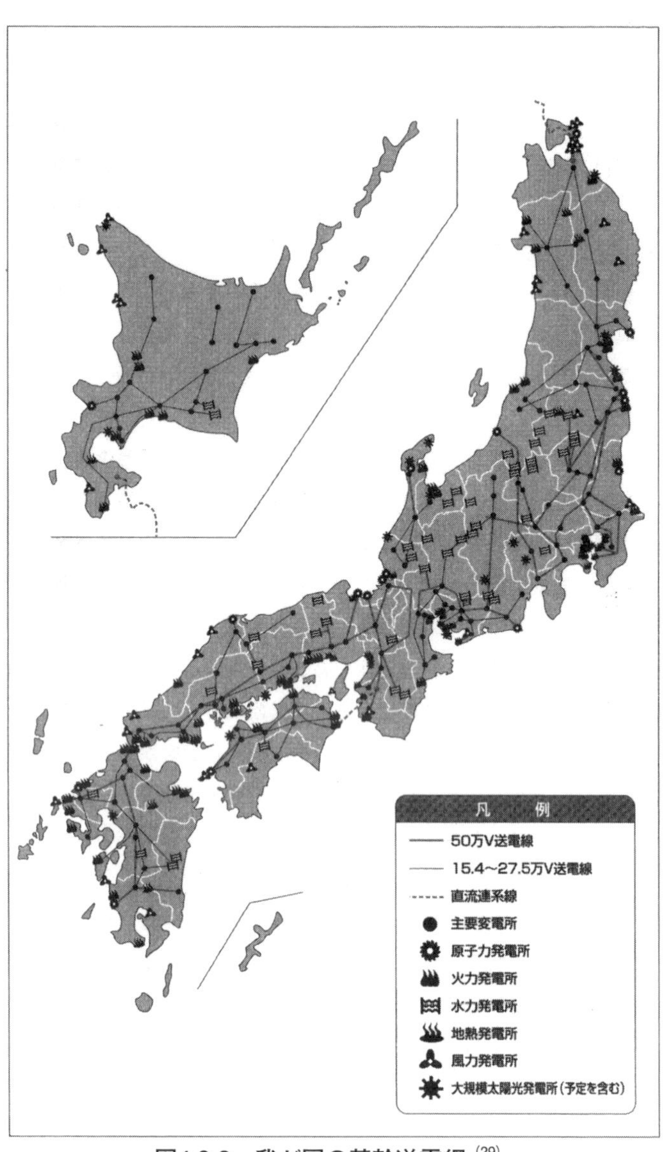

図4.6-3　我が国の基幹送電網 (29)

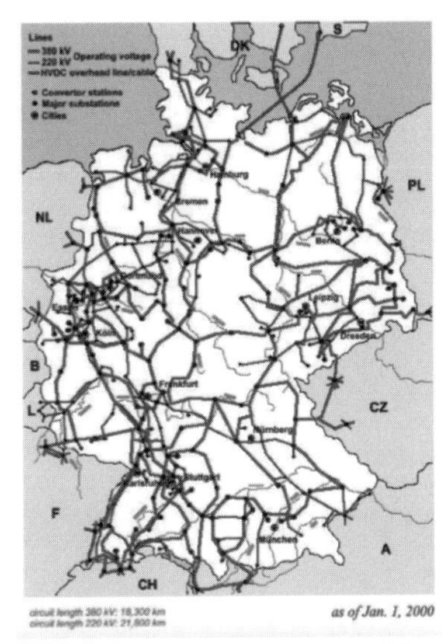

図4.6-4　ドイツの送電系統 (30)

そして、電力系統の構成にはその他にも以下のような電力産業の社会的な生い立ちが深くかかわっています。

・戦後、地域独占の大手電力会社（沖縄電力を除いて本州９社）がエリアを分割して展開　⇒各電力会社が自エリア内での需給調整を一手に引き受けて、必要な需要に合わせて発電所と電力系統もほとんど自己完結的に整備されてきた。もともと“団子の串”にあたる広域連携線は、自然エネルギーのような変動電源などの融通に活用するという発想があまりなかった。

・列島中央で電流周波数が西日本60Hzと東日本50Hzに分かれ、融通には周波数変換が必要　⇒東日本大震災でも問題となったように周波数変換装置の能力が不十分で、相互融通が難しい。

それでも、何らかの不測の事態に備える意味合いなどもあって、図4.6-5のように各電力会社間に地域間連系線が設けられています。本図では電力会社ごとの運用容量（注）と地域間連携線の双方向の送電容量が示されています。電力周波数50Hzの東日本エリア、60Hzの西日本エリアが３カ所の周波数変換所でつながっていますが、容量は両方向とも現状120万kWとわずかです。東日本大震災の折には、東京電力管内では計画停電が行われたのに対して、西日本地区にはほとんど影響がなかったのは記憶に新しいところです。図4.6-5からも、東日本で大規模な災害が発生した際の首都圏での電力供給に脆弱性があることがうかがえます。

（注）電力消費が最も大きくなる８月平日昼間の時間帯を採っています。

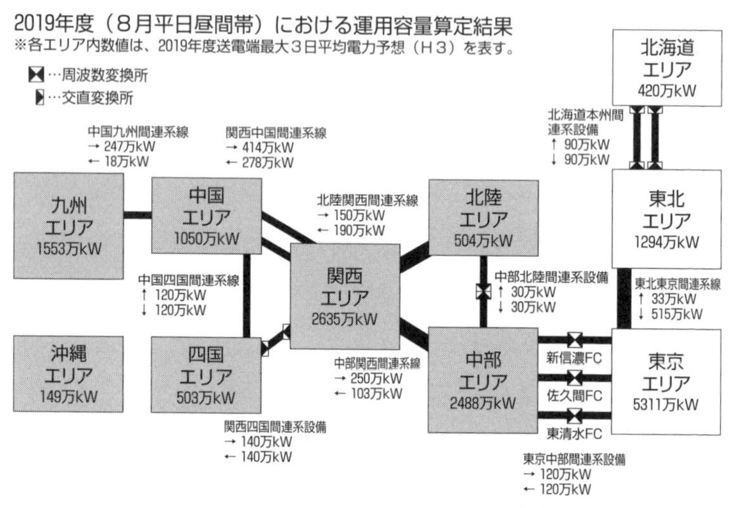

図4.6-5　全国電力系統の概念図 (31)

私たちが日頃あまり目にすることがない全国の電力系統と**地域間連系線**の図ですが、各大手電力会社の供給区域を越えて、電力の供給力や調整力を活用する**広域運用の基幹となる設備**であり、これからの自然エネルギーの大量導入において重要な役割を担うことになります。例えば、北日本エリアに偏在する風力エネルギーを首都圏に送る〔(北海道⇒) 東北⇒東京〕、あるいは太陽光発電などが余る九州・四国地方の電力を関西・中部地区に届ける〔九州・四国⇒中国⇒関西・中部〕際には地域間連携線の強化と運用方法の改善が必要です。

これらの地域間連系線の整備計画立案（注）と電力系統全体の統合的な運用監督のために、「電力広域的運営推進機関(OCCTO)」が2015年に設立されました。また、2020年４月からの大手電力会社の発送電分離により、広域運用により適した環境が整うものと期待されます。

（注）地域間連系線については、例えば以下のような増強工事が進行中です。

・東京中部連系線：120→210→300万kW（300万kWは計画）

・東北東京連系線：515→1028万kW（計画）

以下にいくつかの注目すべき点を追記します。

・ほとんどの地域間連系線の容量は運用容量の1/10程度で、現在の地域間連系線の利用は上記のようにあくまでも補助的な手段にすぎないことがわかります。運用容量に匹敵する国際連系線が整備されているデンマークなどとは基本的な考え方が違っています。一部、東北⇒東京の連系線容量が515万kWと大きくなっていますが、元来は福島原子力発電所やその他の火力発電所などの電力を首都圏に運ぶためのものです(注)。

・北陸⇔中部、関西⇔四国の連系線には交直変換所が設けられていますが、これは主に交流の電力系統の安定性を維持するためです。

・北海道⇔東北連系線は海底ケーブルによる直流送電で設備費が嵩むため、連系線容量の拡大は経済性との兼ね合いによります。2018年9月6日発生した北海道でのブラックアウト（大規模停電）では、連系線がほとんど機能を果たすことができませんでした。

（注）福島県では原発事故により使われていない連系線容量を活用して、2040年に自然エネルギー100%社会の実現を目指して、風力・太陽光発電などの自然エネルギー開発が行われています。また、2021年の東京オリンピックではこの電力も利用して、自然エネルギー100%で大会運営することを計画中です。

７．自然変動エネルギーの大量導入でどのような問題が起こるか？

FIT制度の開始以降、電源構成で太陽光を中心とした自然変動エネルギーが増えてくると、少しずつ将来の電力需給の姿が見えてきます。その最大の狙いはCO_2排出削減効果にありますが、同時にいくつかの問題点、あるいは今後解決していくべき課題が浮かび上がってきます。ここでは、太陽光発電が急激に増えて課題先進地域とも言える九州エリアの最近の状況を中心に、将来に向けての対応策を考えてみます。

①電力のピークカット・シフト

最初は変動性の自然エネルギーが増えるメリットについてです（図4.2-3参照）。

１日の平均的な電力需要は地域や季節にもよりますが、家庭などを中心に生じる朝と夕、工場や事務所が主体の平日昼という３つのピークが発生します。特に、年間の最大需要は盛夏８月のクーラーを目一杯使う昼過ぎに生じるのが相場でした。以前はだいたい高校野球決勝戦の頃に、各電力会社から電力の需給逼迫のため節電要請がなされることが多かったのですが、最近はほとんどなくなっています。これはこの時間帯には、あちこちの太陽光発電が目一杯発電して、もともとの需要から太陽光発電量を差し引いた「有効需要」が減っているためです。

この太陽光発電による電力のピークカット効果は下記のような、具体的な恩恵をもたらしてくれます。

・電力会社：１年間にまれに発生する最大需要のために保有し

ていた石油火力などの調整電源の稼働を減らすことによって、割高な石油などの燃料費を削減できます。さらに、これらの設備投資を削減することができれば、それだけ身軽な経営が実現できます。

・電気の需要家／プロシューマー：工場や事務所の屋根にソーラーパネルを置いて、発電した電力を自家消費すれば電気代を減らすことができます。さらに、ピーク電力を減らして契約電力kWを下げることができれば、電気代節約のメリットが得られます。また、太陽光パネルの遮熱効果で空調費が減るというおまけが付くこともあります。

②太陽光発電などの出力抑制

2018年春に、太陽光発電が急速に導入拡大された九州電力管内では、離島を除く本州地域では初めて「再エネの出力抑制」が発動されました。春秋の晴天日に昼間の発電量が需要量を超過することが予想されたために、九州電力より事前に輪番で各太陽光発電所などに（無償で）停止が要請されました。せっかく発電した電気を無駄に捨ててしまうわけですから、何かもったいないような気がします。

この時の１日の電力需給状況を示したのが図4.7-1です。上記の出力抑制に加えて、揚水発電と中国電力との連系線を通じた電力輸送を行っても、12時頃には自然エネルギー源の電力が電力需要の96％（うち太陽光が81％）に達しています。春秋の休日昼間の電力需要が少ない時期で、しかも晴天の昼間にこのような事態が発生することはあらかじめ予想されていたことではあります。

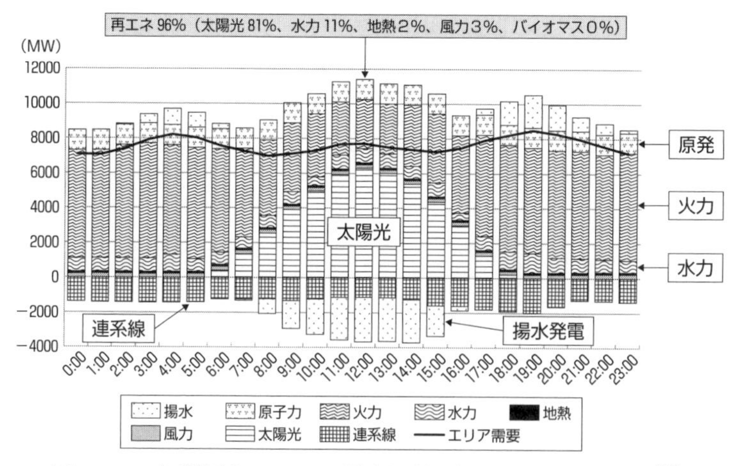

図4.7-1　九州電力エリアの電力需給（2018年５月３日）(32)

発電データを年間通しで見ると、さらに特徴がよくわかります。表4.7-1は九州電力が公表している発電データを集計した結果です。１年間の平均と、１カ月、１日、１時間の時間区分で自然エネルギーが最大の割合になる期間を採って、自然エネルギーの電源種別の割合を示しています。図4.7-1のように太陽光発電などで目一杯になっている時間帯もありますが、１日～１年間とスパンを長く取るにつれて割合が低下して、１年間通し（2018年度）の自然エネルギー割合は21％（うち太陽光は11.5％）にとどまります。これが太陽光発電に偏って自然エネルギーが導入された場合に起こる典型的な例です。太陽光発電はせいぜい昼間しか発電しなくて稼働率が低い（平均12％～14％）ため、そして天候に左右されて大きく変動するため、それを埋め合わせる別の調整電源が必要となります。

表4.7-1　九州電力の自然エネルギー割合（%、2018年度）

項目	年間平均	1カ月間最大（5月）	1日間最大（5月4日）	1時間最大（5月3日12時）
水力	6.0	8.7	8.8	10.5
太陽光	**11.5**	**14.4**	**27.3**	**81.3**
風力	0.7	0.8	1.8	2.5
地熱	1.3	1.5	1.5	1.5
バイオマス	1.6	0.3	0.3	0.3
再エネ・計	**21.0**	**25.7**	**39.8**	**96.1**
(参考)連系線	18.6	13.9	17.1	14.3

（注）九州電力発表のデータに基づき、電力需要全体に占める各自然エネルギーの割合を示す。
端数処理の関係で小数点以下が合計と一致しない場合がある。

③連系線を活用した広域運用の必要性

同じような期間で、全国の電力会社ごとの電力需給状況をまとめたものが図4.7-2です。本図でもわかるように、東北エリアと九州・四国エリアは発電量が需要量（100%）を超過して、連系線を通じて、それぞれ東京（全体容量が大きいため割合としては少ない)、中国・関西へと送られていることがわかります。連系線を流れる電源種別は識別できませんが、いずれも自然エネルギーの導入量が増えていることが効いていると推定されます。

北海道も自然エネルギー源が豊富にあるはずですが、本州との連系線容量が限られることと、その関係もありもともと再エネの接続を厳しく制限しているために、自然エネルギーの割合はそれほど高くありません。また、北陸は自然エネルギーの大

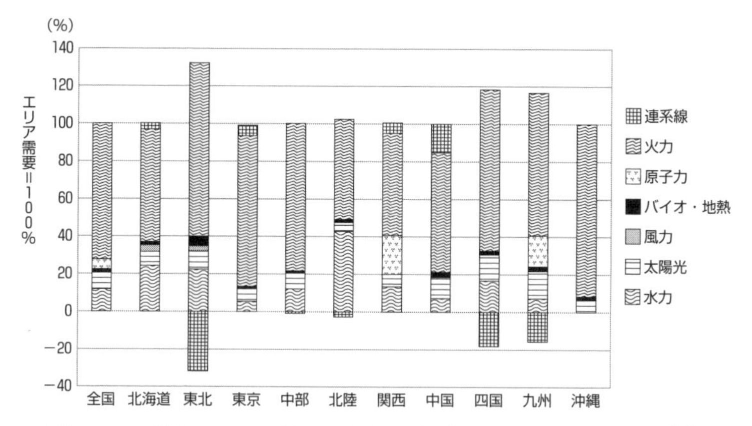

図4.7-2　電力エリアごとの電力需給（2018年４月～６月）(33)

部分を（変動性でない）水力発電が占めるため、ほとんど自エリア内だけでの需給調整ができているようです。

以上のように、北海道エリアを除けば、自然エネルギー源が豊富な地域から大消費地へという電気の流れ（東北→東京、九州・四国→関西）が連系線を経由して徐々に生まれつつあることがわかります。これが将来の自然エネルギー社会の先駆けになります。

上記の流れをさらに太く確実なものにするためには、連系線容量の拡大に加えて、より多くの再エネ電気が流せるような連系線などの運用方法の改善が必要となります。図4.7-3に、現在検討されている運用法の見直しのイメージを示します。図4.7-1、表4.7-1の連系線の活用量と自然エネルギーの発電量割合の関係（注）からも、再エネの大量導入に向けてさらなる運用拡大が期待されます。

（注）太陽光などの再エネ発電量の増加と連系線の活用量は必ずしも対応していません。

電力自由化で発電、小売部門はプレーヤーが増えてきますが、送電関係ではむしろ**連系線などを効果的に活用した広域的な統合運用の必要性が高まっています**。

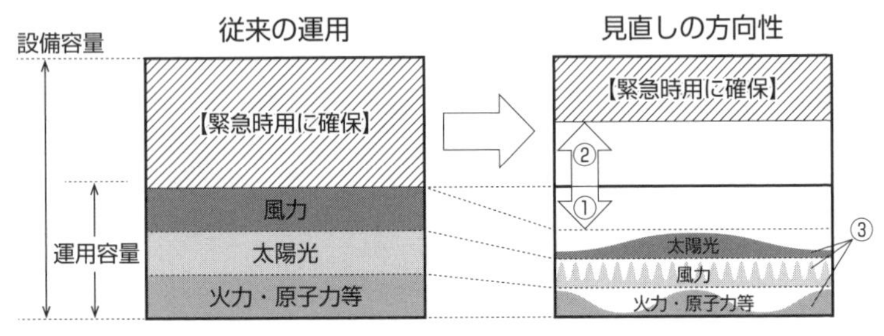

図4.7-3　連系線の運用方法の改善 (34)

（注）運用の改善方法：①容量を確保しているすべての電源がフル稼働⇒実際の利用率で空き容量を算定、②緊急時用に空けておいた容量を平常時に活用、③系統混雑時に各電源の隙間を有効活用するように制御。

④原子力発電の再稼働と電源の柔軟性低下

九州電力管内では全国に先駆けて、2015年より原子力発電所が相次いで再稼働して、現在４基が稼働しています。この影響が再エネの出力抑制に与える影響を示したものが図4.7-4です。ご覧のように、原子力発電の割合が2018年９月以降に40％前後に達して、同じ時期に出力抑制が行われるようになり、2019年の４月には10％以上の再エネの発電量が出力抑制（棒グラフ）されていることがわかります。この期間には、太陽光発電などの導入量も増えていますが、むしろ原子力発電量の増加の影響が大きいと思われます。諸外国の例を見ても、再エネの出力抑制が10％を超えることはまれで、これらの発電所の経営にも大きな影響が及んでいることが予想されます。

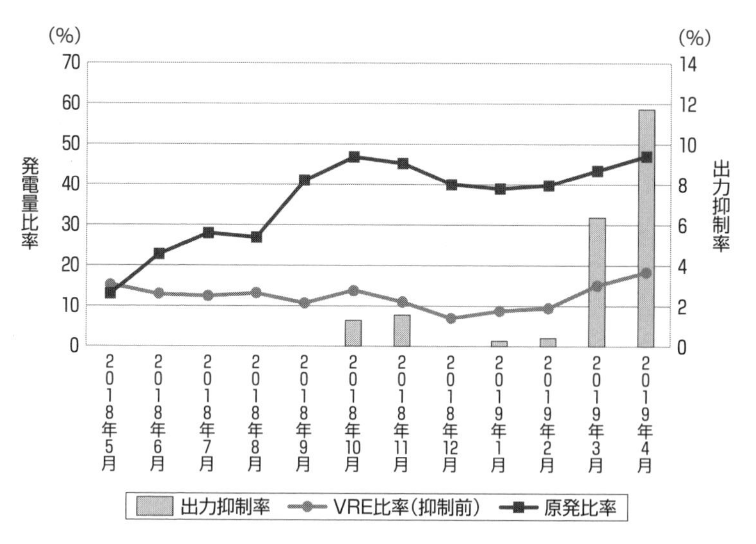

図4.7-4　九州エリアの月別の出力抑制量と原子力・再エネ発電比率の推移（2018年５月〜2019年４月）[35]

（注）VRE：太陽光、風力などの自然変動エネルギー源

図4.7-1を参照するとわかりますが、図の原子力発電量が大きくなると、12時前後には揚水発電や連系線の対応では賄いきれずに、再エネの出力抑制量を増やさざるを得なくなります。このような場合には、各電源種別の系統接続の優先順位が表4.7-2

のように規定されていて、原子力が再エネに優先して接続されることになるからです（注）。原子力発電は図4.2-2ではベースロード電源として取り扱われてきたように、一度起動すると出力を調整することが難しく一定出力で運転を続けます。

（注）現在は原子力・火力発電の送電量が電力系統の一定割合以上を占めると予想される場合には、先着優先の考え方で再エネの接続そのものが電力会社から認められません。現在このルールを見直すことが検討されています。

表4.7-2　優先給電ルールに基づく出力抑制の順序 (36)

出力の抑制等を行う順番（↓）

0	電源Ⅰ（一般送配電事業者が調整力としてあらかじめ確保した発電機および揚水式発電機）の出力の抑制と揚水運転 電源Ⅱ（一般送配電事業者からオンラインで調整ができる発電機および揚水式発電機）の出力の抑制と揚水運転
1	電源Ⅲ（一般送配電事業者からオンラインで調整ができない火力電源等の発電機（バイオマス混焼等含む）および一般送配電事業者からオンラインで調整ができない揚水式発電機）の出力の抑制と揚水運転
2	長周期広域周波数調整（連系線を活用した九州地区外への供給）
3	バイオマス専焼の抑制
4	地域資源バイオマスの抑制※1
5	**自然変動電源の抑制** **・太陽光、風力の出力制御** ⬅
6	業務規定第111条（電力広域的運営推進機関）に基づく措置※2
7	**長期固定電源の抑制** ・**原子力**、水力、地熱が対象 ⬅

※1：燃料貯蔵の困難性、技術的制約等により出力の抑制が困難な場合（緊急時は除く）抑制対象外
※2：電力広域的運営推進機関の指示による措置

一方、変動性の自然変動エネルギー源（VRE）の側から見

ると、揚水発電やガス火力発電のように必要な時にすぐに起動し、出力を柔軟に変更してくれる電源が相性の良い組み合わせの相手となります。このような調整能力を持った電源を**“柔軟性（フレキシビリティ）”のある電源**と呼びますが、残念ながら原子力発電は最も柔軟性に欠ける電源です。これから原子力発電の再稼働と再エネの導入拡大が進む他の地域でも同様に、再エネの抑制の規模と量が拡大することが懸念されます。次項でも取り上げますが、再エネの大量導入には系統電源の柔軟性をどのように確保してゆくかを常に考えておかなくてはなりません。

⑤ダックカーブ現象

ここからは自然エネルギーの導入がさらに進んだ米国カリフォルニア州の例です。

同州は米国の環境政策を先導して、その厳しい環境規制は有名ですが、自然エネルギーの導入にも非常に積極的です。地球温暖化対策としては下記のような目標を設定して、政策を展開しています。

・2030年まで：温室効果ガス排出を40％削減（1990年比）、州内電力の60％を再エネに。
・2045年まで：州内電力を100％再エネに。

これまで上記の目標に向かって着実に進んでいて、現在は電力の約44％を太陽光などの自然エネルギーから得ています。ここで、以下のような大きな問題に直面しています。

九州電力の場合（図4.7-1）と同じように、太陽光発電の割合が大きくなると昼12時前後の電力の有効需要が下がって、図4.7-5のように系統電力側がキープすべき最低限の発電量を割り込むようになります。昼間のピークが落ち込み、ちょうどアヒルの背中のような格好になることから、この有効需要の曲線を"ダックカーブ"と名付けています。しかも夕方のピーク需要はむしろ増える傾向にあって、電力会社はこの間に急激に電力の出力を引き上げるという難しい運用を迫られます。

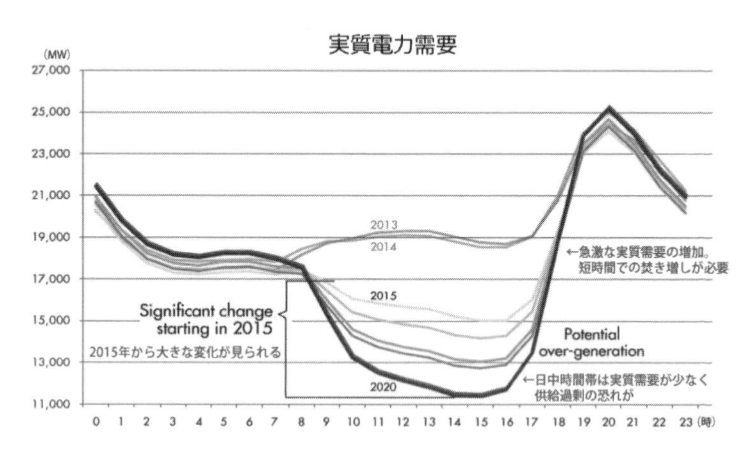

図4.7-5　再生可能エネルギーの大量導入と系統電力の変化曲線・ダックカーブ [37]

このような事態を打開するために、州当局は最近各電力会社に系統電力用の大型蓄電池の設置を義務づけて何とか乗り切ろうとしています。つまり、蓄電池を揚水発電と同じような使い方をして、需給バランスの調整用電源として利用しようというわけです。最近は蓄電池のコストも下がってきてはいますが、本章１項で述べたように費用対効果の面では必ずしも優れているとは言えません。そこで、さらに次項のような最新のIT技術を使った手法も含めて検討がなされています。

以上は自然エネルギーの大量導入の時代を迎えるに当たっての一つの通過点です。

私たちが自然エネルギー社会に向かうに際して重要な転換点にさしかかっていて、さらなる技術開発と施策の展開が求められているようです。

8. 自然エネルギーの大量導入と電力自由化による電力需給構造の転換

2011年の東日本大震災と福島第1原子力発電所の事故をきっかけとして、我が国の電力供給システムの課題が顕在化してきました。それまでも欧米諸国に倣って、電力自由化が少しずつ進められていましたが、ここから電力システムの制度改革が本格的に始まることになります。その柱になるのが、2016年に開始された電力小売の全面自由化であり、前述の発送電分離です。

皆さんの中にも新電力（会社）から電気を買っている、あるいは大手電力会社の新しい電力メニューを利用している人もいるでしょう。最初はいくつかの候補から選ぶための比較検討が面倒だったりしますが、私たち消費者にとって多様な選択肢が提供されるのはありがたいことです。これはこれまでにないとても大きな変化で、"選べる電気"、"電気代が変化する"時代に入ったと言えます。

そればかりではなくて、電力というエネルギー需給の力関係が電力会社から私たち消費者側にシフトしつつあることを表しています。典型的な例が、自宅や工場の屋根にソーラーパネルを設置している"プロシューマー"と呼ばれる人たちで、一般の電力系統から電力供給を受ける電気の消費者であるとともに生産者にもなっています。このほかにも次項で紹介する燃料電池（エネファーム）などの分散電源で自ら電力供給を行う事業者、EVバッテリーで電力貯蔵をしている人たちもこれからは重要なプレーヤーになります。

この電力システム改革と機を一にして進行しているのが、自然エネルギーの導入拡大です。本章2項（図4.2-3）で説明したように、自然エネルギーなどの大量導入はこれまでの電力系統の管理方法を大きく変えることになります。電力システム改革の背景には、従来の大規模集中型の発電所から自然エネルギーのような地域に分散する電源への移行も織り込まれていますが、この両者が重ね合わさった時に、電力の需給構造を大転換する機会が生まれます。表4.8-1にこれらの電力需給に関係する主な環境の変化をまとめます。

表4.8-1　電力の需給構造に関する環境変化

項目	従来	現在～将来	変化の主な要因
事業構造	垂直統合（発電/送配電/小売）	発送電分離（注1）	電力自由化
競争環境	地域独占	新電力参入で自由競争	
電気料金	規制料金（総括原価方式）（注2）	自由料金	
発電	大規模集中	小規模・地域分散	自然エネルギーなどの分散電源導入
電気の流れ	一方向	双方向	

（注1）発電、送配電、小売を別会社とする法的分離（2020年4月～）。ほかに会計分離、所有権分離がある。主な狙いは新規参入の再エネ発電事業者などが送配電網を公平に利用できるように送配電部門の中立性を確保することにある。

（注２）人件費や燃料費などに一定の報酬を上乗せする方式。報酬は事業資産の価値に一定の率を乗じて算定するため、資産の効率的運用につながらないと言われる。

前項までで行き詰まったように思えた自然エネルギーの大量導入による電力の需給バランス調整ですが、このような環境の変化を受けて、さらにIoTやAIといった最新のデジタル技術を駆使することによって、打開する途が開けてきます。すなわち、従来の「需要の変動に供給が対応する」という一方通行の考え方から、「需要側と供給側が協調して対応する」という発想の転換です。もちろん、太陽光や風力のように勝手気ままに変動する電源が入ってくるため、これら全体をうまく協調させて制御する**電力系統の柔軟性を生み出すための仕組み**が供給側と需要側の両方に求められます。

需要側の需給調整への対応例が、デマンドレスポンス（DR）と称されているものです。具体的には現在以下のようなものが試行されています。

・**ダイナミックプライシング**：需要ピーク時の電力料金を上げて、各家庭や事業者の利用を抑える（下げDR）ことにより、電力需要のピークカットまたはピークシフトを狙う場合、太陽光・風力などの再エネの発電量が需要を超えると予想される時に、電力料金を下げて電力消費を促す場合（上げDR）などがあります。導入手続きは比較的簡単ですが、定量的にどの程度までピークを抑えられるかなどの予測が難しく、確実性がないのが欠点です。電力会社などがいくつかの都市の実証実験でフィールドデータを集めているところです。時間帯別料金、リアルタイム料金、ピーク料金などが考えられます。

・**ネガワット取引**：利用者があらかじめ電力会社などと需要ピーク時間帯の節電量とその対価に関する契約を結び、実際に依頼に対応した節電量（ネガワット）に対して対価を得る仕組みです。ピーク時に消費電力の多い工場の生産ラインを一時的に止める場合などが該当します。ダイナミックプライシングより確実な効果が見込めますが、節電のない基準状態での電力使用量の算定方法などの契約手続きが煩雑になる恐れがあります。2018年夏に東京電力が一部の事業者に協力依頼を行っています。

図4.8-1に需給バランス調整に関わる各種施策の全体像をまとめてみました。各項目の全体の中でのおおよその位置づけや相互の関係を掴んでいただけたらと思います。以下では、主な考え方などについて説明を加えます。

①消費者の電力需給調整への参画

まず私たちがエネルギー消費の主体であり、電力の需給バランス調整を担う主要なメンバーであることを再認識することから始まります。省エネや節電を心がけた上で、以下のようなステップアップが考えられます。

・生活パターンの昼間へのシフト：具体的には、工場の稼働は昼間中心にシフト、掃除・洗濯のように昼間できる家事はそちらに回す、深夜電力を使った給湯などは昼間に移す、などで生活パターンを太陽光などの自然エネルギーの活動に合わせることが考えられます。

・プロシューマーの積極参加：燃料電池などの分散電源の所有者は電力の不足する時間帯にできるだけ稼働をシフトし、家庭用蓄電池やEVバッテリーの充放電、給湯器の稼働時間などを調整します。

・分散電源や蓄電設備を持たない消費者も電力消費のピーク時などに節電（ネガワット取引）して、プラスの供給力に相当するリソース提供で電力の安定供給に貢献することができます。

今後システムが整備されると、以下のようなことも対応できるようになるでしょう。

・電気使用予定や天候などを考えて、携帯電話などで各電力会社のDR情報をチェックしておくことにより、電気代節約のメリットが得られます。

・工場や事務所、家庭のエネルギー管理システム（FEMS,BEMS,HEMS）を通じて、リアルタイム制御で最も効率的・経済的な時間帯ごとのエネルギー使用（含む蓄電・蓄熱）が自動的に実行されます。

②市場メカニズムの活用

電力の需給調整に貢献する消費行動の基本になるのが、その時々の需給状況に応じて決まってくる電気料金の動きです。そのために、電気料金が発するシグナルが適切な市場参加者の行動を促すために、まず電力の取引市場がきちんと機能していることが欠かせません。具体的には、取引市場には多くの参加者があって、一部の事業者の恣意的行動に左右されないような取引量の大きさ（流動性）があり、公平公正で透明性のあることが必要です。

我が国では電力市場の整備が始まったばかりです（注）が、健全な市場に成長してゆくことが自然エネルギーの導入拡大にとっても重要です。

（注）我が国唯一の電力取引所として、2005年より日本卸電力取引所（JEPX）が取引を開始し、以降各種の取引市場を開設しています。一方、電力広域的運営推進機関（OCCTO）が電力の取引価格をモニターしながら、電力の需給状況を監視しています。

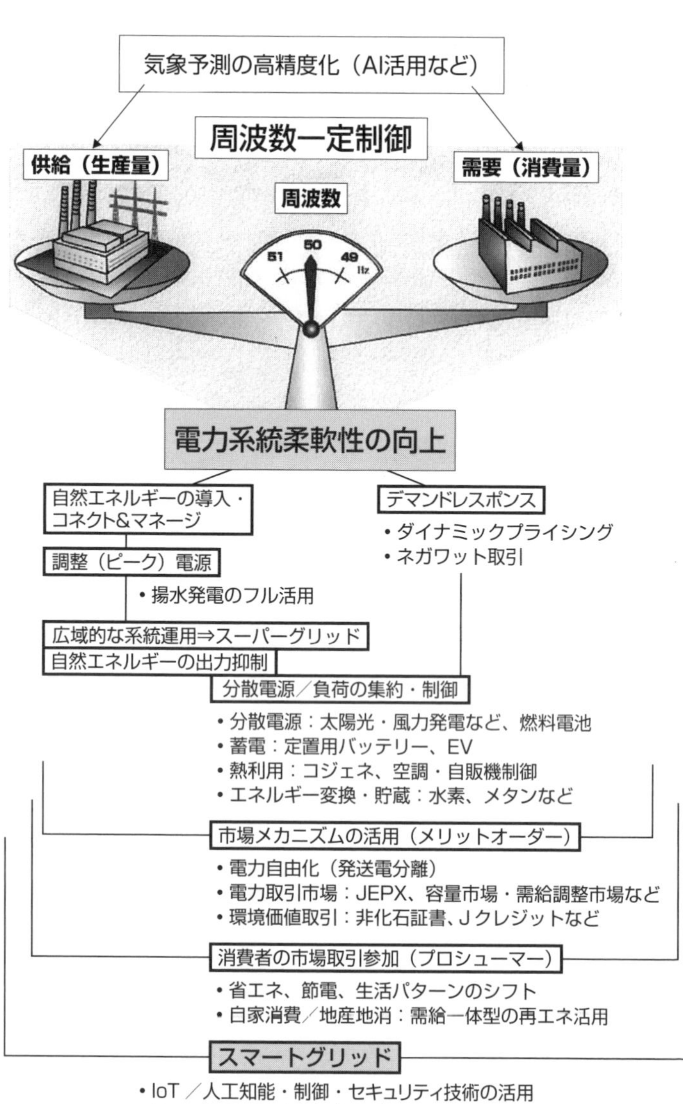

図4.8-1　電力需給調整への取り組み：スマートグリッド

この取引市場で取引されるのは、実際に発電された電力量kWh（卸電力市場）のほかにも以下のようなものがあります。

・kW価値（容量市場）：市場全体の電力供給力を確保するため電源等の予備力を含めた発電能力の価値。
・ΔkW価値（需給調整市場）：需給変動に対して短時間で出力調整できる能力の価値。
・環境価値：非化石燃料により発電し、CO_2を排出しない電源の環境貢献に対する価値。

環境価値はともかくも、kW価値やΔkW価値はイメージしにくいかもしれません。次章でも取り上げますが、太陽光や風力などの自然エネルギーそのものは燃料費のかからない（限界費用ゼロの）エネルギー源です。これらの変動電源の導入量が増えるにつれて、電力量kWhだけでなく、需給バランスを保つためのkW価値やΔkW価値の比重が高まってきます。需要、供給ともに変動する要素が多い中で、超短期（数秒）～長期（年間）にわたる多段階の需給バランス調整のバックアップの仕組みが必要となるからです。

以上のように電力取引市場の構成は複雑ですが、その詳細内容について引き続き検討と試行が行われています。

③分散電源の集約・制御

地域に存在する各種の分散電源、場合によっては電気負荷をまとめて（アグリゲート）、協調して制御することによって、いろいろな変動に対応する能力（**電力系統の柔軟性**）を高めることができます。これらをデジタル通信でネットワーク化して、あたかも一つの発電所のように働かせたものをVPP（Virtual Power Plant）と呼びます。具体的な構成要素としては以下のようなものが考えられます。

・発電機器：太陽光・風力発電など自然エネルギー電源、燃料電池等のコジェネレーション機器など。
・エネルギー貯蔵機器：定置用およびEV蓄電池、水素などへのエネルギー変換・貯蔵。
・電気負荷：ヒートポンプ給湯器（蓄熱）、空調機器など。

ここで電気自動車（EV）の蓄電池のポテンシャルについて考えてみます。

本章５項で見たように、脱化石燃料の流れに従ってガソリン車などの内燃エンジン車両から、EV/HVなどの蓄電池を動力源（またはその一部）とする電動車両へのシフトが進みつつあります。例えば、最近の日産自動車のEVのカタログではバッテリー容量が62kWh（航続距離WLTCモード：458km）で、これは平均的な家庭の１日の電気使用量が7kWhであることと比べると、約１週間分の電力を賄えることになります。家庭用として売り出されている標準的な定置型蓄電池の容量が10kWh前後であることと比べても、EVの蓄電池はかなりの容量があることがわかります。

図4.8-2は、国際エネルギー機関（IEA）が世界の新車販売額を動力系統ごとに予測したものです。2050年時点での走行車両（主に2040～2050年販売）の大半が、かなりの蓄電容量を備えたEV／プラグインハイブリッド（PHV）であることがわかります。

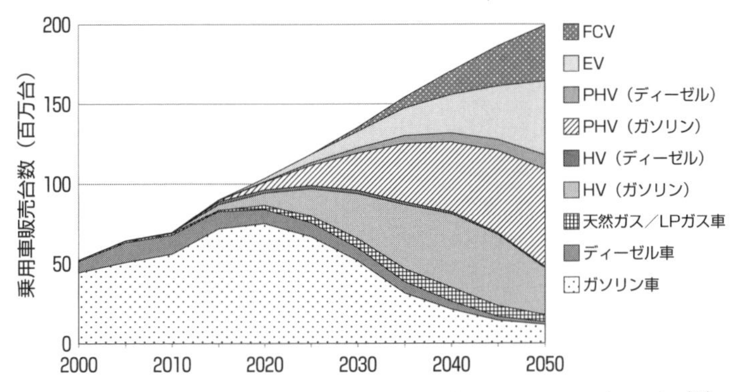

図4.8-2　IEAによる新車販売額の動力系統別の予測（世界）(38)

この需要予測が国内販売にも当てはまると考えて、2050年の国内の電動車（EV/PHV）の蓄電池のうち、電力の需給調整にどのくらいの容量が使えそうかを見積もってみます。

・日本の車の保有台数（含む商用車、2016年２月）は約8100万台、図4.8-2の分布で2040~2050年の面積分布から、EV/PHVが全体の約1/2と考えると約4000万台が対象。
・電動車のバッテリー容量は今後の蓄電池性能の向上も含めて平均的に40kWhと考えると、全体の容量は16億kWh。
・このうち需給調整に参加する車両が1/3（注）、そのうち実際に活用できるのは容量の70%×2/3とすると約2.5億kWh/日。
・これに対して、我が国の電力消費量は年間約10000億kWhで、１日平均では約27億kWh。ここで今後の省エネ・節電対策と車両の電動化などでの増加が拮抗すると考えると、2050年でも現状の電力消費レベルが継続する。
・つまり、私たちの１日の生活サイクルを考えると、**電力消費量の約10%の需給調整量**が捻出できる計算になる。10%はあまり大きくないように思えるが、図4.7-1の全体面積の1/10が揚水発電に加えて需給調整に使えることになれば、かなりの貢献が期待される。

（注）車の運転時間は１日平均1.3時間で、約95％は停車していると言われています（製品評価技術基盤機構調べ）。

以上のように、蓄電池そのものは電気を生み出すわけではありません（kWh価値ゼロ）が、EV用の蓄電池は電力出し入れのレスポンス時間も短くて、組織化されると電力の需給調整の能力（ΔkW価値）を発揮することができます。これからの電動車両の普及はCO_2を排出しないエコカーとしてだけではなくて、分散型のエネルギー貯蔵インフラとして電力の需給調整の面でも期待を集めることになります。

さらに、電気負荷はタイトな需給状況でデマンドレスポンスなどに応じて電力消費を減らすだけでなく、太陽光発電などの供給が過剰になった時に蓄熱（注）や空調機器の稼働などのように一時的にプラスの需要を生み出すことができます。大都市（特にビルディング）を中心に、１日当たりで活用できる蓄熱に関わる機器の能力としては少なくとも300万kWhの容量があると言われます。ここではエネルギー貯蔵性に優れるという熱エネルギーの特性が活かされます。

（注）熱回収型ヒートポンプ、ターボ冷凍機、蓄熱槽の組み合わせなどが考えられます。

④スマートグリッドへの展開

個々の分散電源や負荷をまとめるのが新たに登場するアグリゲータというビジネスで、上記の分散電源（含むデマンドレスポンス）、需要家などと電力事業者との間で仲介役を果たします。その中でも、住宅や工場などと直接サービス契約を締結してリソース制御を行うリソースアグリゲータ（RA)、RAが集約した電力を束ねて、大手電力会社（一般送配電事業者）や小売電気事業者などと直接電力取引を行うアグリゲーションコーディネータ（AC）に分かれます。

RAがACの支援の下で分散電源や消費者のデマンドレスポンスをかき集めて、需給バランスなどのサービスを提供する（図4.8-3）のが標準的なパターンになると目されています。一方、一般送配電事業者はACと連携して、集約された分散電源を活用して電力市場とのマッチングを取りながら、系統全体として最も経済的で信頼性のある運用を目指すことになります。

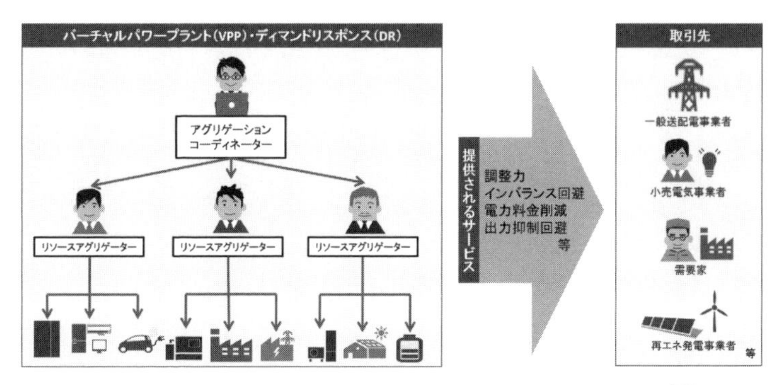

図4.8-3　アグリゲータとアグリゲーションビジネス[39]

これまで主に天然ガスや石油火力発電が果たしてきた電力の

需給バランス調整が少しずつ、集約して組織化された分散電源と消費者のデマンドレスポンスに置き換わってゆくというのがこれから想定される方向です。この動きはまず自家消費や地産地消という形でローカルに試行されて、その範囲が次第に拡大する中で、最終的には上記の系統の広域運用ともつながっていくことになるでしょう。

VPPの仕組みは、ちょうど大勢の特徴の異なる楽器のパートからなる集団が１人の指揮者の下に集まって、旋律を奏でるオーケストラのようなものです。そのオーケストラ編成も限られた少人数のもの（スマートハウス／ビル）や中規模のもの（スマートコミュニティ）から始まって、フルオーケストラ（スマート社会）まで多様です。しかし、いきなりフルオーケストラを編成して活動するのは現実的ではなくて、まずは各々のパートの中でローカルに需給バランス調整の機能を持たせて、徐々に全体に拡がっていくのが、上位系統の送配電網などに負担をかけずに（送配電線への投資も抑えられて）効率的と言われています。

いずれの場合でも共通するのは、各構成機器が運転状況などの情報をスマートメーターなどのIoT機器によってネットワークに送り出して、制御コンピュータがそれらのデータを集めて処理し、AIなどを使った将来の需給予測に基づいて、再び各機器に作動指示を送り返すというネットワークを介した一連の動きが見られることです。このようにして電力の需給バランス調整と利用効率の最適化を実現する送配電網（グリッド）を通じたシステムをスマートグリッドと称していますが、そのイメージは図4.8-4のようになります。

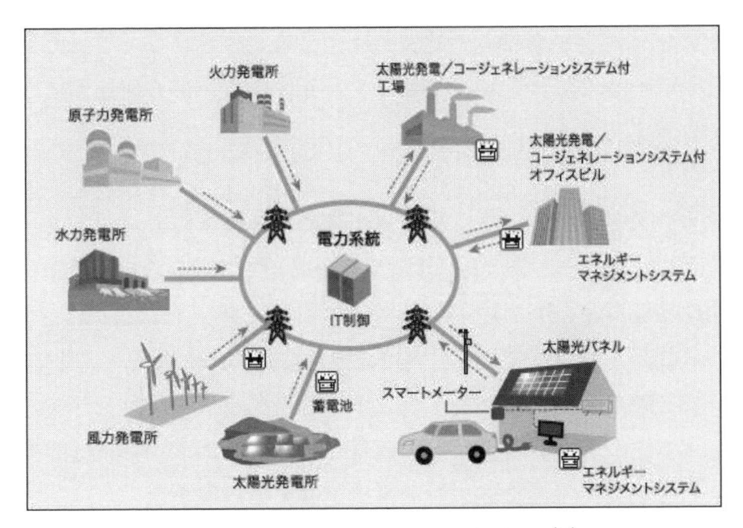

図4.8-4　スマートグリッドの概念図 (40)

次に、図4.8-4にも登場するコジェネレーション・システムの主要構成機器である燃料電池について、そのエネルギー源である水素の利用方法とともに考えてみます。

9．水素利用と燃料電池

太陽光・風力などの電力を一旦水素やメタン、アンモニアなどの気体燃料に変換して貯蔵・利用することを**パワーツーガス**（Power to Gas）と称しています。その中で、最も用途が広いのが水素です。

水素の産業用途としては、汎用性のあるエネルギー・キャリアとして利用する場合と、化学反応を通して各種の素材製造に利用する場合があります。具体例としては、以下のようなものです。

・直接熱エネルギーとして利用、さらに力学エネルギー（動力）に変換して利用：バーナー・ボイラー燃料、水素エンジン。
・ガスタービン発電機などの燃料として電気エネルギーに変換して利用：水素タービン発電（下巻・第Ⅶ章７項）。
・一旦メタンなどに化学変換してあるいは天然ガスなどに一定量混合して燃料として利用：都市ガスなど。
・電気化学反応により電気および熱エネルギー（コジェネレーション）に変換して利用：燃料電池。
・製鉄や化学工業などで原料または還元剤として利用：製鉄でのコークス代替（第Ⅲ章９項）、アンモニアやメタンなどの有機材料合成。

ここでは最後のマテリアルとしての利用を除いて、エネルギーの脱炭素化に向けて、水素や燃料電池をどのように活用していくべきかを中心に考察します。

① 水素の経済的な製造・流通が鍵

地球表面の構成要素で酸素、ケイ素に次いで豊富にある水素Hですが、自然界ではほとんどすべてが水H_2Oなどの化合物の形で存在します。そのため、純水素H_2は、基本的には人間が手を加えて（エネルギーを投入して）取り出す必要があります。つまり、水素は電気などと同じように二次エネルギーになります。揚水発電や蓄電池と同様に、エネルギー需給の調整には重要な役割を果たしますが、それ自身がエネルギーを新たに生み出すことがない点には注意が必要です。

図4.9-1の薄い網掛け部分が現在の水素製造から利用に至るサプライチェーンの全体像です。水素にはいくつかの製造方法がありますが、表4.9-1に代表的な方法と現在の推定コストを示します。なお、政府の「水素基本戦略」(2017年)[41]では、水素コストの長期目標として、20円/ N㎥（発電コスト12円/kWhに相当）が掲げられています。

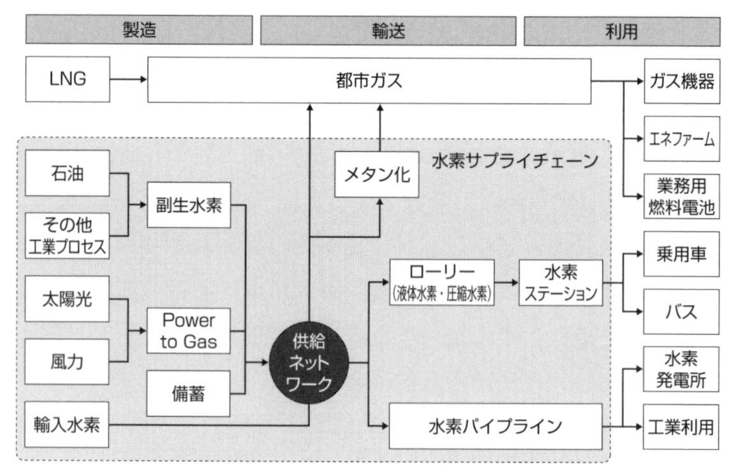

図4.9-1　水素サプライチェーンの全体像 (42)

表4.9-1　水素の製造方法と経済性（注１）

製造方法	現在の製造コスト(円/N㎥)（注２）	CO_2排出量($kgCO_2/N㎥H_2$)	説明
副生水素	20～32（注３）	0.89～1.28	・苛性ソーダ、鉄鋼、石油化学工業などの製造工程で得られる ・副次的に発生するため、実質的なCO_2発生量増加は少ない
目的生産	石油精製：23～37 化石燃料等改質：31～58	0.95～1.13	現在はナフサ・都市ガス等の化石燃料からの改質が主
水の電気分解(PtoG)	**現状の系統電力：84** **再エネ：76～136**	**現状系統電力：1.78** **再エネ：0**	・水の電気分解効率70％を想定 ・再エネは風力および太陽光とした

（注）１．製造コストおよびCO_2排出量データは「水素の製造、輸送・貯蔵について」（資源エネルギー庁、H26.4.14）による。

２．ランニングコストのみで設備費は含まない。N㎥は標準状態換算での体積（㎥）で、充填ステーションでの高圧状態などとは異なる。

3．現在各々の工程内で使用されている水素を外部のエネルギー源に代替した場合。

表4.9-1の現状の水素利用のポイントをCO_2排出の観点でまとめると、以下のようになります。

・副生水素は各工業プロセス内でエネルギー源として自家消費されているため、これを他に回すとなるとそれを埋め合わせる分のエネルギー（CO_2発生）とコストを伴います。

・水素ガス製造・販売（目的生産）のためにナフサ・都市ガス等の**化石燃料を改質する場合には、その過程でCO_2を発生**します。また、現在工業用水素製造のうち外販に回されているものは２％程度に過ぎず、ほとんどが自家消費用です。

・**水の電気分解は現状コストが高い**のが難点です。使用する電気が再エネ100％ではCO_2を発生しないのですが、**現状の系統電力を使うとかえってCO_2発生が多く**なります。

以上は原料水素の製造段階についてですが、消費者の手に届くまでにはさらに水素を圧縮し、あるいは冷却・液化した上で、水素ステーションまで輸送し、販売するためのエネルギーとコストが発生します。図4.9-2は現状の販売コストの内訳をガソリンと比較したもの（全体100％、現状の全体コストは両者で10倍程度の差がある）です。ガソリンでは税金の割合が大きいのですが、水素では原料費の割合が比較的小さく、燃料輸送やステーションでの販売に関するコストが大部分を占めています。

表4.9-1の水素製造コストにこれらの費用が乗っかってきますから、両者のコストの開きはさらに大きくなります。

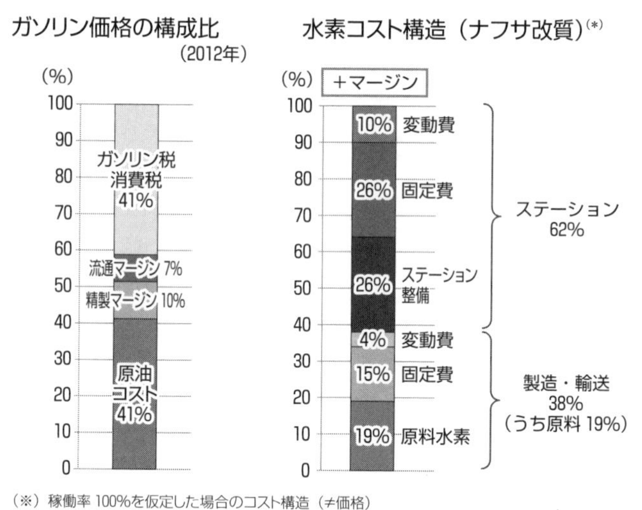

図4.9-2　水素の製造・販売コストの構造 (43)

水素の製造はこのように経済性の観点から、当面は副生水素や目的生産に頼らざるを得ませんが、これから脱炭素化を目指すためには、自然エネルギーの電力から電気分解によって造る方法にシフトする必要があります。そして、量産化に伴う抜本的な**製造コストの低減と効率的な流通インフラの整備を含めたサプライチェーンの構築が大きな課題**となります。

②燃料電池の仕組み

第Ⅲ章４項で熱電併給（コジェネレーション）システムのエ

ネルギー効率が良いことを示しましたが、その代表的な機器が燃料電池です。燃料電池は水素をエネルギー源とする場合は、CO_2排出もありませんが、通常は燃料として都市ガスを利用しているため、機器内で水素に改質する過程でCO_2の発生を伴います。エネファームなどの商標名で販売されていて、発電のほか**排熱利用まで含めると、総合効率80％～90％にも達する優れたシステム**です。分散電源として、工場や公共・商業施設、家庭向けに製品が販売されていますが、まだ価格が高いことなどにより普及が思うように進んでいないようです（注)。

（注）例えば、家庭用燃料電池は１台100万円前後で、政府や地方公共団体などが補助金を用意して普及に努めています。

燃料電池の基本的な原理ですが、水の電気分解の全く逆のプロセスで、水素と酸素を化学反応させて、電気エネルギーを取り出します。電池と言っても電気の貯蔵用ではなくて、むしろ水素を燃料とする発電装置です。

図4.9-3の左側から入った燃料（水素）がマイナスの電極（燃料極）を通過する間に水素イオンH^+となって、電子e^-を電極に送り出します。右側から来る空気中の酸素はプラスの電極（空気極）で外部回路を伝ってきた電子を受け取って酸素イオンO^{2-}となり、電解質を通って移動してきた水素イオンと結合して水H_2Oを生成します。このように燃料電池本体では有害な排気ガスなどは生じないクリーンなシステムです。

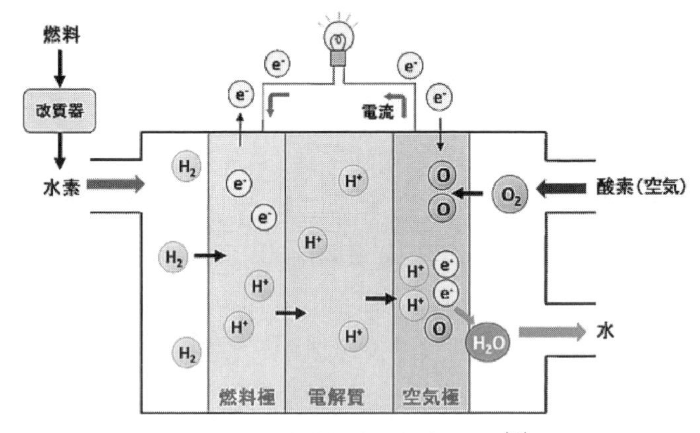

図4.9-3　燃料電池の作動原理 [44]

燃料電池の構成単位（図4.9-4）は「セル」と言います。これは電解質膜を各々水素と空気（酸素）の流路を設けたマイナスおよびプラス電極で挟み込む構造となっています。このセルをセパレータで隔てて何十もの層からなるサンドイッチ構造としたものが、「スタック」と呼ばれる燃料電池の基本構成です。さらに、燃料電池には使用する電解質の種類によっていくつかの方式があり、運転温度やエネルギー効率なども違ってきます。

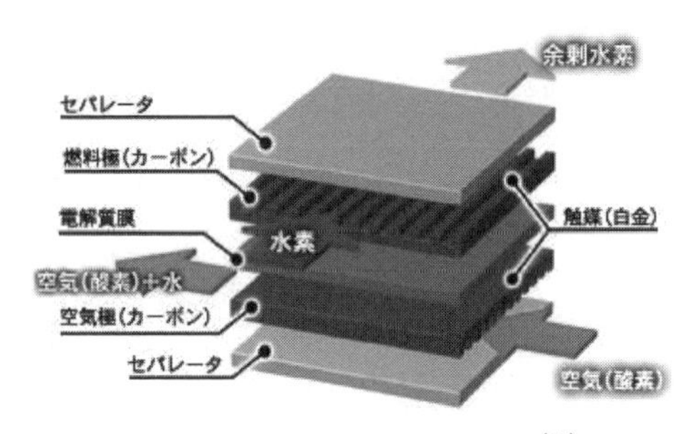

図4.9-4　燃料電池の基本構成 [45]

燃料電池は熱エネルギーを低温源から高温源に移し替えるヒートポンプとは違って、直接水素の電気化学反応から電気エネルギーを生み出していますので、外気温が低い寒い日でもあまり効率が落ちることはありません。実際には、工場や家庭などに引いた都市ガスなどを水素に変換（改質）して電源および熱源として利用する場合、または大規模な工業プロセスや自然エネルギー電力から造られた純水素を使って燃料電池自動車などで利用する場合が考えられます。

ここで、燃料電池を車両などの動力源として使用する場合のエネルギー効率を考えます。図4.9-5は電力から出発したエネルギー（100％）が各種の変換などの過程で損失を伴って、最終的に動力などとして使用されるまでにどの程度まで減少するかを示したものです。

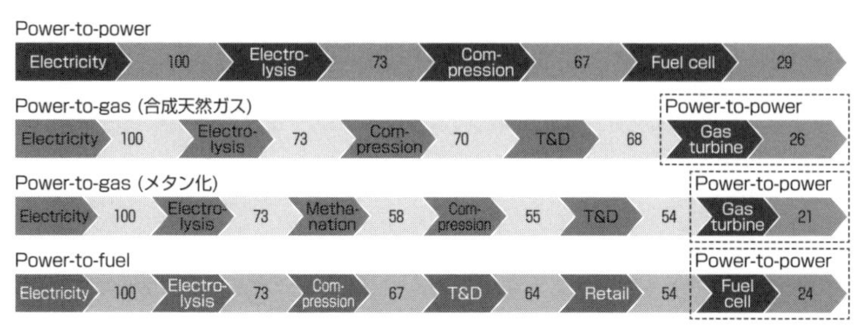

図4.9-5　水素利用のエネルギー効率 (46)

（注）Electricity：（自然エネルギー）電気、 Electrolysis：水の電気分解、Compression：圧縮、T&D：燃料輸送、Methanation：メタン合成、Retail：小売り（配送）

一番上のバーが電力により水を電気分解して、水素に変換した後、圧縮して燃料電池車に供給する基準となるプロセスです。ここでは最終的には**29%のエネルギーしか有効に使われず、実際の流通過程などを考慮する（一番下のバー）とさらに効率が低くなります**。車両で利用する場合には排熱を有効に活用するのが難しいため、全体プロセスの中でも燃料電池（Fuel Cell）で水素から電力に変換される際の損失が大きいことがわかります（注）。

このほかにも、水素を天然ガスに混ぜ合わせてガスタービンで燃焼させる場合や、水素の代わりにメタンガスに変換する場合も示されていますが、いずれも排熱利用がないと最終的に有効利用されるエネルギーは25%前後です。

（注）家庭用燃料電池の標準的な出力0.7kWに対して、トヨタ自動車の燃料電池自動車MIRAIの出力は100倍以上の114kWです。それだけ多量の熱エネルギーが排出されています。

思ったほどに燃料電池車FCVの効率が伸びないのは、（自然エネルギーから造られた）電気エネルギーから出発して、一度水素（化学エネルギー）に変換されて、もう一度電気エネルギーに戻しているからです。せっかく水素を製造しても、動力へのエネルギー変換時に熱を捨ててしまうと、結局は内燃機関の効率とあまり変わらなくなります。したがって、同一の自然エネルギー源で比べると、FCVのエネルギー効率はEVと比べて低くなることが予想されます（表4.5-1参照）。

③ 燃料電池車の特徴

“究極のエコカー”とも言われるFCVですが、その長所がどこにあるかをさらにEVとの比較で考えます。

FCVとEVの動力系の大まかな相違点は、EVの大容量バッテリーがFCVでは水素（燃料）タンクと燃料電池に置き換わっていることです（図4.9-6）。そのほかは基本的に同様の構成で、両者ともにモーターで駆動される電動車です。

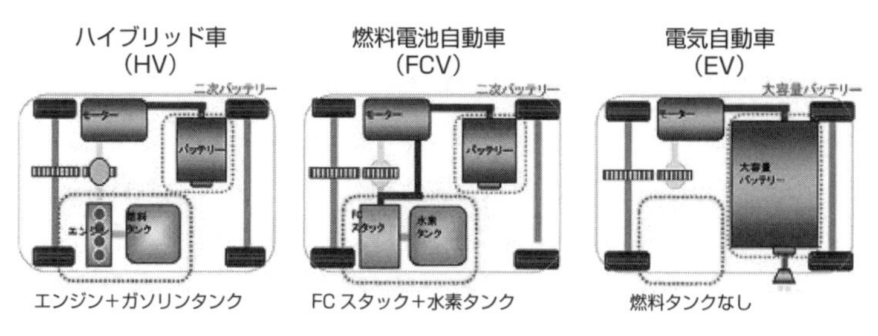

図4.9-6　FCV/EV動力系の比較 (43)

このEVとFCVに対して、トヨタ自動車はエコカーのラインナップの中で図4.9-7のような棲み分け、つまり小型近距離のマーケットはEV、大型中長距離はFCVを考えています。よりシンプルな動力系構成のEV、バッテリーよりもスケール効果の働く水素燃料タンクを搭載したFCVを意識したものと考えられます。

現在はEV、FCVともにハイブリッド車HVに比べて高価で販売台数も少ない（注）のですが、温暖化対策の面から今後市場が拡大すると予想されています。ここでは経済性とは別の、より技術的な側面や使い勝手から、EVに対するFCVの差別化のポイント（EV側からは課題）をピックアップしてみます。

（注）2017年の国内販売台数：HV約140万台、EV18,092台、FCV849台（日本自動車工業会調べ）

・航続距離：EVではバッテリー容量の制約により、１給電当たりの走行距離が限られる。トヨタMIRAIの650kmに対して、日産のEV・リーフの最長のグレードでも450km。
・エネルギー・チャージ時間：FCVはガソリン車と同等の３分程度であるのに対して、EVは急速充電器を使っても30分程度必要。
・バッテリーの性能劣化：EVでは充電（特に急速充電）を繰り返すとバッテリー容量が低下し、中古車価格の低下にもつながる。

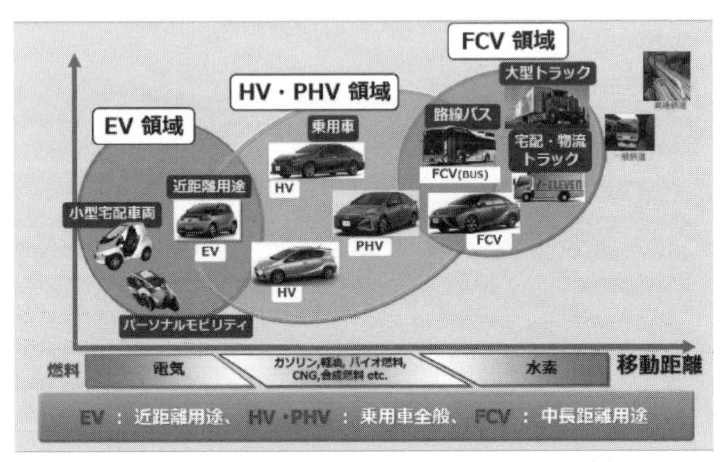

図4.9-7　次世代エコカーの棲み分けイメージ[47]

つまり、現在のEVの基本的な問題のほとんどがEVのバッテリーにあるようです。とりもなおさず、これは図4.1-1で見られた蓄電池のエネルギー貯蔵能力の限界を示しています。それに対して、FCVは水素ステーションが未整備で数が少ない点が普及のネックとなっていますが、使い勝手においてはガソリン車に近くなっています。

EV、FCVともに今後の技術の進展により図4.9-7のカバーする領域が広がってゆき、これらの境界が次第に見分けにくくなっていくものと思われます（注）。最近のモーターショーでもトヨタ自動車は2020年代の前半までに、現在のリチウムイオン電池に対して、体積当たりのエネルギー密度が約３倍の全固体電池を開発すると発表しています（下巻・第Ⅶ章４項参照）。本章８項のように、これは単に車両という移動手段だけの問題ではなくて、エネルギー需給の調整手段としても大いに期待されるところです。

（注）最新の図では、EVとFCVの領域が中央で完全に重なっています。「将来の電池技術～燃料電池と蓄電池」（小東哲也、阿部真知子）トヨタ・テクニカルレビュー、No.235による。

④水素エネルギーの位置づけ

ここまでは主に経済性やエネルギー効率といった観点から水素エネルギーの特徴を取り上げてきました。自然エネルギー社会への道程を考える上で本質的に重要なのは、エネルギー需給全体の中で水素エネルギーをどこに位置づけて、これからのエネルギー・インフラをどのように整備していくかにあります。

図4.9-8は図4.1-1の切り口を変えて、現在利用されている各種の電力貯蔵システムの能力的な位置づけを示したものです。ここでは５種類の技術（フライホイール、蓄電池、CAES、揚水発電、ガス化）について、それらの能力を、電力の貯蔵容量と貯蔵期間で表しています。

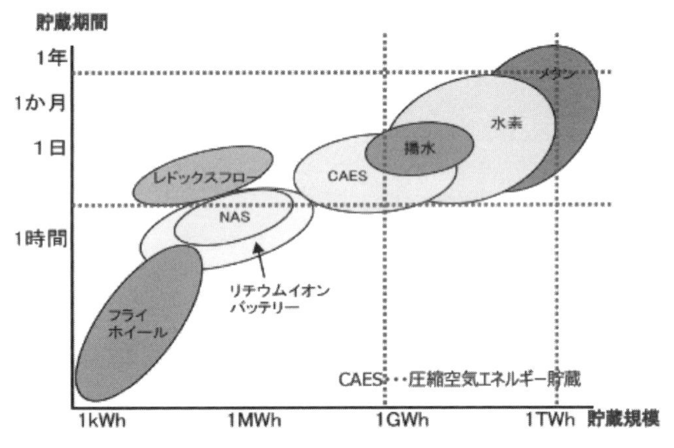

図4.9-8　各種電力貯蔵技術の位置づけ (48)

（注）・フライホイール：弾み車の回転エネルギーとして貯蔵。
・蓄電池：リチウムイオン電池、NAS電池、レドックスフロー電池など。

現在は電気エネルギーの貯蔵手段としてほとんど揚水発電に依存しています（世界の蓄電容量の96％）が、これを設置するためには、それに適した場所、自然環境への配慮、大規模な工事と費用が必要となります。また、一度のエネルギー出し入れで約30％のエネルギー損失が発生します。それに対して、最近の技術的な進展により、注目されているのが、蓄電池と水素などのガス化（Power to Gas）です。

図4.9-8で蓄電池と水素ガス化によるエネルギー貯蔵を比較すると、**電力貯蔵能力の点で、蓄電池よりもガス化の方が優れている**ことがわかります。蓄電池に比べて、球形タンクなどによる**ガス化貯蔵はスケール効果が働き、エネルギーの大量貯蔵に適しています**。また、化学的にエネルギー変換されたガス化の方が物質的に安定で、**離れた場所への輸送や長期保存にも対応できます**。

このように電力の水素エネルギーへの変換は時間と空間を飛び越える機能を備えていて、電力の長期の需給バランス調整に貢献することができます。**水素エネルギーは多くの変動する自然エネルギーがつながった近未来の電力系統で、電力エネルギーの需給調整をサポートする重要な役割を担ってくれます**。

具体的に水素エネルギーの活躍が期待される場面は以下のようなものです。

・**季節を跨いだ長い期間の電力調整機能**：現在は冬季や梅雨時

の太陽エネルギー放射の少ない時期には、主に化石燃料を使った火力発電の焚き増しに頼らざるを得ません。これに対して、需給のゆるむ春秋に太陽光・風力発電などによって貯蔵された水素ガスが活用できると、柔軟で低炭素なエネルギーシステムを構築するための手段が増えることになります。

- **遠隔地からのエネルギー輸送**：自然エネルギーが豊富な北海道・東北から首都圏、地方から都市へのエネルギー輸送において、水素貯蔵と輸送が既存の送配電網を補完する役割を果たすことができます。北海道と本州間や、これから増えてくる洋上風力発電での電力エネルギー輸送では、海底送電線の敷設に多くの経費が必要とされます。費用対効果を検討した上で、水素エネルギーでの輸送との併用が考えられます。
- **地震や台風などの自然災害への備え**：最近の事例でも災害に強いまちづくりが重要で、日常のエネルギー供給を送配電系統だけに依存する脆弱性が指摘されています。現状の電力やガス供給系統、交通などの社会インフラとの連携を考慮して、水素などのエネルギー貯蔵・供給による代替手段を確保することが災害対応の面から重要となっています。

これまで見てきた自然エネルギーが大量導入された電力の需給調整の例では、図4.7-1のように太陽光が主体で、昼間に目一杯電力が供給されるような状況でした。しかし、現実には梅雨のように雨天が何日も続く時期、冬季で日照時間が少なくて曇天の多い時期も考える必要があります。その時には、エネルギーの余った時期に貯蔵して、最大数カ月という単位でシフトすることも考えなければなりません。さらに、自然エネルギーが電力の主力となると、何十年、何百年に一度というような大規模水害、旱魃などの異常気象への備えも怠るわけにはゆきません。そのためのエネルギー備蓄として、水素などの代替手段は確保しておく必要があります。

　このような長期間・大量のエネルギー貯蔵では、水素のようなパワーツーガスの出番となります。

V．自然エネルギー利用と社会・経済の変革

この章では、自然エネルギーが大量に導入されると社会や経済の仕組みにどのようなインパクトを与えるのか、そしてどのような変化をもたらすかについて、いくつかの視点から考えます。

最初に、地球温暖化問題と社会・経済との関わりについて、これから出てくる事柄やキーワードのつながりを俯瞰的に掴んでいただくために図5.1-1にまとめました。ここでは環境経済、気候変動経済という言葉を使っていますが、これらは市場経済に取って代わるという意味合いではなくて、環境あるいは気候変動という課題がクローズアップされた状況下において、新たにどこに重点を置いて、何を考えなければならないかを示しています。ちなみに、「気候変動経済」という言葉は、英国で低炭素世界経済への移行について報告された"スターン・レビュー：気候変動の経済学（2006年）"から採ったものです。

1．自然エネルギーの大量導入がエネルギー市場に与える影響

太陽光や風力のような自然エネルギーは枯渇する心配がなくて、ほとんど燃料費ゼロで供給されます（注）。この点は従来の化石燃料と大きく違っていて、これまでのエネルギー取引の考え方（取引市場）を大きく変えるポテンシャルを持っています。まずはその仕組みから考えていきます。

（注）以下においては、人為的に逐次燃料を補給する必要のあるバイオマス発電などを除きます。

ちょうど最近のコロナ禍に見舞われたエネルギーの世界で起こった以下の特徴的な事象が、この問題を考えるきっかけを与えてくれます。いずれも新型コロナウィルスによる世界的なエネルギー需要の低迷によってエネルギー価格に異変が起こったものです（注）。

・ニューヨーク市場の原油先物価格が史上初めてマイナスになった（４月20日）。これは原油の貯蔵設備が満杯になったため、供給者がお金を払ってでも引き取ってもらうしかなくなったことを表している。
・日本の卸電力取引所（JEPX）のスポット市場で、春の日中の時間帯に電力価格がほぼゼロに張り付く日が続出した。電力供給者はほとんどタダで引き渡すか、捨てる（出力抑制）しかなくなった。

（注）欧州や米カリフォルニア州の電力市場では、数年前から自然エネルギー発電の増える一時期にマイナスの電力価格が発生しています。例えば、ドイツでは周辺諸国に電力を引き取ってもらうために、（迷惑料のような）コストを負担しています。

この２つは共に、エネルギー需給のバランスに起こった異変ですが、意味するところは全く異なります。前者は需要の急減に、供給が追従できなかったという、あくまでも人為的な問題です（したがって解決策は明確です）が、後者はもともと需要変動に合わせることが難しいという自然エネルギーの特性を表しています。たまたま需要が急減したことによる一時的な事象のように思われますが、これから自然エネルギーが大量に導入されると、日常的に起こりうる事象と考えなければなりません。

エネルギー価格が下がることは、消費者にとってありがたいことですが、電力供給者にとっては悩ましい問題で、事前に対応策を備えておかないと事業運営に支障を来します。このように自然エネルギーは価格破壊を引き起こす潜在力を持っていますので、その特長をうまく生かして、メリットを引き出すようにコントロールできるかにかかっています。

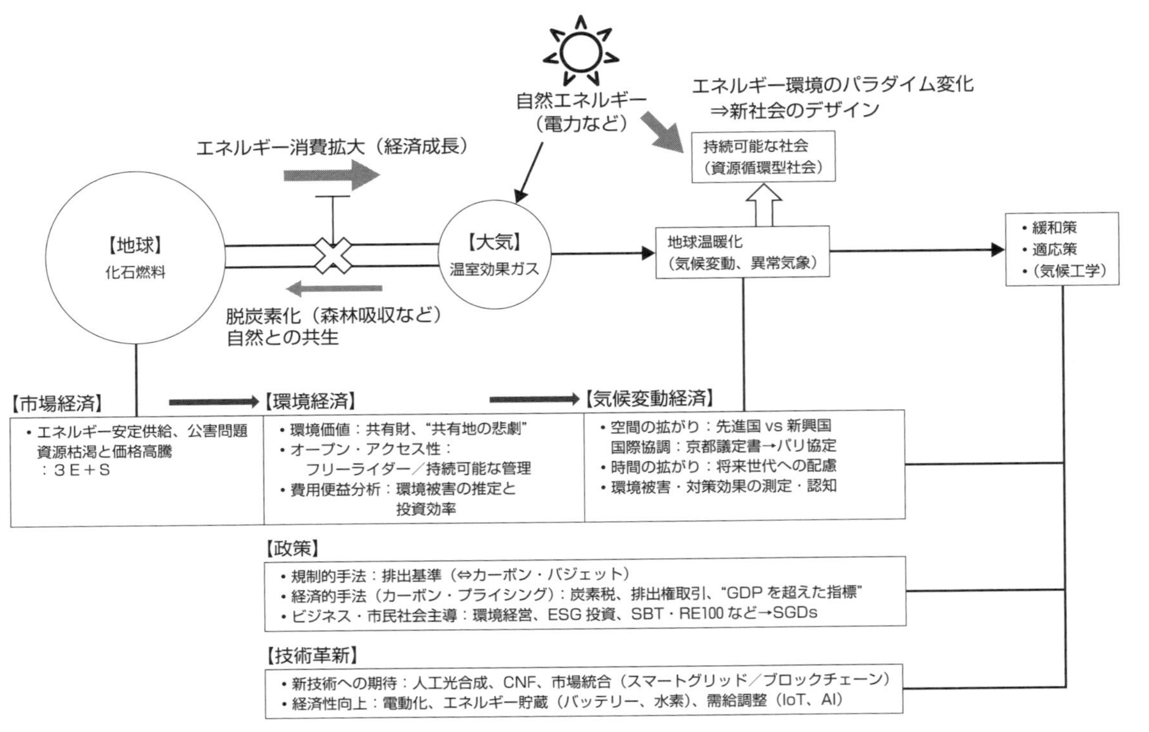

図5.1-1　地球温暖化問題と経済・社会の関係

自然エネルギー電源が電力市場に投入された場合に、その時の電力価格全体がどのように決まるかについての基本的な考え方は次の通りです。

電力価格は他の商品と同じように、経済学に出てくる需要曲線と供給曲線の交わる点で決まってきます。大手電力会社はいくつかの種類の電源を保有しているため、時々刻々の需要を満たすために、図5.1-2のように「限界費用」の低い順に使用する発電機（$G_1,\cdots,G_6$）を並べたメリットオーダーと呼ばれるリストを手許に持っていて、これをつなげたものが供給曲線Sに相当しています。基本的には左側からコストの安い順に、需要曲線D_1と交差するまで発電機を運転して需要に対応するのが最もコストが安くなります。

消費者としては、電気は買いだめできませんし、その時々で多少値段が高くても買い控えせずに必要な分だけ購入するでしょうから、Dは傾きの大きい線になります。図5.1-2では５番目の発電機で供給曲線と交わり、その時の電力価格P_1が決まります。この時の、供給曲線Sと価格P_1で囲まれる影付き部分の面積が、電力会社の利益となり、こうして得られる儲けの一部が新しい設備建設や改修などの投資に回されることになります。

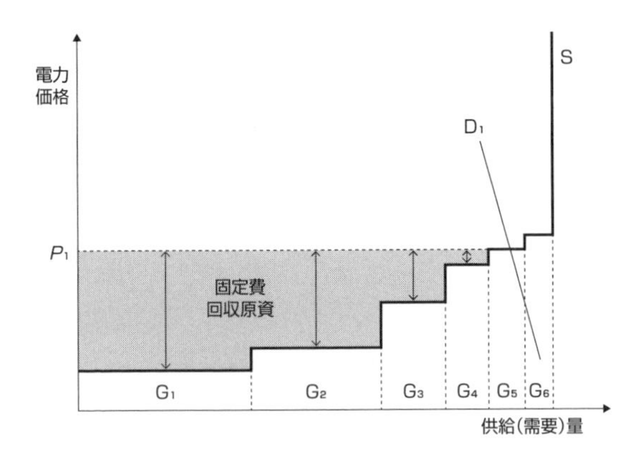

図5.1-2　電力の需給曲線（メリットオーダー）

ここで「限界費用」とは、生産量を１単位増加させるための費用の増分（図5.1-3のΔC/ΔQ）です。これはほとんど発電所のランニングコストに相当します。発電時の限界費用の計算では設備費（一般的には資本費）などの固定費や人件費のウエイトが低くなり、火力発電では燃料費が支配的となります。これに対して、燃料費の要らない太陽光や風力などの自然エネルギー電源では、「限界費用ゼロ」に近い状態が実現します。燃料費の安い原子力発電も限界費用が比較的低くなります。したがって、メリットオーダーは一般的には、太陽光・風力などの自然エネルギー⇒原子力⇒石炭⇒天然ガス⇒石油、の順となります。

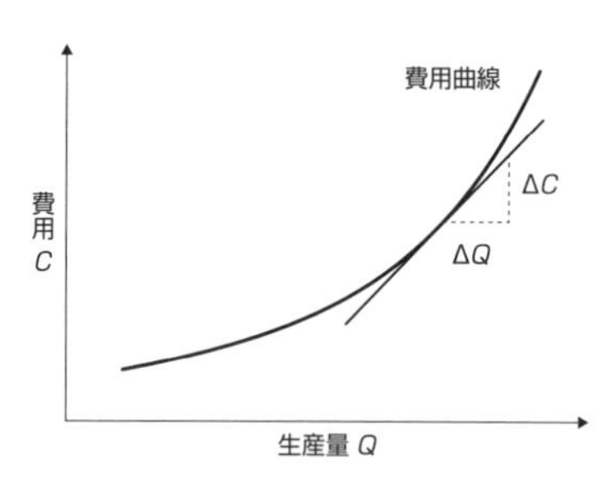

図5.1-3　費用曲線と限界費用

もし、図5.1-2に**太陽光や風力のような自然エネルギー電源が追加されると、これらは限界費用が非常に低いため**、一番左に挿入されて、図5.1-4の点線のように、供給曲線S_1が右側のS_2にスライドします。その結果、**電力価格はより安いP_1⇒P_2へ下がる**ことになります。これは、消費者にとってはありがたいことですが、網掛け部分の利益が減少する恐れがあるため大手電力会社にとってはあまり好ましくないことです。

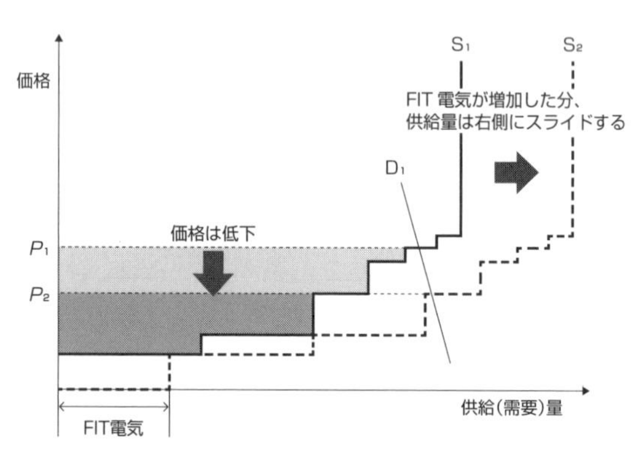

図5.1-4　電力の需給曲線（自然エネルギー電源が投入された場合）[1]

このメリットオーダーの考え方に従うと、自然エネルギーから優先的に投入されて、燃料費の高い火力発電が弾き出されることになります。これは脱化石燃料の観点からも望ましいのですが、市場原則のみで時々の電源選択を行うようになると、以下のような問題点が出てきます。

・需要・供給曲線は共に時々刻々変動（S、Dが左右移動）していて、特に変動の激しい自然エネルギーが大量に入ってくると、限界費用の高い火力発電Ｇｎを常に待機しておかなければならなくなる。
・一方、燃料費の高い火力発電は正味の運転時間は少なく（起動停止が多くて稼働率が低く）なるため、運転効率が悪くなる。
・発電事業者は稼働率の低い火力発電を維持するモチベーションが上がらず、より高性能な設備への更新投資にも熱心ではなくなる（図4.3-4がこの一例を表しています）。

このような問題点の対応として、日本全体で**発電設備の供給能力を維持するために、発電能力そのものに価値（kW価値）**を認めよう（第Ⅳ章８項参照）というのが、**2020年度より導入されている容量市場**です。たとえ有効に運転する時間は短くても、必要な時にはいつでもすぐに起動できるようにしておくという予備力の位置づけでもあります。

容量市場細部の設計は現在も行われていますが、数年先の発電能力（kW）を発電事業者がオークションにより競り落とし、一定額の費用が稼働状態に関わらず支払われるものです。基本的な狙いは、**発電設備の投資回収の見通しをつけやすく**して、計画的で最適な設備の維持に努められるようにすることです。

この容量市場に関しては新規参入の新電力などから以下のような懸念が示されていて、さらに議論の余地があると言われています（注）。

・既設の発電設備も取引の対象となり、大規模火力発電所を所有する大手電力会社が圧倒的に有利で、新電力の競争力を削ぐ。また化石燃料を使う火力発電所の温存につながる。
・約定する取引費用の原資が電気の託送料金から供出され、電源を持たない新電力などにとって負担となる。

（注）2020年7月に行われた最初の容量市場のオークションでの落札結果は以下のようになって、関係者より問題点が指摘されています。政府やマスコミなどから、詳しい噛み砕いた説明がほとんどありませんが、私達消費者も気にかけておく必要があります。
・事前の想定を大きく越える高値で成約：約1.8億kW分のベース価格が14,137円/kWで、約定総額1.6兆円
・応札容量の約95％が自然エネルギー源以外の従来型電源（化石燃料を使う火力が主体）

第Ⅳ章８項の説明のように、発電能力（kW)、調整能力（ΔkW）は共に、自然エネルギーの導入で大きく変動する電力需給のバランスをとるために必要とされるもの（kW＋ΔkW）です。容量市場でkW価値が特出しされているのは、まだ蓄電などのエネルギー貯蔵、デマンドレスポンスなどの需給調整システムが働いていなくて、信頼性に欠けるためです。長期的に

脱化石燃料に移行する過程で、容量市場は過渡的なものであり、必要最小限にとどめるべきで、むしろVPPなどの**調整能力を構築することに注力**されるべきと考えられます。

以上、電力市場の細部に及びましたが、自然エネルギー導入が電力市場とエネルギー・ビジネスを大きく変える姿の一面です。ここでのポイントは以下の２つです。

・自然エネルギーの導入拡大には適切な市場環境の整備が必要
・電力エネルギー需給調整能力の開発と運用が低コストな脱炭素エネルギーを安定的に供給するための鍵

2．自然エネルギー投資は持続可能性から

前項での“限界費用ゼロの自然エネルギー”との説明からすると、素材の安さだけが強調されて、すぐにでも電気代が安くなりそうですが、話はそれほど単純ではありません。それは上記の議論で抜け落ちている以下の２点を考慮しなければならないからです。

・発電事業者が設備投資などにかかった初期費用をどのようにして回収するか。

・電力系統運用者が電力託送料金のほかに需給バランス調整にかかる費用をどのようにして徴収するか。

後者については前章でも取り上げましたが、変動する自然エネルギーの導入拡大とともに、電力系統運用者は発電能力の維持だけでなく、いかにして経済的に需要と供給のバランスを確保するかにより注力することになります。エネルギー・ビジネスとしては、少しずつ発電量そのものから如何にして効率的・経済的に運用するかの、ソフト的な対策にエネルギーの価値がシフトしてゆくことになります。これが調整能力（kW＋ΔkW）の価値として、やがてエネルギーの需給調整市場で取引されることになります。

いずれにしても、その前にまず需要量に見合っただけの自然エネルギーが十分に供給される環境が必要となり、そのための入り口である投資環境について考えます。

① 発電設備の投資判断にはリスクマネジメントが必須

大手電力会社が大型発電設備などを導入する際には、少なくとも40年間の運転を予定していますので、燃料調達などを含めてかなり先までを見越した事業計画が練られます。戦後の高度経済成長期以降これまで、電力需要は右肩上がりで増えてきましたので、予想される電力需要を満たすことを最優先に設備の増強が行われてきました。

そして、**総括原価方式**によって、基本的には設備償却費用はすべて電気料金で回収できる仕組みになっているため、まずは安定的に電力供給することに運用の重点が置かれてきました。したがって、大手電力会社はこれまでは発電所の設備投資に対する将来の回収見通しをそれほど厳しくは考える必要性がなかったと言えます。

ところが、電力の自由化が始まって、電力需要が大きく伸びない環境下で、やがて総括原価方式が使えなくなると、設備投資に対する将来見通しの判断が極めて重要になります。長期にわたって使い続けなければならない設備が、福島第１原発のような大事故や環境問題を引き起こすと、いきなり事業が行き詰まることにもなりかねません。したがって、長期にわたる事業の将来性が見通せない場合には、事業者にはできる限りの手段を尽くして事業リスクを最小限にする経営判断能力が求められます。この辺の事情は、自然エネルギー発電設備の導入においても全く同様です。

例えば、皆さんが自宅の屋根にソーラーパネルを設置する場合には、その場所での日照条件と売電価格（FIT利用の場合は10年間固定）に基づき、少なくとも10年間程度の収入を見積もります。あとは初期投資費用（設備費＋工事費）といくばくかのメンテナンス費用がどのくらいになるかで導入効果の有無を判断することになります。

もう少し具体的に、大型の事業用太陽光発電所（いわゆるメガソーラー）でのキャッシュフロー（図5.2-1）で考えてみます。

図の（収入）－（支出）の合計が事業利益です。事業運営では燃料費がかからないため、C_2～C_{19}の維持管理費用は通常かなり低くて、最初の設備導入などの初期費用（C_0+C_1）がキャッシュフローの大半を占めます。つまり、初期投資費用を長い時間をかけて回収するビジネスモデルで、確実な設備計画・施工と初期の投資判断が非常に重要な位置を占めていることがわかります。

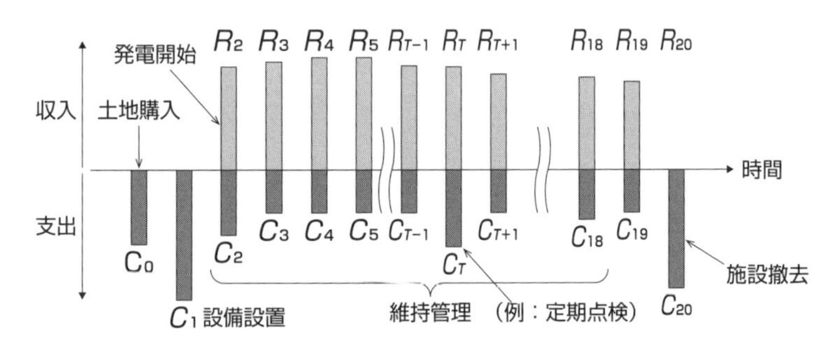

図5.2-1　太陽光発電事業に伴うキャッシュフロー[2]

（注）2016年度のFIT・調達価格等算定委員会によるコスト積算では、1MWクラスの太陽光発電所の所要費用について以下のように想定されています。
- 発電所システム28,000万円、土地造成費150万円、土地賃借料225万円/年
- 修繕費・人件費・一般管理費などの維持管理費813万円/年
- 売電収入3,800万円/年（36円/kWh、設備利用率0.12）

FIT制度を利用する場合には、買取価格などの条件によって事業性は違ってきますが、事業が順調に運んだとしても、初期投資の回収には10年前後を要すると言われています。大型の太陽光発電設備の法定耐用年数も17年と定められていて、事業スパンの長さは際立っています。これに対して、私たちに馴染みのある一般機械設備の法定耐用年数は５年で、メーカーで設備投資回収期間が10年間の稟議書を用意しても、まず通ることはないでしょう。

以上でエネルギー・ビジネスの特徴である長い事業スパンとそれに伴う初期投資判断・リスク管理の重要性について確認しました。この初期投資のハードルを下げるために導入された施策が、次項の固定価格買取制度（FIT）です。

②固定価格買取制度（FIT）の狙いと課題

自然エネルギーの拡大策として導入された固定価格買取制度（FIT）は、事業開始から一定期間の売電価格を固定化して、民間による設備投資を呼び込むためものです。本格的な国の政

策としてはドイツが2000年に開始したものが最初と言われますが、我が国でも2009年に主に家庭用の小規模太陽光発電（10kW以下）を対象に始められました。それから、東日本大震災後の2012年に大型の事業用のものを含めて、他の自然エネルギー源にも拡大されて現在に至っています。

大震災がもたらした電力需給の逼迫が、本制度が本格的に動き出すはずみになったのは確かですが、実はあまり知られていないこととして、震災当日の午前中に、導入のための法律案が時の民主党・菅直人内閣で閣議決定されています。これは全くの偶然です。

最近は最初の太陽光発電設備が10年間の買取期間を終了するということで、「卒FIT」と称されて、その後の売電先や活用法が注目されています。

このFIT制度については、原資のかなりの部分が電気料金に賦課金として加算されるため利用者の負担増大につながるなどの問題点がありますが、自然エネルギーの導入拡大を促進することを目標として、下記のような狙いが込められています。

・初期の設備投資費用の回収見通しをつけやすくして、投資リスクを低く抑える。
・設備需要が増えることにより、生産・流通コストの低減と関連する技術開発を促す。

投資リスクは金融機関の融資や保険料率にも関わってくるので、事業性を判断する重要項目です。現在太陽光発電を中心に導入が拡大し、政策の効果は現れつつありますが、一方では自然エネルギーを遍く普及するというより長期的な視点に立つと、下記のような根本的な問題点も見え始めています。脱化石燃料社会を目指すという最終目標を考えると、これらは見逃すことができない課題です。

・FIT期間終了後も長期にわたって事業の継続的運営が確保されるかどうか。
・地域住民の生活環境や自然環境との共生が計られるかどうか。

これらは、正に自然エネルギー事業の“持続可能性”に関わる問題です。

FIT制度は、本格的な脱炭素社会に移行するための導火線の役割を果たすものと捉えることができます。これは本格普及に至るまでの準備期間であって、その間にできるだけ自然エネルギーを受け入れる私たちの考え方や社会システムの整備を進めておくのが望ましい姿です。現在は賦課金を投入して何とか面倒をみていても、やがて自然エネルギーが自立して、消費者が安くて環境にやさしい電力の供給を享受するようにならないといけません。一歩先を行くドイツの賦課金の例でも、次ページの図5.2-2のようにあと数年の上り坂を越えると、その後は賦課金も下がる予定で、さらにその先では賦課金が発生しない、低廉な電力が供給されることが期待されます。

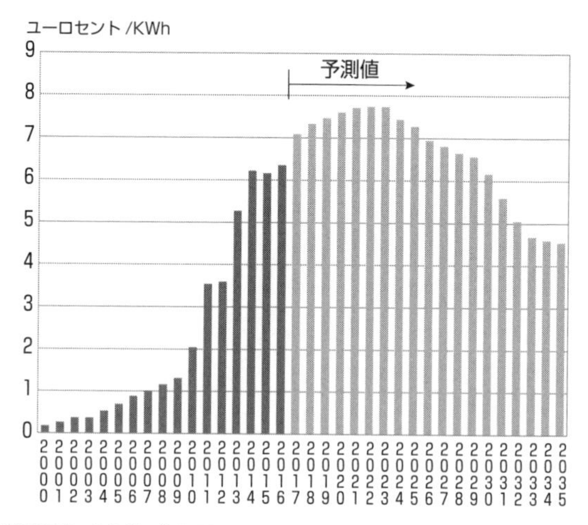

出典：ドイツ連邦経済エネルギー省 "EEG-Umlage in Cent pro Killowattstunde"、送電事業者４社の共同情報公開サイト（Netztransparenz.de）"EEG-Umlage"、エコ研究所&アゴラ・エナギーヴェンデ "Online EEG-Rechner"（参照：2015/10/22）

図5.2-2　ドイツの自然エネルギー賦課金の推移と今後の予定[3]

もし今稼働している再エネ設備がFIT期間終了後に発電を継続しなくなると、消費者がそれまで賦課金を投入してきたものが水の泡になってしまいます。例えば、図5.2-3は山林の丘陵地を切り開いて、太陽光パネルを設置した発電所の例です。最近頻発する集中豪雨による土砂崩れで、事業の継続に大きな影響が及んでいます。長期にわたってこのような自然災害などの各種リスクなども考慮して、世代を越えて持続性のある事業計画が求められます。

図5.2-3　2018年の西日本豪雨による太陽光発電設備の被害例(4)

同様に設置地域の景観や自然環境への影響などで地元からクレームが入るような設備も、末永く事業を継続する持続可能性に欠けると言わざるを得ません。地域との良好な関係が世代を越えて、いろいろな面で事業を長期にわたって継続するための力となります。

このように分散型の自然エネルギーの普及拡大が脱炭素社会実現の鍵になりますが、それだけ**発電事業者は事業の持続可能性、さらには社会のエネルギー供給を支える責務**を感じて、事業に臨む必要があります。

③投資を化石燃料から自然エネルギーへ:ESG投資

エネルギー・ビジネスを長期的な視点で支える投資の重要性

の一端を紹介しました。最近は国連の推奨しているESG投資が我が国でも拡がりを見せています。投資には興味がなければ、投資の機会もないと思われるかもしれません。しかし、最近では我が国の年金積立金管理運用独立行政法人（GPIF）が2017年よりESG投資を始めて、18年度末の資産残高が３兆5000億円になっています。間接的とはいえ私たちにも関わってきます。

ESGとは環境（Environment）、社会（Social）、企業統治（Governance）の頭文字をとっていますが、この３つの基準に従って企業活動を分析し、改善に取り組む優れた企業を選別して投資を行うことです。売上高や利益のような財務諸表に現れる数字だけでは判断できないような事業リスクを排除して、企業が長期にわたって成長を続けられるような基本的な要素をあぶり出そうというものです。目先の短期的利益だけではなくて、**長期的な事業の持続可能性**が評価され、なかんずく**気候変動を事業リスクあるいは事業機会**として捉えようという考え方によっています。その中には当然、**地球温暖化問題**や生物多様性の維持、環境汚染などの各種の環境問題への取り組みが含まれます。例えば、図5.2-3の太陽光発電所のような例は地域コミュニティへの配慮が欠けるため、「社会」の評価ではマイナスとなります。

また、自然エネルギー関係の投資では、資金に余裕のある都市の企業が地方で乱開発をして、トラブルの種を撒く事例も散見されます。そのため、地域主導型の事業などに対して、「グリーンファンド」と呼ばれる民間資本を活用して地域の低炭素化事業の創出を応援する環境省の基金、さらに「グリーンボンド」と呼ばれる民間企業や地方公共団体などが環境改善効果のある再生可能エネルギー事業や省エネ改修事業などの資金を調達するために発行する債券などが用意されています。

この逆の展開がダイベストメント（資金引き揚げ）です。環境負荷の高い企業への投資を控えるだけではなくて、そのような企業から積極的に投資を引き揚げる動きが起きつつあります。ここで狙い撃ちになるのが、石炭採掘業や石炭火力発電のような化石燃料への依存度が高い企業です。世界各国の有力な公的年金基金などは既に多額の資金を引き揚げたと言われます。

このほかにも、保険会社の引き受け停止、金融機関などの融資引き揚げにより、石炭などのCO_2を多く出す事業の継続や拡大にさまざまな方面から圧力がかかりつつあります。ここでも私たちが環境を守ることにより、社会を持続的に成長させるという意思が反映されています。

3．多様なエネルギー・ビジネスへの展開

最近製造業では人口減少や低成長経済の環境下で、製品を売り切るだけではなくて、製品をサービスの一部と考えて新たな価値の提供を目指すべきと言われています。いわゆる「モノの価値」から「コトの価値」への転換です。例えば自動車メーカーでは、MaaS（Mobility as a Service）とも言われますが、車両の販売だけでなくて、ユーザ体験や利用価値を重視して、サービスの領域に踏み込まないと生き残っていけないとの危機感があるようです。

同じような、あるいはさらに厳しい環境にあるのがエネルギー産業です。エネルギーは究極のコモディティであり、電気などの品質で差別化することは困難です。電力小売は薄利多売のビジネスとも言われ、それだけで経営して行くのは並大抵ではありません。さらに電力自由化で競争相手が増える中で、限られたパイを分け合うのみでは縮小均衡の結果しかありません。EaaS（Energy as a Service）という造語が正にぴったりと当てはまりそうな変革の時期を迎えているのが現在のエネルギー産業です。

ここではそのような変革に向けての取り組みの例を参考にしながら、今後の展開を考えてみます。

①電力システムのIoT化：スマートメーター

まず電力関連ビジネスに、デジタル化とIoTの波が押し寄せ

ている現状からです。私たちの日常生活にも関係し、これからのエネルギー使用の効率化を考える上でも知っておいた方が良い知識です。

これまで各家庭などに取り付けられている電力メーターは、皆さんご存じの円盤のようなものがくるくる回転している積算電力量計とも言われているものです。毎月電力会社の検針員が回ってきて表示されている数字を記録していますが、典型的なアナログでオフラインの計測処理方法です。

それを最近電力会社がスマートメーターというデジタル方式のものに取り替えつつあります。地域によって異なりますが、2019年３月末現在で約６割の住戸の取り替えが完了して、2024年までには全戸に行き渡る予定になっています。また、新電力への切り替えが行われた家では、優先的にスマートメーターの取り付けが行われているはずです。

スマートメーターが取り出すデータ通信は、以下のA～Cの３ルートがあります（図5.3-1）。

・Aルート：スマートメーターを設置した電力会社（送配電会社）が、取引の最小単位である30分ごとの電気使用量などのデータを自動的に受信して課金などに利用する、最も基本的な機能です。太陽光発電の余剰電力を買い取ってもらっている家庭なども、このデータに基づいて代金の精算が行われています

・Cルート：Aルートで電力会社に渡ったデータが、新電力などの電気小売事業者に転送されるルートです。新電力から電

力の供給を受けている消費者は、このデータにより電気料金が請求されます。したがって新電力への切り換えの際には、まずスマートメーターの設置が行われます。

・Bルート：1秒ごとのリアルタイムのデータが、電力会社に個別にこのルートの開通を申し込んだ新電力やその他のサービス事業者に対して送付されます。消費者などの個人も受け取り可能ですが、実際に活用するためにはかなりの専門技術が必要です。図5.3-2のように各家庭やビルなどの各種電気機器や太陽光発電、EV、蓄電池などを接続して電力制御を行うHEMS/BEMS（Home/Building Energy Management System）では必須のデータとなります。

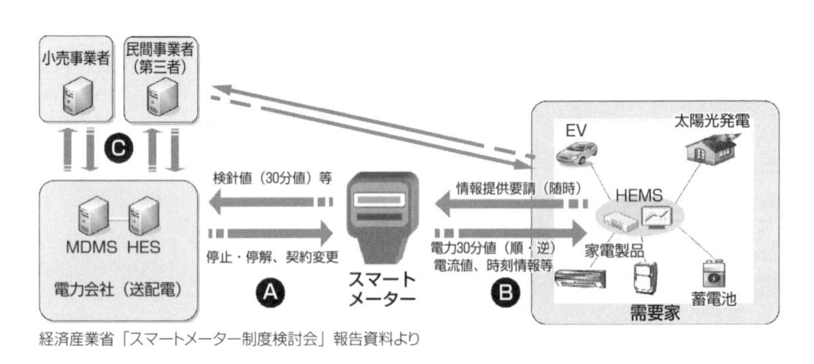

図5.3-1　スマートメーターで提供される通信方式(5)

Aルートと Cルートはスマートメーターに求められる最低限の機能ですが、むしろ電力会社やその他の関連サービス事業者が注目しているのは、Bルートで得られる詳細なデジタル情報です。各家庭やビルなどのエネルギー・マネジメント・システム関連のビジネスはもとより、さまざまな活用方法（注）が考えられるからです。消費者の電力使用方法に関する大量のデータ（ビッグデータ）を解析することによって、消費者ニーズを分析する新しいビジネスチャンスを探ることもできます。電力販売というコアビジネスをきっかけに新たなサービスへの展開が開けてきます。

（注）子供や高齢者の見守りサービス、モノや場所などの遊休時間を有効活用するシェアリング・ビジネス、家電製品の修理などのかけつけサービスなどが検討されています。

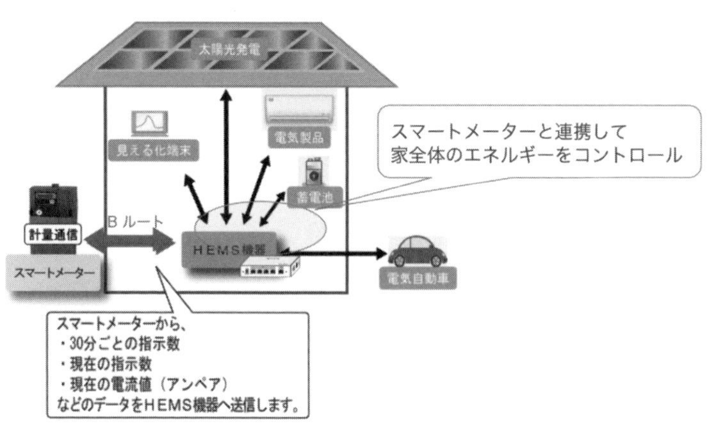

図5.3-2　スマートメーターを中心としたHEMSの世界(6)

② 電力情報をビジネスに：情報銀行など

上記のBルートデータは、まず需要予測に基づくデマンドレスポンスなどの電力の需給調整（図4.8-1）の基礎データとしての活用が検討されます。

さらにスマートメーターが集めてくる詳細な電力データを活用する新たな動きが始まっています。その仕組みは図5.3-3の通りで、大手電力会社が提供する電力データの流通を仲介する「情報銀行」を中心として展開されます。情報銀行は公的機関の認定を受けた団体で、データの取り扱いに際しては、利用者の同意や利用の透明性の確保が求められます。一例として、東京電力や中部電力などが関連企業とともに設立しています。

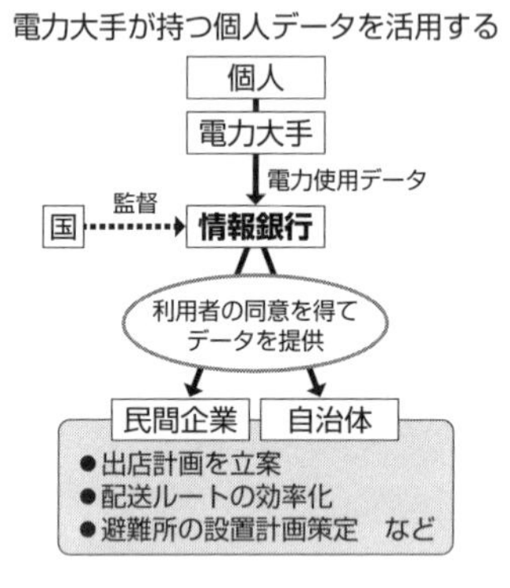

図5.3-3　電力データ活用の仕組み[7]

電力データを解析することにより、各世帯の電気使用の特徴はもちろん、その地域の特性やライフスタイルまでも探ることができます。さらにAIを活用すれば、主要な家電ごとの使用状況も推定することができるため、省エネの提案やお年寄り・子供の見守り、電気機器のメンテナンス・修理へのサービス対応などと、顧客視点に立ったビジネスへの使い途が拡がってゆきます。

情報銀行では、個人のデータのみならず広く地域のデータを集めて整理することにより、事業者のマーケティング・ツールとして、各種の製品・サービスの開発や提供に役立てたり、地方自治体の住民サービスに活用したりすることが期待されます。

このように、分析された電力関連のデータベースは新たな価値を生み出すことになります。

大手電力会社では、図5.3-4のように、これまでの電力売り切りのビジネスから、電力販売を核として周辺へとサービス領域を広げる動きが起きつつあります。その際に活きてくるのが電力情報であり、それによってつながる顧客との関係であったりするわけです。

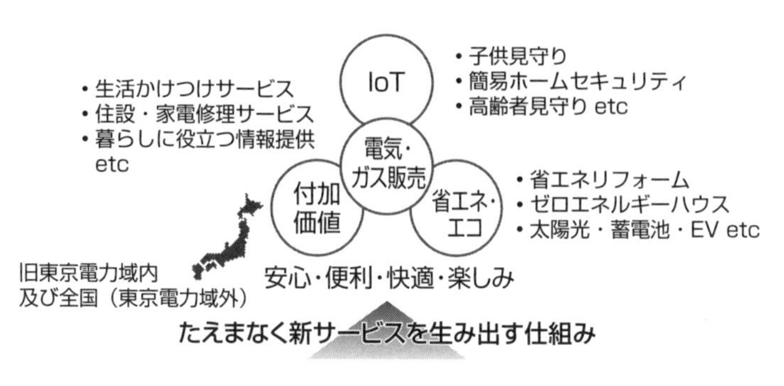

図5.3-4　東京電力におけるサービス開発のスタンス[8]

③電力取引の変革：P2P取引

図5.3-5は将来の電力取引が従来のものからどのように変わっていくかを典型的なパターンで表しています。これまでは中央の大手電力会社が消費者との電力取引を一手に引き受けていた

のですが、IoTとデジタル技術の普及によって、将来は消費者同士での電力の直接取引（P2P取引）の可能性が出てきます(注)。電力の売り手と買い手が対等の関係で、ネットワークへアクセスして、電力需給データの提供・要求から取引の実行までを行う“究極の姿”です。

（注）一般の人でも電力売買ができるような法律改正、電力取引をトレースして金額を確定する仕組みなどの事前準備が必要です（下巻・第Ⅶ章５項参照)。

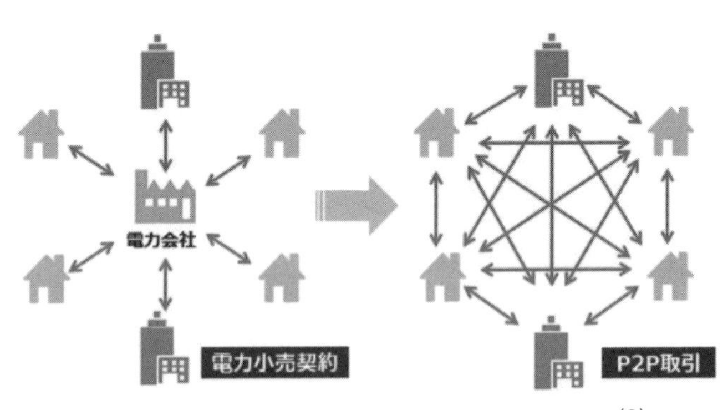

図5.3-5 「電力小売契約」から「P2P取引」へ (9)

これから分散電源が次第に増えてくると、できるだけ近い消費者と供給者を結びつけてエネルギーの輸送距離を少なくして、エネルギー輸送ロスを少なくする仕組み（プラットフォーム）を考える必要があります（注１）。配電用変電所管内の配電網だけでできるだけ賢く（スマートに）需給バランスを確保することによって、分散型電源を中心とした自然エネルギー社会に最適な、コンパクトで使用効率の高い送配電システム（注２）に導かれます。ひいては、できるだけ大規模な送配電システムへの投資を抑えて、真のエネルギーの地産地消につながることになります。さらに、図4.8-1に示したような、デマンドレスポンスや電力市場との統合機能が組み込めれば、スマートグリッドとして電力の需給調整に力を発揮することができます。

（注１）制度的には同一変電所エリア内は託送料金を割安にするなどの託送料金の近接性評価の導入などが期待されます。
（注２）このような送配電システムをマイクログリッドと呼ぶことがあります。

ここではインターネット・IoTといったデジタル技術やSNSが従来の電力供給者（大手電力会社）と消費者の関係を変えるだけではなくて、前にも登場したプロシューマーやアグリゲータという新しいプレーヤーが活躍する場となります。

電気は化石燃料、原子力、自然エネルギーなどのどれから造っても品質に変わりがないのですが、原子力発電の電気だけは買いたくない、少し高くてもCO_2排出の少ない電気を購入したいという環境志向の消費者も少なからずいます。ここには電気という商品を造るプロセスを環境価値の側面から評価しようという消費者の考えが表れています。消費者は生産者の環境に対する意識やモラルを含めて消費行動を判断しているとも言えます（注）。たとえ全く同じ品質の電気であっても、そこに環境価値を付加し、商品をブランド化することが可能であるということになります。

（注）電力消費者としての企業の側でも、以下に紹介するRE100のように使用する電力を自然エネルギー由来にする活動が行われています。

最近の例では、東京電力がプレミアムを付けて水力発電による電気を販売しています。「みんな電力」という新電力は、インターネットに発電者のプロフィールをアップして、再エネ電力の販売を行っています。文字通り再エネ電力の生産者の顔が見えることを売りにしていますので、P2P取引の先駆けと言えます。これを実現するための新技術やその仕組みについては下巻・第Ⅶ章５項で詳しく取り上げます。

以上、自然エネルギーが大量導入される将来の社会と関連するビジネスの一端を、電力情報化、P2P取引を例として見てきました。現在起こりつつある電力ビジネスの全体動向をまとめたものが表5.3-1です。

表5.3-1　自然エネルギー拡大がもたらす将来の電力ビジネス環境

項目	従来	将来の方向	補足説明
電源（発電）	発電所：大規模集中型、規模の経済性を追求	電源：小規模・地域分散型、持続可能性（CO_2排出削減）	自然エネルギーの拡大、地域の活性化に貢献、エネルギー安全保証につながる国産資源
電力会社	地域独占、垂直統合型（発電・送電・小売）	・発電/小売：分離・自由化（注1） ・送電：広域連携	・電力小売自由化開始（2016年～） ・発送電分離（アンバンドリング）（2020年～）
電力取引	電力会社中心のヒエラルキー型	・消費者の声が強いネットワーク型 ・将来は電力市場を通じた自由取引 ・プロシューマ/アグリゲータ活躍⇒P2P取引（注2）	・IT/SNSの発達⇒消費者の声が大量に集まる ・自家消費、地産地消⇒マイクログリッド/VPP（注3） ・シェアリングエコノミーとも関連
商品企画	電力は規制料金に守られた“究極のコモディティ”	・環境価値の付加によりブランド化 ・限界費用ゼロの自然エネルギー	産地・生産者・生産方式などの属性を付加した”顔の見える価値”が評価される

（注）1　発送電分離には次のような形態があり、一般的には後にいくほど自由化の程度が深まる。我が国は法的分離。

・会計分離、法的分離（別会社化）、機能分離（送配電事業を外部の中立機関に委ねる）、所有権分離（資本関係のない別会社化）

2　P2P(Peer-to-Peer)：ネットワークに接続したパソコン、サーバなどが対等の立場でデータのやり取りを行うネットワークモデル。

3　VPP(Virtual Power Plant)：複数の分散電源、蓄電設備などをIoTを活用して統合制御して、あたかも一つの発電所のようにまとめて機能させ、電力の需給管理を行うシステム。「創エネ」「蓄エネ」「省エネ」を活用することで最大限効果が発揮される。

4．自然エネルギーと地域社会

固定価格買取制度（FIT）に挙げられている自然エネルギー（再エネ）の中で、我が国で最も急速に発電量を伸ばしているのが太陽光発電です。それには下巻・第Ⅵ章でも述べるように、技術が成熟化して、専門技術を持たない私たちでも取り扱えるようになったことがあります。

具体的なこれまでの太陽光発電の導入量の推移が図5.4-1です。ここで少し気になるのは、FITが開始されてから３年目までは順調に導入設備の認定容量（＝稼働容量＋未稼働容量）が増えたのですが、その後伸び悩んでいることです。2017年度のようにむしろ減っている年度もありますが、一時の“太陽光バブル”から無理な計画などが振り落とされた結果だと言われています。さらに本図には示されていませんが、未稼働容量の内数として毎年の新規計画の認定容量が最近急激に少なくなっています。

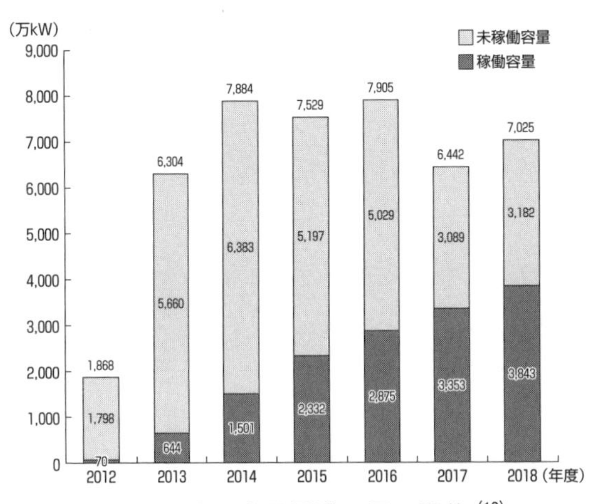

図5.4-1　太陽光発電導入量の推移[10]

この原因として、買取価格が引き下げられ、大型設備が入札制度に移行したことがあげられます。買取価格の一部は再エネ賦課金として国民負担によって賄われていますから、ある程度以上増えることは抑えなければいけないとの政策判断によります。一方、パリ協定に対応した2030年の国家目標であるGHG排出削減量26％の内訳として太陽光発電導入量6400万kWとなっていますから、太陽光発電については現在の認定容量でも到達できそうだとの判断があるかもしれません。

もう一つの隠れた要因が、あちこちで最近急激に太陽光発電が見かけられるようになって、地域住民との間でいろいろな軋轢が生じていることがあります。極端なのが図5.2-3のように風水害に伴って発電設備が住民の生活を脅かす場合、あるいは景観の破壊などで生活環境に影響する場合などがあります。

このような住民の苦情が相次いで、自治体によっては条例によって発電設備の開発を規制し、国としても従来は太陽光発電に対しては要求されていなかった環境アセスメントを義務づけるなどの対策がとられつつあります。

下巻・第Ⅷ章で考えますが、2050年のカーボンニュートラルな社会の実現には、太陽光発電に大きな期待がかかっています。日本太陽光発電協会の2050年導入目標では30,000万kW(300GW)となっていますから、現在の10倍近くの導入量が必要です。今の延長線上でこれだけの導入を実現しようとすると、地域住民に拒否反応が生まれて、自然エネルギーに対する受容性の低下がさらに深刻になることが懸念されます。

国土面積が限られる我が国では、太陽光発電などの再エネ設備が生活圏に入り込んでくることは避けられないため、住民の受容性を確保することはこれから導入量を拡大するためにとても大事な要件になります。

①コミュニティパワー三原則

我が国に先立つ西欧諸国での自然エネルギー導入は、まず風力利用から始まって、長い歴史を持っています。その中でも、地域社会（コミュニティ）が主導する形で自然エネルギー導入が積極的に行われたのがデンマークとドイツと言われています。

デンマークでは1980年代以降に風力発電の普及を担ったのが「風力発電共同組合」で、2004年には同組合に参加している、または風車を個人的に所有している人は15万人に及び、国内風車の75％を組合や個人などの地域コミュニティが所有する状況となっています。

これが一つのモデルとなって、世界風力エネルギー協会は、2010年に以下のコミュニティパワー（「ご当地電力」、または「ご当地エネルギー」）三原則を公表しています。

・地域の主要な関係者が、その自然エネルギーの大半もしくはすべてを所有。
・地域コミュニティはその自然エネルギー事業の意思決定に過半数以上の投票権を有する。
・自然エネルギー事業からの社会的・経済的な便益のほとんど、またはすべてが地域コミュニティに分配される。

これらの三原則のうち、２つ以上の原則を満たす自然エネルギーをコミュニティパワーと称することができるとなっています(11)。

この三原則は地域住民とのいろいろな関わりを経て凝集された、基本的価値観と言えるようなものです。残念ながら、そのような経験を経ずして立ち上がった我が国のFIT制度では、このコミュニティパワーという考え方が少ないのもやむを得ないところがあります。

例えば、太陽光発電設備の所有権について日独を比較すると、表5.4-1の通りです。

表5.4-1　日独の再エネ設備の所有割合比較

【日本】 太陽光発電出力	県内事業者	県外事業者	2016年末までに稼働したメガソーラー
	22.1%	77.9%	
【ドイツ】 再エネ発電出力	地域内資本割合	地域外資本割合	2012年までに設置された再エネ設備
	67%	19%	

（注）・日本のデータは「固定価格買取制度導入後のメガソーラー事業者の地域性」（桜井あかね）

・ドイツのデータは「ドイツの市民エネルギー企業」（村上敦）による。不明が14%あり

これだけで彼我の直接の比較は難しいのですが、それでも我が国では地域コミュニティの所有割合がかなり低いことがうかがえます。少し誇張した言い方ですが、都会の資本が田舎の土地を占有して、元からその土地にあった太陽光などの自然エネルギーを持ち去ってしまって、地元には収益がほとんど還元されない（注）。反対に、風車の騒音や景観破壊などの環境被害をもたらすという図式になります。

これに対する住民の反応を表す言葉として、自然エネルギーの活用は結構だが、「家の近くでは御免です（NIMBY：not in my backyard）」というのがあると言われます。

（注）土地賃借料・固定資産税、建設時の資材購入・土木工事作業では多少地元に資金が投下されます。

文献[12]によると、市民や地域社会が自然エネルギー開発に参加すべき理由を下記のように述べています。

「再生可能エネルギーの普及は、部分的にでも一般の人々（地

域住民）の投資や参加を政策が促すか妨げるかに左右されます。例えば、一般の人々が関わるかどうか、あるいは受容できるかどうかは、その事業に対して投資ができるかどうかと明らかに関わりがある……」

今後我が国でも、太陽光・風力発電などの導入をさらに拡大してゆくためには、住民生活との関わりがますます強くならざるを得ません。再エネ事業の進め方については少なくとも地域コミュニティの合意形成が求められるようになり、できれば地域住民が当事者として事業の意思決定に参画し、さらには地元資本を使って所有権を保有して収益の分配を受けるのが地域にとって理想的な姿となります。

このように、自然エネルギーは地域の資源であって、住民の主体的な参加でそれをうまく活用することができれば、これまで電力や石油などのエネルギー費用として、地域外に流出していた資金が地域経済で循環するようになるはずです。この歯車がうまく回るようになれば、地域の脱炭素化や環境保全とともに、これから地域社会が活性化するための原動力になります。

②ドイツのシュタットベルケ（自治体公社）の例

ドイツでは市民による共同組合とともに、地方自治体が主に出資する「シュタットベルケ」という地域事業者が、地域コミュニティの自然エネルギー事業への参画に大きな役割を果たしています。「都市公社」と訳されることもありますが、大都市ばかりでなく、むしろ中山間地を有する地方の町や村を取り込んだ地域というイメージがわかりやすいかもしれません。ドイツでは現在約1,000社ものシュタットベルケがあり、それらを合わせると図5.4-2のように、かなりの規模になります。

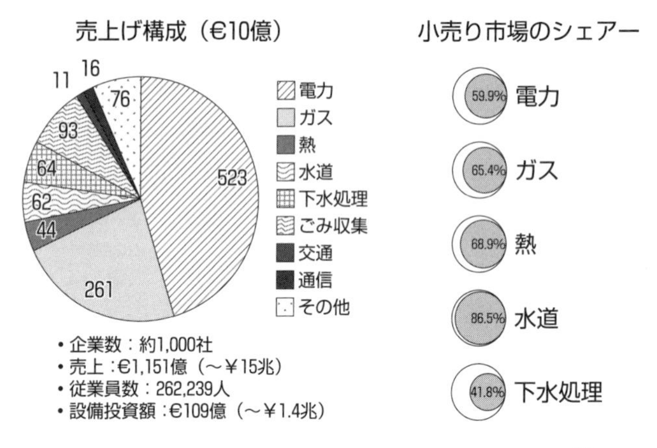

図5.4-2　ドイツ・シュタットベルケの全体規模[13]

この全体規模は、我が国では関連会社を含めた大手電力10社にも匹敵するものがあります。収益の大半が、電力・ガスなどのエネルギー関連ですが、ほかにもゴミ処理、上下水道などの地域の公共インフラサービスから交通や通信にまで事業を広げているものもあります。さらに注目すべきは、いずれも市場でのシェアが非常に高いことで、それだけ住民の信頼が得られていることがうかがえます。

我が国でもFIT制度が導入されて以降、いくつかの自治体が出資する地域新電力が立ち上がっていますが、まだ販売シェアでは新電力全体の１％程度（2017年９月時点、電力全体ではさらにその1/10程度）に過ぎません。シュタットベルケについては、最近日本でも地方自治体などで活動の参考にしようという動きがあり、「日本シュタットベルケネットワーク」が結成されています。シュタットベルケの詳しい活動内容は、そちらのホームページなどの情報をご覧いただくとして、その発展の概要を整理したのが図5.4-3です。地域のエネルギーの脱炭素化を図るだけではなくて、最終的には地域が抱えるいろいろな課題の解決を通じて、地域の活性化と持続的な発展に貢献するという目標があります。

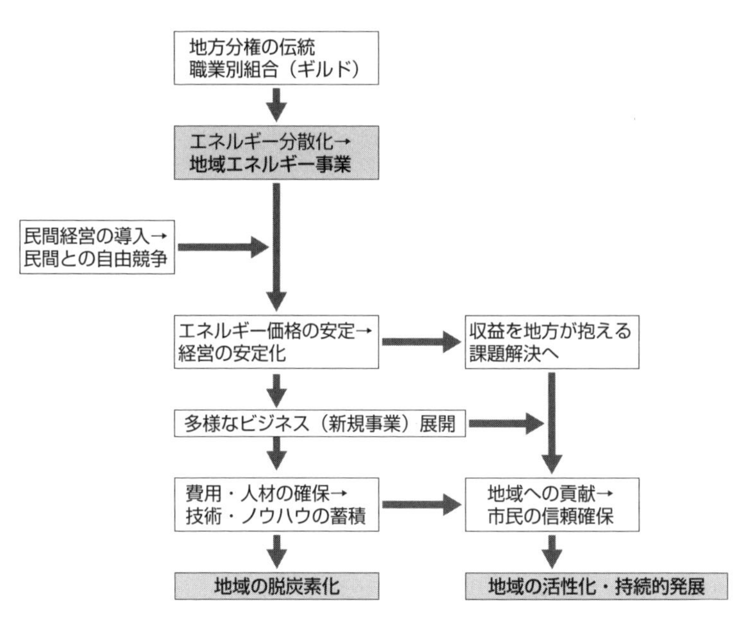

図5.4-3　ドイツ・シュタットベルケ発展の経緯

参考までに、事業運営に見られるいくつかの注目すべき事項を取り上げておきます。

・地方自治体は出資者として株式などを保有していますが、シュタットベルケとの人事交流はなくて、経営の独立性が保たれています。いわゆる、「金は出しても口は出さぬ」の精神です。

・ほとんどのシュタットベルケが大手電力会社から地域の配電網を買い取って、自ら管理運営を行っています。これは、ローカルグリッドで再エネ電力の需給調整を行うには有利な環境であり、将来的にもVPPなどのスマートグリッドへのスムーズな移行が期待されます。

・シュタットベルケは自営の熱導管（サーマルグリッド）を保有しているため、バイオマス発電などではコジェネレーション（熱電併給）による効率的なエネルギー利用が可能となっています。

③我が国が参考にできるもの

以上のデンマークの共同組合やドイツのシュタットベルケは、地域社会が主体的に自然エネルギーの導入に関わって、地域経済の持続的な発展を手繰り寄せている先導的な例です。このように自然エネルギーの導入拡大は、地域住民の参加を通して、地域社会のあり方と深く結びついていることがわかります。

図5.4-3はあくまでも理想的な道筋を示したもので、途中でいろいろな障害を乗り越える必要があり、これを文化的・政治的な背景が異なる我が国が一足飛びでそのまま取り入れるのは難しい面があるでしょう。しかし、エネルギーの地産地消で、循

環型の地域経済を実現させるまたとないチャンスが訪れているとも言えます。これからますます自然エネルギーの導入を拡大することが求められる環境で、地域社会の発展にどのようにつながってゆくかという視点がどうしても必要で、それが国全体として自然エネルギーをスムーズに拡大してゆくための重要な鍵を握っています。

上記の事例から気づくことを、思いつくままに拾い上げてみます。

・我が国の制度上ではエネルギー共同組合の設立は難しいため、やはり地域を代表する自治体が主体的に再エネ導入に関わってゆくのが最も現実的と思われます。既に一部の自治体ではそのような活動を開始しています。まず各地域のどこでどのような自然エネルギーが活用できそうかの供給ポテンシャルや公共施設などの大口エネルギー需要の調査から始まって、住民との協議を踏まえて都市（地域）計画の中で、再エネ利用の用途地域を明確にすること（ゾーニング）によって、スムーズな再エネ導入が期待されます。

・上記の計画の中では再エネの電力系統への接続が必要になりますが、大手電力会社から先ず十分に系統情報が開示されていない現状を改善する必要があります。ドイツのように地域の配電線を買い取って運営するのはハードルが高くても、2020年４月に法的に分離された送配電会社とうまく連携することも考える必要があります。それによって、最適な再エネの地域配置や送配電線の効率的な整備計画を総合的に検討することができます。

・エネルギー事業への参画を通じて、自然エネルギーの利活用を軸として、電気・ガスから廃棄物処理、地域交通などへと事業領域を統合拡大する見通しが開けてきます。地域の自然エネルギー源が「地方創生」につながることが現実の姿となります。

５．地球温暖化対策活動の国際的な拡がり

①地球温暖化問題の性質

GHGの排出増加によってもたらされる地球温暖化、あるいは気候変動は、私たちの生活や社会に大きな影響を与えます。これを緩和するために必要な投資や激化する自然災害が引き起こす甚大な被害は、すぐさま政治経済問題に発展します。温暖化による海面上昇で被害を受けるのは小さな島国であり、旱魃による食糧難はまず貧困国に降りかかると言われます。これらはグローバルな政治経済問題です。

図5.1-1で「気候変動経済」と呼んでいるのは、地球温暖化問題がこれまでの環境問題とは規模や困難さの面で桁が違い、そして真にグローバルな問題であることを再確認するためです。これまでの環境問題と同様に、共有資源を過剰に利用することによる“共有地の悲劇”、代価を払わずに恩恵を受けようとする“フリーライダー（ただ乗り）”に関する問題とも根本ではつながっています。しかし、今回の地球温暖化問題には以下のようなさらに難しい要素が絡んできます。

・問題の空間軸の拡がり

温室効果ガスが国境を越えて地球全体に拡がることから、その排出に歴史的に責任がある先進国と、海面上昇などの温暖化によって最も深刻な影響を受ける新興国の南北対立が生じています。さらに、今後の経済成長の見通しからは温室効

果ガス排出量増加の大部分が新興国によるものにならざるを得ません。そのため、「パリ協定」ではすべての国や地域が参加することを目指して、「緑の気候基金」(GCF) 制度 (注) を設けて、先進国が途上国を資金面で支援することになっています。

・問題の時間軸の拡がり

現在のGHG排出が蓄積されると、その影響が長期に及びます。逆に、今温暖化の対策を打って効果が現れる (あるいは問題の発生が緩和される) のが次世代というように、長期的に対策を継続する必要があります。言い換えれば、GHG排出に関わっていない、あるいは現在の政策決定に参加できない将来世代が、温暖化問題に苦しめられるという事態を現世代がどこまで食い止められるかです。

・環境被害や対策効果の測定・認知の困難さ

地球温暖化は「徐々に起こる災害」とも言われ、私たちが肌身で感じられるような頃には既に環境破壊の臨界点 (ティッピングポイント) を超えていて、対応は手遅れということになりかねません。また、他の環境被害とは違って、被害者や加害者が不特定多数である (汚染者負担原則が使えない) ため、個別の交渉で解決できる問題でもありません。さらに地球温暖化問題が難しいのは、それが本当に問題と思っている人があまりにも少ないということです。

(注)「パリ協定」発効後の時点で、先進各国の拠出表明金額の総計は約100億ドルで、そのうち、米国30億ドル、日本15億ドルなどです。その後米国は同協定からの離脱と拠出金の撤回を表明しました。

②地球温暖化問題を解決するための政策

政策面では、大きくは行政が主導する規制的手法と、市場メカニズムを活用した経済的手法に分けられます。実際には両者を適宜併用（ポリシー・ミックス）していますが、最近は後者の方がより実効性が高いとして注目されています。

・規制的手法

環境汚染物質（ここではCO_2）の排出基準を制定して、各事業者や工場・事務所ごとに基準値をオーバーすれば罰則を科す方法です。自動車燃費規制や各種機器の省エネ性能規制なども該当します。ただし、基準さえ満たせば、通常はそれ以上の削減義務は生じません。より縛りの緩いものとして、政府が業界団体などに総量規制を委任する自主規制などがあります（例えば、我が国の電力会社に対するCO_2排出規制）。

・補助金

政府あるいは地方自治体などがLEDなどの省エネ設備、エコカー、太陽光発電などの再エネ設備の導入、さらには建物の断熱改修などに対して資金の一部を補助するものです。一時的な設備導入の効果は期待されますが、制度全体の費用対効果は必ずしも高くないとの調査結果もあります。

次は経済的手法で、CO_2排出の場合にはカーボンプライシングと言われます。費用負担の公平性の面で、規制などと比べるとより優れていると言われます。

・環境税（炭素税）

CO_2などの環境汚染物質の排出量に応じて課税します。うまく使えば、資源配分をより社会的に最適なものに近づけることができ、排出量（⇒税金）を減らすために新技術を開発・適用しようとするインセンティブが働くと言われます。我が国ではCO_2排出に対する“地球温暖化対策税289円/トンCO_2”が該当しますが、欧州諸国（主要国で最も高いのはスウェーデンの16,074円/トンCO_2）に比べて低く、効果が疑問視されています。

・排出権取引（キャップアンドトレード）

政府が企業・工場ごとに一定量の汚染物質を排出する権利（キャップ）を割り当てます。排出量の枠が余った、あるいは超過達成した分は取引市場で売買（トレード）できます。代表的なのが2005年よりEU加盟国を対象に導入されているEU―ETSです。経済的な事情もあって市場価格は低迷していて、2018年10月現在は25€/トンCO_2の水準で取引がなされています。

以上が政府を中心とした政策的な動きです。これらがうまく機能すれば良いのですが、法制化がなされて動き出すまでにはかなりの時間が必要です。また、政策に支持を得るための国民の理解が前提となります。さらに、国際的な協調によって政策を進めないと、企業などが規制の緩い地域に移って、効果が低減するという問題（カーボン・リーケージ）も指摘されています。

③国連を中心としたグローバルな活動へ

最近は国連が中心となり、これに呼応した国際環境NGOや民間企業などの組織が活動を引っ張るようになりました。現在の私たちの経済活動の源泉は民間企業にあり、実際にGHG排出のかなりの部分は各企業活動から生じています。

表5.5-1に地球温暖化対策を含めたグローバルな環境関連活動の枠組みを示しています。現代の**環境問題に対する企業の行動指針**は太枠内の３項目：**SDGs、パリ協定目標、サーキュラー・エコノミー**と言われています[14]。これらは相互に密接に関連していて、各々の活動が結果として全体の成果につながるようになっています。

このような動きの背景には下記のような、最近の企業活動における流れがあります。

・**企業の社会的責任**（CSR：Corporate Social Responsibility）の増大から**環境経営**へ
　環境対策に取り組むことが最終的に企業の持続的な発展につながるという考え方に基づいていて、最近はさらにSDGsという大きな枠組みに包含されるようになっています。
・**社会的責任投資**（SRI：Social Responsibility Investment）から**ESG投資の拡大**へ
　持続可能性の視点から、環境への配慮が機関投資家の株式投資や金融機関の融資の重要な評価基準の一つとなっています。国連が機関投資家にESGを投資プロセスに組み入れる**責任投資原則**（**PRI**：Principles for Responsible Investment）採用を呼びかけて、各国の主要機関が署名しています。

また、現在行われている国際的な環境NGO、企業グループによる代表的な活動としては以下のようなものがあります。活動に参加する企業はもちろん、グローバルなサプライチェーン全体でのCO_2排出削減にも活動の軸足が置かれています。したがって今後サプライヤー側も、生き残ってゆくために相応の対応を迫られることになります。

・SBT（Science Based Targets）：

国際的な環境NGO・SBTイニシアティブなどが運営するプログラムです。参加企業にパリ協定の「２℃目標」、すなわち「世界全体の気温上昇を２℃よりも十分に低く抑える」を実現するために、気候科学（IPCC）に基づいて、GHG排出削減シナリオと整合した中期の削減目標を設定することを推奨するものです。

・RE100（Renewable Electricity 100）：

ビジネスで使う電力の100％を自然エネルギーとする目標を掲げる企業が参加する国際イニシアティブです。国際環境NGOのThe Climate Groupの呼びかけで2014年に開始され、アマゾン、インテル、ネスレ、イケアなどの世界的企業、日本からはリコー、積水ハウス、イオン、ソニーなどが参加していて、毎年参加企業数が増加しています。米アップル社は早々と全世界でこの目標を達成したと発表し、今後は原材料・部品メーカーを含むサプライチェーン全体に拡大しようとしています。

・CDP（Carbon Disclosure Project）：

英国の国際環境NGOで、世界の主要な企業の環境関連情報の開示を行っています。毎年各社に環境戦略や温暖化ガスの排出量に関する統一された質問状を送付して、回答を分析・評価した結果が機関投資家に開示され、ESG投資判断の基礎データとなっています。

表5.5-1　「持続可能な成長」に向けての地球温暖化問題に関する国際活動の連関

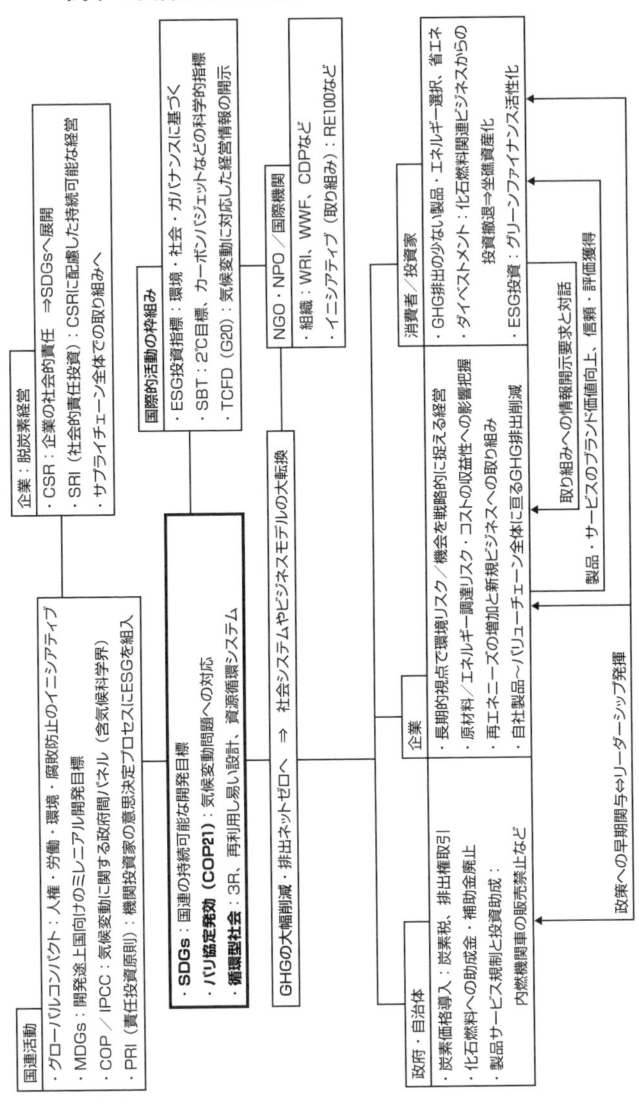

④すべては「持続可能な開発目標」(SDGs：Sustainable Development Goals)に通じる

最近SDGs（Sustainable Development Goals）を企業経営や地方自治体などの活動に取り入れようという動きが広まっています。皆さんも活動に参加しているとか、少なくともこの言葉は耳にしたことがあるでしょう。

SDGsは2015年の国連総会で採択された2030年までに達成すべき17の目標（図5.5-1）と169のターゲット（達成基準）からなるグローバルな開発目標です。そこでは地球環境を維持するための積極的な関与と、安全で快適な暮らしを将来の世代に残すための行動を促しています。国連ではそれまでの発展途上国向けのミレニアル開発目標（MDGs）などの諸活動の経験を踏まえて、これらの目標に集約されています。

その基本精神は「持続可能な発展」にありますが、そこに込められた主旨が重要です。「持続可能性」は単に物質的な意味だけではなくて、社会や環境を含めた幅広い内容を含んでいて、そのエッセンスは下記のようになっています(15)。

「持続可能な発展」とは**将来世代が自らのニーズを充足する能力を損なうことなし**に、現代世代のニーズを満たすような発展である。それは以下の要請に基づく。

- 世代間衡平性：現代および将来の世代の欲求を満たす**環境の能力の限界を越えない**。
- 世代内衡平性：世界の貧困層の不可欠なニーズを最優先、「**誰一人取り残さない**」。

図5.5-1　「持続可能な開発目標」（SDGs）について (16)

図5.5-1の17目標は重要な項目を網羅していますが、やや羅列的でスッと頭に入りにくいのですが、最近目にした図5.5-2がわかりやすくて腑に落ちます。名付けて「SDGsのウェディング・ケーキ」だそうです。

この図が表しているのは、持続可能な地球環境（生物圏）という土台があって、その上に健全な社会と発展する経済が成り立つという階層構造になっていることです。したがって、私たちが将来の発展を考える際には、まず持続可能な環境を維持するために、それにふさわしい社会と経済の仕組みはどうあるべきかと考える、上向きあるいは双方向の矢印の考え方が基本であり、逆方向だけ（経済最優先）で考えてはいけないということです。私たちの社会が持続的に発展してゆけるかは、自然がどれだけ健全な状態にあるかにかかっています。

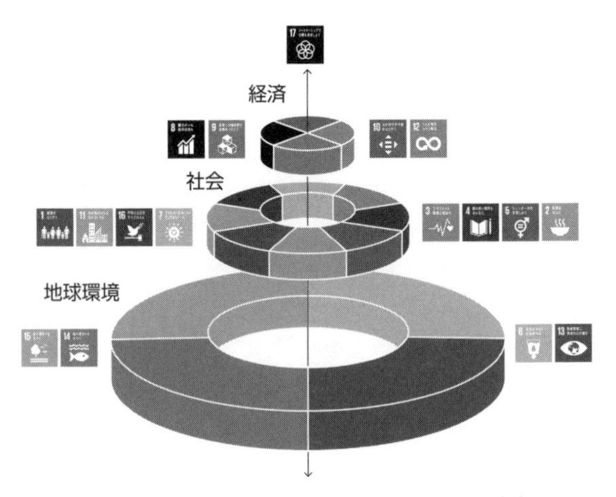

図5.5-2　SDGsの開発目標は階層構造[17]

ところが、現在は経済成長が最優先で、ややもすると際限のない成長を目指すような下向き方向の考え方が優先しているように感じられます。その典型的な例が、GDP指標に基づく経済成長神話です。産業界は定期的に発表されるGDPの0.＊%の動きに一喜一憂し、政治はあたかもその数値が究極の活動成果であるかのように発表しています。

もともとGDPは市場における物質の生産と消費に焦点を当てた指標であり、真の経済業績と社会の進歩を測るものとしては限界があると指摘されてきました[18]。それが経済のグローバル化と環境や資源の持続可能性がクローズアップされると、改めて意識されるようになります。

経済学の言葉では「外部性」と言うそうですが、これまで「環境」をコアの構成要素として取り扱ってこなかったようです。しかし、近年公害などの環境問題が私たちの生活の質（quality of life）に大きな影響を及ぼすようになると状況は変わってきます。最近地球温暖化問題が深刻になって、自然環境や生態系サービスの価値を「自然資本」として評価しようという環境経済学でも一歩踏み込んだ考え方が提唱されるようになっています。

例えば図5.5-3のように、気候変動がもたらすと考えられる近年の自然災害の増加は社会に大きな損失をもたらしています。登録のあった世界の気象関連の保険損失額（インフレ調整後）だけでも過去10年間平均で年額500億ドルに上り、1980年代の５倍に膨らんでいます（注）。このままの増加が続くと、保険料率が高騰して、保険システムそのものが立ちゆかなくなるとの懸念も出ています。

（注）自然災害による世界全体の損失額は2017年：3500億ドル、2018年：1600億ドルと推定されています（ミュンヘン再保険による）。

これらの損失額はGDPでは考慮されていませんし、大規模災害では時間遅れを伴った“復興需要”として、むしろGDPにプラスの評価を加えることになります。被災者の苦しみなどはGDPのどこにも表れてきませんし、とても違和感を覚える結果です。

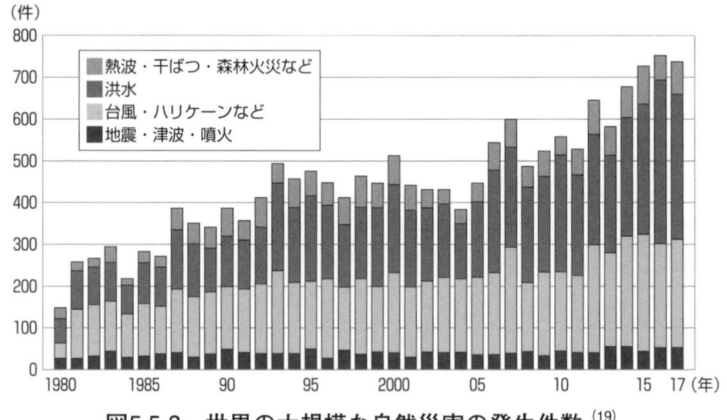

図5.5-3. 世界の大規模な自然災害の発生件数 (19)

さらに世界の経営者は、「発生する可能性の高いリスク」として最上位に異常気象、次に大規模自然災害、気候変動緩和・適応への失敗を挙げています (20) (注)。彼らは地政学リスク、経済・社会リスクよりも環境リスクをより重要な経営上の課題として捉えているのですが、これもGDPの評価においては全く考慮されていません。

（注）2020年の新型コロナウィルスのパンデミックは状況を一変させていますが、潜在的な温暖化リスクの大きさは変わっていません。

これらの背景を受けて、いくつかの文献では自然環境や生態系サービスの価値を適切に評価することなどにより、**“GDPを超える新たな指標”**の必要性 (21) ～ (24) が指摘されています（注1）。自然エネルギーの利用により脱炭素社会を実現する活動が正しく評価される仕組みが必要となっています（注2）。

（注１）国連の「包括的な豊かさの指標（IWI)」、米国NGOの「社会進歩指標」、英国シンクタンクの「世界幸福度指数（HPI)」などが提案されています。

（注２）自然エネルギーの効率的な利用法である自家消費もGDPではカウントされません。

特に、文献（21）と（22）では経済学、環境科学の立場の違いはありますが、人類が地球の限りある資源の範囲内で、安全かつ公平に生活を営むために生物物理的な限界、“プラネタリー・バウンダリー”を守る必要性が訴えられています。これを超えると、地球環境に取り返しのつかない重大な変化がもたらされる可能性が高いと言われています。

上巻を終えて

ここまで各種資料やデータなどに基づいて、現在の地球温暖化問題が私たちのエネルギー消費と深く結びついていることを確認してきました。また、その解決策の柱となる省エネ、脱化石燃料と自然エネルギー導入を加速するためのいくつかの技術的なポイントについて考えました。合わせて、脱炭素化を目指す自然エネルギー社会の実現は、現在の社会経済システムを大きく転換することでもあり、現在少しずつ生まれつつある動きの中から、その方向性を少し駆け足で展望してみました。

以降は下巻・第３部【実践編】として、さらに具体的に自然エネルギーを活用するための手法や関連技術の開発の動向を整理するとともに、我が国が自然エネルギー社会に移行するために考えなければならないことについて筆者の見解を含めてまとめてみたいと思います。

上巻【文献】

第1部【現象編】

第Ⅰ章

1．「平成30年版環境・循環型社会・生物多様性白書」（環境省）
2．『気候カジノ』（ウィリアム・ノードハウス）
3．『絵でわかる地球温暖化』（渡部雅浩）
4．https://aburano-hanashi.kuni-naka.com/467
5．「原子力・エネルギー図面集2015」（電気事業連合会）
6．「原子力・エネルギー図面集2019」（日本原子力文化財団）
7．高等学校教科書『地学ⅠB』（清水書院）
8．『太陽電池技術ハンドブック』（小長井誠、植田譲編）
9．太陽光発電協会（JPEA）ホームページ
10．『光合成のエネルギー変換と物質変換』（杉浦美羽、伊藤繁、南後守編）
11．「100％再エネに向けた太陽光発電のポテンシャルと課題」（荒川裕則、太陽エネルギー・Vol.42, No.5）
12．IPCC第4次評価報告書（2007年）
13．「平成25年版図で見る環境・循環型社会・生物多様性白書」（環境省）
14．気象庁ホームページ
15．https://www.eneichi.com/useful/2192/
16．『航空宇宙工学便覧』（日本航空宇宙学会編）
17．『理科年表』（国立天文台編）
18．『地球46億年気候大変動』（横山祐典）
19．『人新世とは何か』（クリストフ・ボヌイユ、ジャン＝バティスト・フレソブ）
20．『サステナビリティ学　②気候変動と低炭素社会』（小宮山宏他編）より「気候変動と気候モデル」（住明正）
21．『ノヴァセン』（ジェームズ・ラヴロック）
22．『生物のつながりを見つめよう』（日本生態学会）

23. http://ext-web. edu. sgu.ac.jp/koide/chikyu/
24. www. pupukids. com/jp/gas/02/025. html

第Ⅱ章

1．https://hp.otenki.com/486/
2．『地球環境システム』（中澤高清、青木周司、森本真司）
3．『地球温暖化』（日本気象学会編）
4．『気候カジノ』（ウィリアム・ノードハウス）
5．『異常気象と温暖化がわかる』（河宮未知生監修）
6．「温室効果ガス排出インベントリ報告書」（環境省）
7．『異常気象と地球温暖化』（鬼頭昭雄）
8．気象庁ホームページ
9．“Climate Change 2001”, J.T.Houghton et al.（IPCC第３次評価報告書のcontribution paper）
10. 『海の温暖化』（日本海洋学会編）
11. 木本昌秀、週刊ダイヤモンド2018/12/22から
12. 地球温暖化予測情報・第九巻（気象庁、2017年）
13. 「気候変動レポート」（平成27年７月、気象庁）
14. “Our Future on Earth”（John Rockstrom、2017年４月19日）
15. http://www.tos-land.net/teaching_plan/contents/7962
16. 「南極の氷床が崩壊中？」（R.B.アリー）：日経サイエンス2019年５月
17. 『気候変動クライシス』（ゲルノット・ワグナー、マーティン・ワイツマン）
18. 「脱炭素社会へのエネルギー戦略の提案」（自然エネルギー財団、2019年４月26日）など
19. 「IPCC第５次評価報告書の概要」（環境省）

第2部【基礎編】

第Ⅲ章

1．http://www.campus.ouj.ac.jp/~hamada/TextLib/rm
2．「エネルギー白書2018」（資源エネルギー庁）
3．「第５次エネルギー基本計画」（経済産業省、2018年７月）
4．『エネルギー変換工学』（谷辰夫他）
5．『トコトンやさしいエントロピーの本』（石原顕光）
6．「省エネルギー・水素・再生可能エネルギー政策の検討の状況について」（資源エネルギー庁、平成30年３月26日）」
7．「熱の有効利用について」（資源エネルギー庁、平成27年４月17日）
8．「住宅のエネルギー消費と省エネルギー」（株式会社・住環境計画研究所　中村美紀子、平成29年12月19日）
9．『エコハウスのウソ』（前真之）
10. 「脱炭素社会の実現は可能か」: 内山洋司（月刊「省エネルギー」Vol.71 No.7 2019）
11. https://www.yoshiken-home.com
12. 『トコトンやさしいエコハウスの本』（鈴木八十二監修）
13. 一般社団法人日本建材・住宅設備産業協会資料
14. 電気と保安No.478（関西電気保安協会）
15. 「課題先進国日本」（小宮山宏、学士会会報No.879、平成21年11月）
16. 『熱エネルギーシステム（第２版）』（加藤征三編）
17. 東京製鐵ホームページ：「東京製鐵の鋼材Q and A」
18. 「我が国の温室効果ガス排出量及び炭素・エネルギー生産性の現状等」（環境省、平成29年11月24日）
19. 「暮らしの中のエネルギー2020」（フォーラム・エネルギーを考える）
20. 「脱炭素社会へのエネルギー戦略の提案」（自然エネルギー財団）
21. 『新ビジョン2050』（小宮山宏、山田興一）
22. “The Circular Economy – a Powerful Force for Climate Mitigation”, Material Economics
23. 経済産業省ホームページ

24. 「脱炭素社会へのエネルギー戦略の提案」（自然エネルギー財団）
25. 「ライフサイクルCO_2ゼロへの挑戦」季刊新日鉄住金Vol.20（トヨタ自動車・山戸昌子）
26. https://www.huffingtonpost.jp/entry/orix-circular-economy_jp_5d37f69de4b020cd994b6988（※現在はページに接続できません）
27. 『サーキュラー・エコノミー　デジタル時代の成長戦略』（ピーター・レイシー他）

第Ⅳ章

1. https://nctech.online/energy-density/
2. 「エネルギー白書2006」（資源エネルギー庁）
3. 「各社接続可能量（2017年度算定値）の算定結果」（資源エネルギー庁、平成29年10月）
4. 「太陽光発電大量導入時代の火力発電」（火力原子力発電技術協会）
5. 『太陽光発電のスマート基幹電源化』（井村順一・原辰次編）
6. ”Energy Policies of IEA Countries JAPAN 2016 Review”（IEA）
7. 「原子力・エネルギー図面集2018」（日本原子力文化財団）
8. 「電源構成の歴史的変遷の国際比較分析」（安田陽、2015年12月17日）
9. 「日本の気候・エネルギー政策と石炭火力発電の状況」（平田仁子、2016年５月20日）
10. 「エネルギー白書2014」（資源エネルギー庁）
11. 「火力発電における論点」（資源エネルギー庁、平成27年３月　総合エネルギー調査会　長期エネルギー需給見通し小委員会　第５回会合）
12. 電中研ニュースNo.468, 2010 August
13. 「環境・エネルギー問題で問われる資本主義」（上園昌武、経済No.284, 2019）
14. https://www.gizmodo.jp/2019/09/amazon-fire-2019.html
15. https://www.businessinsider.jp/post-197104
16. 時事通信配信（2019年12月21日）
17. http://www.hoshizora.de/shishido/tagebau/tagebau-nrw.html

18. 『FACTFULNESS（ファクトフルネス）』（ハンス・ロスリング、オーラ・ロスリング、アンナ・ロスリング・ロンランド）
19. https://business.nikkei.com/atcl/forum/19/00024/072200002/
20. 「ドイツのエネルギー転換10のQ&A-日本への教訓」（自然エネルギー財団、2017.3.1）
21. 「再生可能エネルギーのポテンシャルを考慮したエネルギーフローの作成と分析」（瀧田祐樹・古林敬顕・中田俊彦、日本機械学会論文集 Vol.81,No.827,2015）
22. 「燃料電池自動車について」（資源エネルギー庁、平成26年３月４日）
23. 「日経ものづくり」2016年12月号
24. 自動車技術会「ハイブリッド車」（トヨタ自動車・朝倉吉隆）
25. http://www.poweraccel.co.jp/eco-drive.html
26. 「脱炭素手段としての電化」（戸田直樹、太陽エネルギー、Vol.46, No.3）
27. 「エネルギー白書2018」（経産省資源エネルギー庁）
28. 「電気を送る～電気の品質と送る技術～」（岡本浩、平成26年２月３日）
29. 『災害に強い電力ネットワーク』（横山隆一編）
30. 「電力系統の基本的要件と我が国の電力系統の特徴について」（横山明彦、平成14年３月８日）
31. 電力広域的運営推進機関（OCCTO）ホームページ
32. https://www.isep.or.jp/archives/library/11321
33. https://www.renewable-ei.org/activities/column/REupdate/20181005_1.php
34. 「再生可能エネルギー大量導入・次世代電力ネットワーク小委員会中間整理（第２次）での系統問題対策に関する事項の検討」（資源エネルギー庁、2019年２月25日）
35. 「国内の電力需給における変動型再生可能エネルギーの導入状況」（松原弘直）
36. 「優先給電ルールの考え方について」（九州電力、平成28年７月21日）
37. 「AB-2514とカリフォルニア州のエネルギー最新事情」（伊達貴彦、Smart Gridニューズレター、特別編集号2015. Vol.2）

38. "Energy Technology Perspectives 2015"（IEA/ETP）
39. 「エネルギーリソースアグリゲーションビジネス・ハンドブック」（資源エネルギー庁）
40. http://www.waseda.jp/sem-fox/memb/10s/gibu/gibu.index.html
41. 「水素基本戦略」（再生可能エネルギー・水素等関係閣僚会議、平成29年12月26日）
42. 「意義ある水素サプライチェーン構築に向けて」（小川幸裕、知的資産創造. 2016年4月）
43. 「水素・燃料電池戦略ロードマップ」（水素・燃料電池戦略協議会、平成26年6月23日）
44. 『電池のすべてが一番わかる』（福田京平）
45. http://fccj.jp/jp/aboutfuelcell.html
46. "Technology Roadmap Hydrogen and Fuel Cells"（IEA, 2015）
47. 「FCVを通じた水素社会実現へのチャレンジ」（トヨタ自動車・三谷和久、SMFG水素社会フォーラム、2015年5月21日）
48. 「水素・燃料電池戦略ロードマップ改記のポイント」（平成28年4月15日、資源エネルギー庁）

第Ⅴ章

1．「失ってはならない将来の電力インフラ」（戸田直樹）、OHM 2016年1月・2月
2．『太陽電池技術ハンドブック』（小長井誠、植田譲編）
3．https://www.renewable-ei.org/column-g/column_20151102.php
4．https://www.dailyshincho.jp/article/2018/07260800/?all=1&page=1
5．「スマートメーターBルートを活用するための解説と実装」（青戸渉）、経済産業省「スマートメーター制度検討会」配布資料
6．「電力メーター情報発信サービス（Bルートサービス）について」（東京電力）
7．日本経済新聞2019年11月20日朝刊
8．「スマートグリッド」（2018年4月）

9．「電力会社が中抜きされる時代がやってくる」（日経エネルギーNext、2017年９月22日）
10. 自然エネルギー財団ホームページ
11. 『コミュニティパワー、エネルギーで地域を豊かにする』（飯田哲也他）
12. 『再生可能エネルギーと固定価格買取制度FIT』（ミゲル・メンドーサ、デイビッド・ヤコブス、ベンジャミン・ソヴァクール）
13. https://solarjournal.jp/sj-market/25582/
14. 「ESGと企業経営について」（みずほ情報総研）
15. ブルントラント報告（1987年）：「幸福度指標と持続可能性指標」（佐藤正弘）
16. 「持続可能な開発目標」（SDGs）について（外務省、平成31年１月）
17. ”Our Future on Earth”, Johan Rockstrom, UNU Tokyo 19 April 2017
18. 『暮らしの質を測る』（ジョセフ・E・スティグリッツ他）
19. https://nkbp.jp/2PXr9mc
20. 「グローバルリスク報告書2018年版」（世界経済フォーラム）
21. 『ドーナツ経済学が世界を救う』（ケイト・ラワース）
22. 『小さな地球の大きな世界』（J.ロックストローム他）
23. 『人新世とは何か』（クリストフ・ボヌイユ、ジャンバティスト・フレソブ）
24. 『スマート・ジャパンへの提言』（ジェレミー・リフキン）

著者プロフィール

葛原 正（かつらはら ただし）

1953年、和歌山県で生まれる。
航空宇宙工学を専攻し、機械メーカーで各種プロジェクトの研究開発に携わる。
名古屋大学非常勤講師を経て、現在自然エネルギー開発に従事中。

エンジニアの覗いた自然エネルギー社会　上巻

2021年2月15日　初版第1刷発行

著　者　葛原 正
発行者　瓜谷 綱延
発行所　株式会社文芸社
〒160-0022　東京都新宿区新宿1－10－1
電話　03-5369-3060（代表）
03-5369-2299（販売）

印刷所　株式会社フクイン

ISBN978-4-286-22092-5